C0-AYO-566

LA GRAN MÚSICA

LA GRAN MÚSICA

I

Del Gregoriano a la apoteosis del Barroco (Haendel, Vivaldi, Bach)

Texto:

Carlo Bologna

Asesoría técnica y supervisión:

Enrique Franco y Tomás Marco

Título original: «La grande musica»
Director de la colección: Giovani Adamoli
Jefe de redacción: Fabricio Tolu
Traducción del italiano: Juan G. Baste

Realización de la presente edición:
Técnicos Editoriales y Consultores, S.A.
Comte de Salvatierra, 5 - 08006 Barcelona

ISBN (obra completa): 84-7539-131-1
ISBN (tomo 1): 84-7539-130-3
D.L.TO:1442-1991

Impreso en España, por Artes Gráficas Toledo S.A.

Sumario

Del Gregoriano al Barroco

El canto sacro cristiano

El canto religioso cristiano tiene unos claros orígenes hebreos y halla sus raíces en las sinagogas de Israel. Los primitivos cristianos encontraron en ellas los motivos fundamentales de su primer canto sacro. En la sinagoga las lecciones de la Sagrada Escritura eran recitadas, los salmos melódicamente declamados y los himnos, cantados. En este templo, en este clima sagrado nace el canto cristiano. Da fe de ello, indiscutiblemente, la palabra de San Pablo que, en la Epístola a los Colosenses, exhorta a los cristianos a instruirse «con salmos e himnos y cánticos espirituales»: evidentemente, tres formas diversas de canto. La salmodia era la recitación entonada de los salmos hebraicos y de los cánticos de la Biblia, que se diferenciaban de los salmos por su mayor solemnidad. Los himnos eran cantos de alabanza de tipo silábico en los que cada sílaba se cantaba sobre una o dos notas de la melodía. Los cantos espirituales —aleluyas y otros de carácter jubiloso— eran muy melódicos y en ellos cada sílaba del texto ocupaba el espacio de muchas notas formando lo que hoy llamamos una «floritura». Como dice San Agustín: «El que eleva voces de júbilo no profiere palabras: es un canto de alegría sin palabras.» Estos eran los cantos de aleluya. Del templo

y de la sinagoga hebraica los cantos llegaron a la Iglesia cristiana. En el siglo VII Isidoro de Sevilla escribe que los *laudes,* «cantos de aleluya», eran típicos de los hebreos.

En un segundo período, siempre sin movernos de la sinagoga, le llega a la cristiandad otro tipo de canto, el antifonal o manera de cantar en coros alternos, modo nacido de las más solemnes prácticas rituales. En el siglo IV San Basilio habla de la rápida difusión de la práctica antifonal y la defiende contra sus opositores afirmando que se practicaba por doquier: en Egipto, en Libia, en la Tebaida, en Palestina, en Arabia, en Fenicia, en Siria y en Mesopotamia. El canto cristiano estaba ya muy difundido en aquella época.

Como puede verse, los orígenes del canto cristiano son muy claros. En cambio, resulta muy complejo el camino que conduce hasta aquel canto cristiano que hoy consideramos como fundamental y definitivamente característico de la antigua música sacra de la Iglesia: el canto gregoriano, que asume en sí mismo todas las fuentes antiguas. Este gran patrimonio musical ha llegado hasta nosotros riquísimo y fascinante. Hubo un tiempo en que los musicólogos pensaron que el canto gregoriano era materia musical sólo para los eclesiásticos y que no interesaba directamente a los estudiosos. Higini Anglés ha escrito: «Henos aquí, pues, ante un magnífico repertorio musical, el más espiritual jamás creado con el fin de cantar las alabanzas divinas. Su estilo melódico es único e inconfundible; por ser diatónico y de ritmo libre, se adaptó siempre al canto de los textos litúrgicos en latín, tanto si procedían directamente de las Sagradas Escrituras (sobre todo de los Salmos), como si se derivaban de los escritos de los Padres de la Iglesia. Otros textos fueron sacados de los Hechos de los Mártires. Las melodías se adaptan tanto a la prosa como a la poesía de corte más o menos popular.»

En la página nueve: **un detalle de la «Natividad», de Piero della Francesca (Londres, National Gallery).**
Los motivos fundamentales del canto sacro cristiano hallan su origen en los cantos hebraicos (a la izquierda: **una sinagoga**).

Pitágoras, el filósofo y matemático griego que determinó los intervalos de la escala sobre bases matemáticas y fundó el primer sistema musical de Occidente.

Su riqueza es extraordinaria y su influencia sobre épocas sucesivas fue enorme. Su material melódico constituyó la base para la música sacra, al menos hasta el Setecientos. Ejerció también su influencia sobre la música instrumental, desde el órgano hasta los instrumentos de arco, pasando por el laúd. La música popular, finalmente, no fue inmune a su influencia tanto en Occidente como en Oriente.

De menor importancia, aunque no de menor belleza, es el repertorio musical de los otros cantos cristianos: el ambrosiano, consolidado como canto y como liturgia en la zona lombarda gracias a San Ambrosio, obispo de Milán desde el 374 hasta el 397, y desarrollado en etapas posteriores; el galicano, formado por cantos pertenecientes a las liturgias difundidas en la Galia de los francos hasta el comienzo del siglo IX y después asimilado por la Iglesia de Roma; el mozárabe, constituido por los cantos difundidos en España hasta la mitad del siglo XI y después asimilados por Roma en su mayor parte. Pero será precisamente el «canto romano» (así se denominó durante mucho tiempo el que ahora llamamos «canto gregoriano») el que triunfaría por doquiera que se celebrasen los ritos de la Iglesia cristiana.

San Ambrosio (a la izquierda) **introduce la himnología en Occidente.**
San Gregorio (en la página siguiente) **reorganiza, desde el punto de vista litúrgico y musical, la música sacra.**

¿Por qué gregoriano? Procede del nombre de San Gregorio, pontífice desde 590 hasta 604, que fue el primero en mandar reunir las plegarias entonadas y cantadas hasta entonces y transmitidas por tradición oral o manuscrita. El pontífice no sólo recopiló aquellos cantos, sino que dio forma a la colección de manera definitiva también en un sentido litúrgico, es decir, los coordinó con los ritos, de los que los cantos mencionados eran introducción y comentario. La palabra «gregoriano», en homenaje al gran pontífice, comenzó a usarse muy tarde, hacia finales del siglo VIII. Después, más tarde aún, en el siglo XIII, el *cantus planus* (canto llano, a una sola voz y rítmicamente libre) característico del gregoriano, fue distinto del *cantus mensuratus* (canto medido, a varias voces).

Gregorio, romano, había nacido en el seno de una rica y antigua familia senatorial. Era descendiente de la *Gens Anicia,* y entre sus ascendientes había figurado ya un papa, Félix III (483-492). Su casa se hallaba enclavada al comienzo del *Clivus Scauri,* sobre la colina Celio. Siendo ya pretor y prefecto de Roma, lo dejó todo para entregarse a la vida monacal en su mencionada casa, transformada en monasterio, mientras que sus propiedades en Sicilia seguían una suerte pareja, convirtiéndose en otros tantos cenobios. Pronto se convierte en diácono y tuvo, por lo tanto, los primeros contactos prácticos con la música sacra. Fue muy estimado del Papa Pelagio II, que lo mandó a Constantinopla como nuncio apostólico, ciudad en la que permaneció siete años. Vuelto a Roma, dedicó toda su vida a la religión, cediendo todos sus bienes a los monasterios que había fundado.

En el año 590, a la muerte de Pelagio II, fue designado sucesor suyo; renunció, alejándose de Roma, pero las presiones fueron tales que tuvo que aceptar el pontificado. La música sacra fue sólo una pequeña parte de la gran labor que llevó a cabo para la Iglesia y para la cristiandad. Fue un soberano extraordinario, también en el plano civil, político y económico. Combatió la peste y la carestía

VIR
ERAT
INTERRA

San Gregorio reordenó y organizó la «Schola cantorum» (sobre estas líneas: **la «Schola» de Santa Maria in Cosmedin, en Roma).**

con medidas que hoy se podrían llamar «modernas». Estaba al acecho en aquellos tiempos la amenaza de los longobardos y Gregorio tomó decisiones, tanto políticas como militares, para hacer frente a aquel peligro. Se hacía llamar *servus servorum Dei* (siervo de los siervos de Dios). Hizo numerosas conversiones entre los longobardos (la reina Teodolinda) y entre los ingleses (Agustín de Canterbury). Actuó con intensa acción pastoral entre los francos. Hábil polemista y sabio diplomático, orilló también un cisma. Nos ha dejado, entre otros, un admirable comentario al libro bíblico de Job. No olvidemos que Gregorio fue, en la práctica, el fundador del poder temporal de los papas en Italia, convirtiéndose él mismo, poco a poco, en soberano temporal de la ciudad de Roma, en la que había asumido funciones políticas y técnico-administrativas. Muy interesante resulta la posición política de Gregorio, que se desgajó del ambiente bizantino, en el que se había formado culturalmente, para aproximarse a los pueblos del Norte de Europa (visigodos, suevos, longobardos, anglos, sajones) que, gracias a él, se convirtieron al catolicismo. Hombre de pensamiento y de cultura, además de político de preclara inteligencia, fue infatigable. Su fe heroica, su ánimo esforzado, su equili-

A la derecha, arriba: **cantores de gregoriano;** abajo: **una página del manuscrito «Antiphonae, Responsoria et Hymnis» del siglo** X.
El «Antiphonarium cento» o «Antifonario» de San Gregorio fue la pilastra de la música sacra, desarrollada después en el transcurso de los siglos.
Los cánticos que ocupaban lugar preferente en el rito y en las plegarias, se usaban para las partes importantes de la misa.

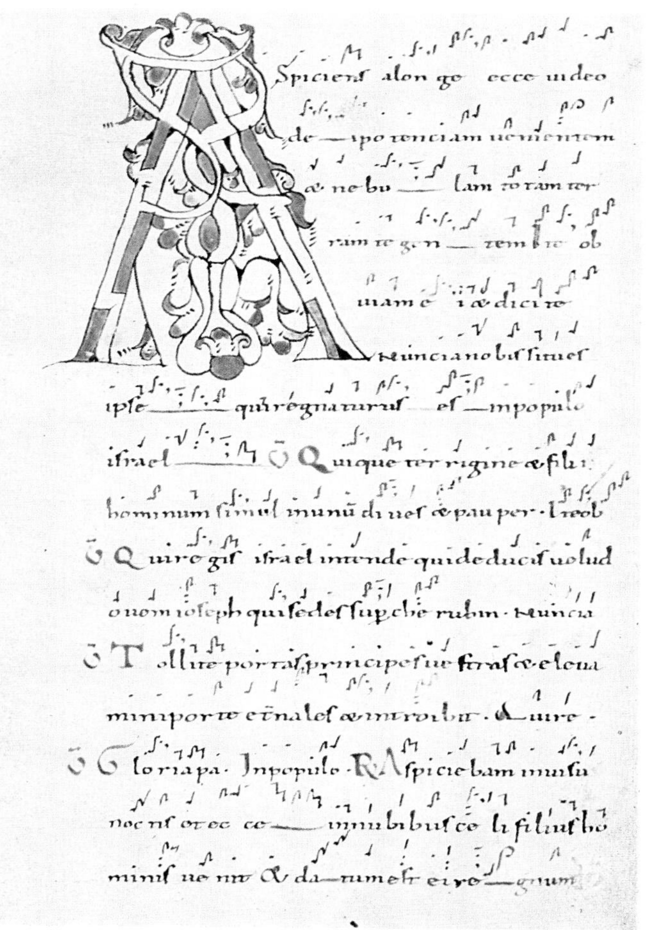

brio psíquico, su cultura, lo convirtieron en uno de los más grandes personajes, no sólo de su tiempo, claramente dominado por él, sino de todos los tiempos.

Pero volvamos a la música sacra, de la que Gregorio Magno fue el sistemático reorganizador desde el punto de vista litúrgico y musical. Es muy probable que fuese un entendido en música (o, sin más, autor de cantos sacros). Honorio lo llama «experto en el canto sacro»; el venerable Beda (673-735) habla de él como «habilísimo en la manera de cantar en la iglesia según la costumbre romana». En la biografía de Giovanni Diacono, escrita en el 882, se dice: «Gregorio, para conseguir el sentimiento propio de la dulzura musical, compiló, muy útilmente, un centón de antífonas, llevado por su gran celo hacia los cantores. Fundó también la escuela de cantores que todavía hoy canta con las mismas reglas de la Santa Iglesia Romana.» La cultura y la organización se hallaban en la base del trabajo de Gregorio (estableció la disciplina del canto y de los cantores) y la música formaba la base del culto, de la liturgia y de la enseñanza de la religión.

La gloria del Papa Gregorio Magno descansa sobre dos inmortales pilares: el *Antiphonarium cento* y la *Schola cantorum. Cento* significa centón, o sea, un conjunto de cantos de origen vario recogidos en un bloque único. Variedad, pues, en la unidad, como, por lo demás, significa esta palabra en sus orígenes, ya que «centone» indicaba un cobertor de los antiguos romanos confeccionado con retales diversos cosidos juntos. Es lo que hizo Gregorio compilando el *Antifonario.* Finalizada la colección, el volumen, manuscrito y miniado, fue trasladado al altar del apóstol Pedro y vinculado a la piedra con

Detalle del coro de los cantores de la catedral de Florencia, obra de Luca della Robbia.

una cadena de oro. Desgraciadamente, el precioso libro se perdió durante las invasiones bárbaras. Por fortuna, Gregorio había mandado sacar numerosas copias que había remitido a varias iglesias. Se cree, por ejemplo, que un códice manuscrito de cantos sagrados conservado en Saint-Gall, en Suiza, es una copia fiel del volumen original.

En este libro, verdadera mina de oro para la música sacra, convergen melodías nacidas y desarrolladas a lo largo de los siglos en Oriente y en Occidente. La recogida y acumulación de este patrimonio musical fueron lentas. Posteriormente se ha llegado a discutir sobre la originalidad del más antiguo documento musical sagrado y sobre la primogenitura de Gregorio en este campo. Pero ahora podemos dar por cierto que el Gregorio de que se habla en el antiguo documento es propiamente el papa romano; certidumbre reafirmada después por las referencias en antiguos documentos ingleses que confirman cómo en Inglaterra se hacía uso del *Antifonario* de Gregorio I.

La *Schola cantorum,* instituida bajo Celestino I (papa desde el 422 hasta el 432), fue reordenada por Gregorio Magno y organizada en dos sedes: Letrán y San Pedro. Se enriqueció con varias enseñanzas, además de la música: gramática, retórica, teología, etc. Es obligatorio decir que los estudios más modernos y la opinión de algunos historiadores tienden a reducir los méritos del gran papa. Nosotros no compartimos tan severo juicio. Pontífice misionero (el primero), no pudo dejar de contribuir, de manera masiva y definitiva, a la difusión conjunta del verbo cristiano, de la liturgia y de sus cantos. Organizador por excelencia, contribuyó, sin duda, a dar una estructura a este sector de la vida cristiana. A nuestra opinión, es seguro que en la cantidad enorme de hechos históricos de los que fue protagonista Gregorio también la música sacra ha de hallar un digno y amplio lugar. Todavía sigue vivo el patrimonio legado por el «gregoriano». Si en este momento su decadencia es evidente debido a la crisis del canto sacro en general y a una reforma mal entendida, todavía su atractivo permanece inmutable. Su melodiosa luz, que tanto ha influido en la música durante muchos siglos, todavía brilla. La obra de Gregorio fue fundamental, abrió el camino a una etapa de desarrollo, a una evolución que perfeccionó la técnica, el saber y los modos para siglos sucesivos.

Los cantos, apretados en las cadenas de la liturgia, ocupaban cada uno un puesto muy definido en el rito y en el conjunto de las plegarias. Eran el Gradual (los cantos de la misa) y el Antifonario (el oficio de la noche). Cada vez más importantes, las «antífonas» (cantos a coros alternos) se emplearon para las partes fundamentales de la misa; a su vez, los cantos responsoriales (reservados a la pericia de los cantores), que comprendían también los «aleluya», componían una parte importante del canto sacro. Lentamente, gradualmente, la misa así cantada se reagrupó: Kyrie (con la letanía), Gloria, Credo, Sanctus, Agnus Dei; esta es la estructura familiar para todos nosotros. Pero los cantos característicos de la *Schola* son: Introito, Ofertorio, Communio y tres cantos del solista (Gradual, Aleluya, Tractus).

En definitiva, la misa completa estaba organizada así, según los cantos: Introito, Kyrie, Gloria, Ora-

Interior de la catedral de Reims, en la que trabajó Guillaume de Machaut, uno de los máximos exponentes del «Ars Nova» francesa, cuya música era extremadamente compleja y rigurosa y, al mismo tiempo, de una enorme originalidad.

ción, Epístola, Gradual, Aleluya o Tractus, Evangelio, Credo, Ofertorio, Secreta, Prefacio, Sanctus, Canon, Agnus Dei, Communio, Postcommunio, Ite missa est (o Benedicamus Domino). Desde el tiempo de Gregorio y sus sucesores, la misa, en sus partes cantadas, se desarrolla de varias, diversas y complejas maneras, pero la estructura no cambió y el Kyrie de los tiempos de Gregorio continuó siendo el Kyrie de los tiempos renacentistas, al igual que el del nuestro. Si el canto fue siempre —o casi siempre— a una voz hasta cerca del siglo XI, en los tiempos sucesivos —al menos hasta los siglos XV y XVI— se consolidaron las primeras elaboraciones a varias voces llamadas, precisamente por este motivo, polifónicas.

La misa desempeña un importante papel en el desarrollo de la polifonía. Durante los dos períodos en que solemos dividir la historia de la música entre el año mil cien y el comienzo del Cuatrocientos (*Ars Antiqua* entre el mil cien y el comienzo del Trescientos, *Ars Nova* hasta el comienzo del Cuatrocientos) la misa se desarrolla en forma cada vez más compleja. Se respeta la estructura, pero la forma musical cambia radicalmente. Viene concebida en forma polifónica, con una visión orgánica del conjunto en el que se elaboran melodías procedentes del rico mundo del gregoriano. Se afirman algunos compositores que imprimen a sus obras sacras un carácter personal. Es lento el proceso que les conducirá a la composición de toda una misa; es más fácil, en los primeros tiempos, hallar partes sueltas: un Credo, un Gloria. En el Cuatrocientos se establece la unidad, también la musical, de la misa, en cuya base figura un tema bien definido, muy a menudo derivado de una melodía, ya religiosa, ya popular (ahora raramente gregoriana).

Fue Guillaume de Machaut (o Machault, de hacia 1300 a 1377) quien estableció las diversas secciones de la misa sobre melodías gregorianas, sacadas de las secciones correspondientes de la misa gregoriana. Con Machaut (nacido en Champagne, muerto en Reims) nos hallamos en plena *Ars Nova* francesa. Compositor y literato, estuvo al servicio del rey de Bohemia, al que acompañó en sus viajes y campañas militares. Canónigo de Reims, se dedicó a la poesía y a la música, pero permaneciendo siempre al servicio de la corte y participando también en otras empresas militares. Su actividad literaria y musical fue muy intensa: su música es la más alta expresión del *Ars Nova* de Francia. Sus obras han llegado hasta nosotros manuscritas en cuidadas ediciones, señal de la particular consideración en que eran tenidas. Una de las composiciones más justamente célebres del músico de Champagne es la *Misa de Notre-Dame a cuatro voces,* compuesta en 1364.

La música de este autor es siempre muy original y refinadísima. En el desarrollo y el estilo, a veces muy complicado de su escritura, Machaut preanuncia maneras modernas de componer. Sabe superponer las partes de manera sutilmente compleja para crear construcciones osadísimas. Además de los aspectos técnicos (extremadamente interesantes) de la música de Machaut, emociona el resultado poético. Allí está toda Francia con su delicadeza, con su sutil vena poética. No es el sensual abandono, el calor del *Ars Nova* italiana; aquí son las gradaciones, los colores tenues de la francesa, gradaciones y colores que preanuncian el destino poético y colorístico de la música francesa de los siglos que han de venir. Lo que maravilla en Machaut es la simetría matemática de sus construcciones musicales y, al mismo tiempo, la carga poética espiritual que se evidencia. Ciencia y poesía se hallan en la vida entera de Machaut, en su espíritu, vivaz y siempre joven: cuando tenía cerca de sesenta años, en 1362, se enamoró de la jovencísima Péronne de Armentières, amor que duró tres años y que dio vida a un romance epistolar que Machaut tituló *Voir dit.*

Armand Machabey ha escrito, comentando la obra de Machaut: «Hoy las obras de Guillaume de Machaut tienen un sabor arcaico y solamente algunas de ellas podrían ejercer sobre nosotros una atracción pareja a la de las melodías de Debussy; pero, además de su indiscutible valor, estas composiciones ofrecen a nuestro estudio un campo de investigación casi inagotable y realmente precioso para la historia del arte». Conviene añadir que la música de Machaut adquiere, con el paso de los años, un color particular. Cuanto más absorbemos el vivo sentido de la música contemporánea —con sus contrastes y su problemática sonora— más el sentido arcaico, ampliamente difundido en la música del francés, asume un particular atractivo.

«La música», relieve que figura en la fachada de la catedral de Chartres y que atestigua la importancia de la música en la época medieval.

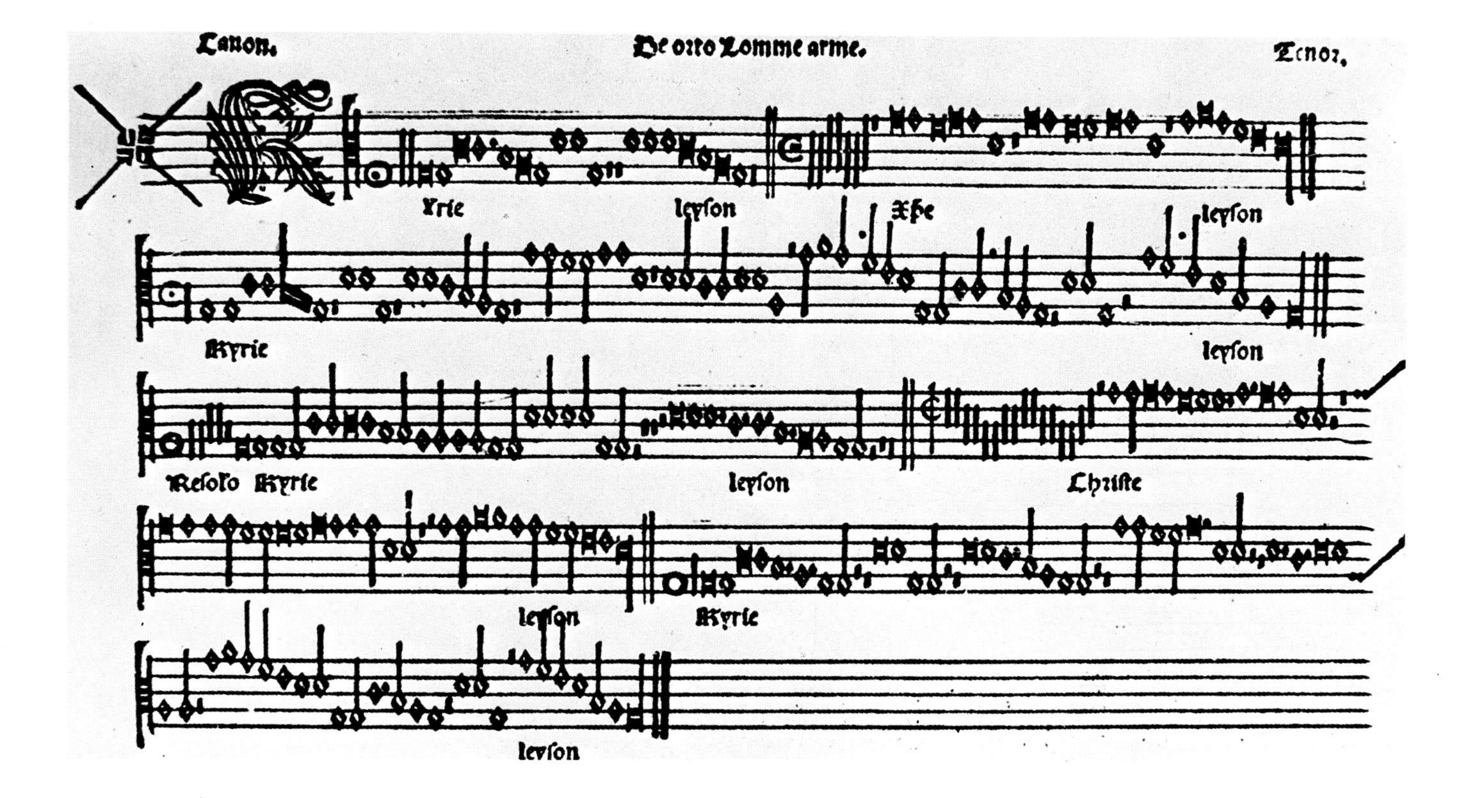

La conocidísima canción «L'homme armé», de autor anónimo; comenzando por Guillaume Dufay, muchos fueron los que la adaptaron como tema para la misa, especialmente los compositores de la escuela flamenca.

Machaut es toda una etapa del largo itinerario que recorre la misa entre el Trescientos y el Quinientos del gran Renacimiento. Se convierte en costumbre, para los compositores del tiempo, servirse como base de melodías profanas o sagradas. Se trabaja sobre cantos a una voz, y sobre temas de composiciones polifónicas, sagradas o profanas, del mismo autor de la misa o de otros autores. Cuando hallamos misas con el título *Ave Regina Coelorum* o *L'homme armé* podríamos pensar, sin más, en los orígenes del tema o de los temas de la misa citada: el primero sacro y el otro profano. *L'homme armé* es el título de una conocidísima canción *(chanson)* de autor anónimo, que gozó de gran predicamento en su tiempo. La melodía parece totalmente inadecuada para servir de base a una composición sacra como la misa. Pero, comenzando por Dufay, este tema fue usado frecuentemente por numerosísimos compositores.

Hallamos también un modo de componer que dará lugar a la *Missa parodia,* es decir, una misa compuesta sobre material precedente, propio o ajeno; una especie de reelaboración de composiciones ya conocidas. Labor difícil, por cuanto precisaba transfigurar la vieja música, por así decirlo, y transformarla en nueva. En la acepción dada aquí a esta palabra, se trata de «composición hecha a semejanza de otra». Con el proseguir del tiempo y las mudanzas del lenguaje, «parodia» significó caricaturizar, con lo que adquirió un sentido peyorativo. Hallaremos este término en tiempos más próximos a nosotros, siempre hablando de música, en autores como Bach, en una operación musical distinta de la que se efectuaba en el *Ars Nova* y en el Renacimiento.

La música de estos siglos vio otros grandes y extraordinarios compositores. El albor de la gran música sacra no puede dejar de ser subrayado con la presencia de hombres como Léonin y Perotinus, exponentes de la gran escuela de París, de Notre-Dame, grandes pioneros de la polifonía sacra sin la cual no habría podido existir un Machaut. Otros nombres son Ciconia (1340-1411), compositor valón, Lionel Power (hacia 1445) inglés, como John Dunstable (hacia 1380-1453).

Posteriormente llegamos a la gran escuela flamenca, que se impone sobre todo en las formas de la misa y del motete y produce algunos de los protagonistas del Cuatrocientos musical. Uno de los mayores compositores de todos los tiempos, Guillaume Dufay (hacia 1400-1474) fue el primer gran exponente de esta escuela. Fecundísimo compositor de misas, motetes sagrados y profanos, *chansons,* Dufay substituyó la melodía básica gregoriana con canciones populares. En su famosa misa, *L'homme armé,* utiliza la célebre canción del título, inaugurando una tradición que se convertiría después en fuente inagotable de inspiración para otro centenar de años. Dufay se distingue no sólo por sus muchas innovaciones, sino también por la riqueza y variedad de éstas.

Arriba: **Josquin Desprez, compositor flamenco y «maestro de las notas», que ejerció una enorme influencia sobre la música polifónica.**
A la izquierda: **el compositor flamenco Johannes Ockeghem con sus cantores. Ockeghem tuvo una enorme influencia sobre la música europea en las postrimerías del siglo XV.**
En la página contigua: **en 1436, Guillaume Dufay inauguró con su música la cúpula de la catedral de Santa María de las Flores, de Florencia, obra maestra de Brunelleschi.**

La segunda generación de la escuela flamenca halla su mayor exponente en Johannes Ockeghem (entre 1428 y 1495), que tuvo una gran influencia en el desarrollo del «estilo» renacentista en la Europa septentrional, con su gran virtuosismo técnico y su tensión dramática.

El alumno más importante de Ockeghem fue Josquin Desprez (1440-1521). Su fama era tan

PATROCINIVM MVSICES
LAVDATE DOMINVM OMNES GENTES
MISSÆ
ALIQVOT QVINQVE
VOCVM.
ORLANDI DE LASSO
Serenifs: Ducis Bauariæ, Chori Magiftri.
Monachii excudebat Adamus Berg.
M. D. LXXXIX.

A la izquierda: **frontispicio de la «Misa a cinco voces», de 1589, obra de otro gran flamenco, Orlando di Lasso.**
A la derecha: **interior de la basílica de Santa María la Mayor, de la que Palestrina (en 1561) y Alessandro Scarlatti (en 1707) fueron maestros de capilla.**

grande que Lutero le llamó «maestro de las notas» y Baltasar Castiglione lo definió como un «espíritu nuevo repleto de virtud». Es conocido sobre todo por sus magníficos motetes. Desarrolló primordialmente la técnica de la imitación (una voz era repetida en forma de *eco* por las otras en atrevidas combinaciones). Su música, altamente poética y melódica, le convierte en uno de los grandes de la historia de la música.

Aquí recordemos, finalmente, al flamenco Orlando di Lasso (hacia 1532-1594) que con su vasta producción enriqueció todos los géneros de la escuela flamenca y las formas de la polifonía italiana. Grandiosidad e intensidad dramática (particularmente en sus *Pasiones* y en los *Salmos penitenciales*) son dos aspectos de su profunda música que evocan la grandeza de Miguel Angel.

En nuestra sucinta relación no hemos citado todavía nombres italianos. En realidad, para tener referencias musicales italianas precisas en el campo específico de la misa durante una época que, con todo derecho, se puede llamar de transición, hace falta llegar a los umbrales de la escuela veneciana que, con los nombres de los dos Gabrieli (Andrea [hacia los años 1510-1586] y su sobrino Giovanni (hacia 1577-1612), ocupa por entero el siglo XVI. Con ellos se inicia un verdadero «siglo de oro» en el que se afirma un estilo que debería influir, desde Venecia, en generaciones enteras de compositores. (No olvidemos, no obstante, que sin la novedad y los desarrollos impulsados por la escuela flamenca, la escuela veneciana no habría existido.)

Con Pier Luigi da Palestrina (hacia 1525-1594) la misa alcanzará cumbres quizá no superadas por sus sucesores. Cuando contaba poco más de diez años, el futuro compositor era ya cantor en Santa María la Mayor, de Roma. En 1544 fue nombrado organista y maestro de canto de la catedral de su ciudad natal, Palestrina. Bajo el papa Julio III, Palestrina fue a Roma, primero a la Capilla Julia, luego a la Capilla Sixtina. Pero se le despidió por no ser célibe (casado, tuvo tres hijos, todos compositores). Logró, no obstante, obtener el puesto de maestro en San Juan de Letrán, sucediendo al célebre Orlando di Lasso. Su carrera *oficial* pasó por varias alternativas. Su producción musical fue fértil y se desarrolló en varios campos de la música, sagrada y profana. Murió en Roma tras haber sido maestro en Santa María la Mayor, en el seminario y en la Capilla Julia. En 1580 había decidido hacerse sacerdote, pero pronto cambió de idea y se casó con una viuda rica.

Palestrina ha escrito un centenar de misas, algunas de las cuales son famosas todavía hoy e interpretadas con frecuencia. El compositor romano

Fragmento del frontispicio de la «Misa del papa Marcelo» de Palestrina: el compositor ofrece el primer libro del misal al papa Julio III.

acusa, además de la influencia de los maestros flamencos, la del canto gregoriano y de sus derivaciones, particularmente numerosas en el ámbito italiano. Pero pronto Palestrina demostró que podía avanzar alejándose de las influencias y de los esquemas de su tiempo. Aunque también él construyó sus misas sobre materiales extraídos o derivados del mundo sacro y del profano, obtuvo resultados mucho más altos que los de sus contemporáneos.

Palestrina también escribió dos misas sobre el motivo de *L'homme armé* y tomó sus temas del gregoriano, pero es muy difícil distinguir el tema o los temas de base, dado que su misa se convierte en una composición absolutamente original, como la célebre *Misa del Papa Marcelo,* dedicada a la memoria de Marcelo II.

Se trata siempre de misas puramente vocales, sin acompañamiento instrumental, «a cappella», como se decía. No siempre la misa era ejecutada por voces solas: también los instrumentos habían entrado en la iglesia, sobre todo fuera de Italia. La reacción contra este uso, que se desarrolló con particular fuerza durante el Concilio de Trento, condujo a muchos autores a componer de manera más severa, abandonando los instrumentos (si alguna vez los habían empleado), confiando a las voces el máximo cometido y revalorizando también la palabra del texto sagrado. El Concilio de Trento (celebrado entre 1545 y 1563) se desarrolló durante tres pontificados: los de Pablo III, Julio III y Pío IV. Condenando la herejía luterana y la llegada del protestantismo, reafirmó los «valores supremos» del cristianismo. No podía por menos, en su esfuerzo para reponer la antigua disciplina, que entrar en el campo de la música, volviéndola a convertir en un instrumento de religión y de fe. Palestrina representó un puntal firme, también bajo este aspecto.

Es sorprendente la grandeza, la riqueza, la variedad de las misas de Palestrina que, como todos los genios, recoge, resume y sintetiza todo lo de su tiempo. Todos los «modos» de hacer misas con música son conocidos por Palestrina, que usó de ellos con soberana maestría creando obras inmortales. Su inspiración está siempre alerta, atenta a los más sutiles matices. También presta suma atención a los textos ya que, por ejemplo, las numerosas misas que llevan un título relativo a la Virgen *(Assumpta est Maria, Ave Regina Coelorum,* etc.) están construidas con un material sonoro, por así decirlo, transparente, afectuoso, de excepcional delicadeza. La *Hodie Christus natus est* es exultante; meditativa, la *Aeterna Christi munera;* clara y perfecta, en su suprema simplicidad expresiva, la *Misa del Papa Marcelo.*

Diferente, pero siempre gran figura del Renacimiento italiano, es la del cremonense Claudio Monteverdi (1567-1643), también protagonista de su época; en oposición a Palestrina, debe su fama más a las obras profanas que a las sagradas, si bien en este último campo escribió también indiscutibles obras maestras. Pero el haber escrito *Orfeo, Il lamento d'Arianna, L'incoronazione di Poppea* y madrigales sublimes ha hecho que su obra sacra se confinara en una especie de limbo. Fue compositor

Cantantes de música polifónica, de Giovannino di Grassi.

precoz. A los quince años, siendo alumno del gran veronés Marcantonio Ingegneri (cuya estatura musical puede parangonarse a la del gran Palestrina), Monteverdi dio a la imprenta su *Primo libro di Canzonette a tre voci.* Sus volúmenes de madrigales, impresos todos en Venecia, harían famoso su nombre en toda Europa. Estuvo en Mantua junto a los Gonzaga hasta 1613, para pasar a Venecia como «maestro de música», puesto codiciadísimo que antes había sido ocupado por compositores famosos. En 1607 fue representado *Orfeo,* un acontecimiento histórico en el campo del melodrama. En 1610 un volumen suyo comprendía obras maestras como la *Misa da cappella a seis voces,* las célebres *Vísperas de la Virgen* (a seis voces con instrumentos) y el *Magnificat* (a siete voces con instrumentos), dedicadas al papa Pío V. En colecciones venecianas de 1640 y 1650 aparecieron otras músicas sacras. En el último de los volúmenes figura también otra misa «a cuatro voces 'da cappella'».

Los estilos empleados por Monteverdi en componer la misa o, por ejemplo, el *Magnificat* o las *Vísperas,* son diversos. Si en estas últimas obras recoge el esplendor sonoro veneciano, vocal o instrumental, en la misa el cremonense se aproxima notablemente al estilo palestriniano, de la escuela romana, severo y compuesto, pero sin olvidarse, aquí y allá, de seguir siendo él mismo, personalísimo y autónomo. Desde luego, para un oyente atento, la *Misa da cappella* recuerda la palestriniana *Misa del Papa Marcelo.* En las composiciones no rigurosamente litúrgicas la fantasía musical de Monteverdi se despliega con gran libertad y raramente recurre al estilo «a cappella» —esto es, a las voces solas— sino que refuerza la estructura con instrumentos o, en cualquier caso, con un acompañamiento de base, un bajo continuo. Así ocurre en las tres *Salve Regina* comprendidas en la *Silva moral y espiritual,* impresa en el 1610. En una, para dos tenores, dos violines y continuo, viene escrito «con dentro un Ecco voce sola risposta d'ecco' ('con una voz sola interior dando respuesta como un eco'). Uno de tantos efectos que Monteverdi usó con resultados fascinantes.

Monteverdi no fue un innovador en el verdadero sentido de la palabra, pero llevó al máximo desarrollo las formas tradicionales que tanto amaba. Es obvio que su genio anticipa en las varias composiciones los que serán modos del tiempo barroco. En la música sacra permanece como un «tradicional» y ofrece, con la citada misa, una obra maestra de la polifonía renacentista; la gran variedad de estilos de otras composiciones suyas recuerda también a veces su experiencia operística. Digamos que con Monteverdi no existe una clara separación entre música sagrada y música profana, y a veces músicas escritas para textos profanos fueron adaptadas a textos sagrados. Por ejemplo, *Il lamento di Arianna* («El lamento de Ariadna») se convirtió en un *Pianto della Madonna* (Llanto de la Virgen).

Canto profano y música instrumental

El canto profano, en el período aquí considerado —es decir, a partir del siglo XIV— tiene un desarrollo bien coordinado y que casi puede denominarse orgánico. Ocupa un espacio, con particular referencia a la canción, que llega hasta la primera mitad del siglo XVI y aun la supera. Incluso es posible usar la palabra «europea» hablando de la canción ya que tan vasto y tan homogéneo ha sido su desarrollo en el tiempo señalado. En el tardío Medioevo (ya alrededores del Trescientos) el impulso alemán hacia la Europa oriental amplió su horizonte hasta los confines de Rusia, insertando en la civilización occidental pueblos eslavos, del Báltico o de la futura Hungría. La canción se difunde de Oeste a Este. En ella confluyen las formas y los estilos característicos de la canción popular, junto con las formas y los estilos provenientes de las clases más acomodadas, formando el todo un conjunto bastante unitario y, como hemos dicho, homogéneo.

Los *histriones* y los *cantores vagabundos* eran los que se dedicaban a difundir palabras y música. En la corte de Aragón podían hallarse cantores provenientes de Alemania o de Bohemia y, simultáneamente, en Prusia o en Marienburg se hallaban cantores provenientes de Francia, de Portugal o de Flandes. Cantantes y tañedores vagaban, literalmente, de Oriente a Occidente y viceversa. Además, no vamos a desvalorizar las aportaciones de los peregrinos que en gran número, anualmente, se trasladaban, de la Europa central o de Italia, a los santuarios o a los más diversos lugares de devoción. Llevaban con ellos melodías y canciones de la propia tierra y regresaban con nuevas canciones y melodías de las tierras visitadas. ¿De qué hablan los textos? Habitualmente, de las tradiciones, de la naturaleza, de las prácticas religiosas, de las diversiones de la corte y de la burguesía, de las distracciones.

La influencia entre los distintos estratos de la población, entre pueblo y corte, era recíproca. El resultado fue una producción copiosa e interesantísima de melodías y canciones. Pensemos que sólo en Alemania florecieron en aquel tiempo (y se han conservado no menos de 1.500 fragmentos) canciones de todo género: religiosas, populares y narrativas, aristocráticas, de la clase media y de la clase alta, en latín, en lenguas romances, en dialectos. Se cantaba en casa, en la taberna, en el mercado, en la calle. Las ocasiones no faltaban: juegos, fiestas, espectáculos. Las canciones se desarrollaron concertadas con los bailes, cantados y tocados.

Con seguridad, casi todo cuanto se cantaba podía ser tocado, con técnicas siempre más perfeccionadas según las mejores transformaciones que sufrían los instrumentos en su desarrollo. Bastaba que un juglar afinara su instrumento en un castillo o en una plaza para que la gente se arracimase a su alrededor para escucharle. Se oían las canciones cantadas, pero se acababa también por bailar, si la ocasión lo permitía, ya que el juglar tenía a su disposi-

Guillaume Dufay con Gilles Binchois (compositores franceses conocidos por sus canciones profanas) en una miniatura del siglo XV.

Los músicos que tocan instrumentos de viento y de percusión en una parada de caballeros (arriba) **y el tañedor de viola y el danzante** (página de la derecha), **sacados de una miniatura del siglo XII, son expresiones de la difusión de la música profana durante la Edad Media, tanto cantada como instrumental.**

ción no solo un vasto repertorio de música cantable, sino también de música instrumental. Se ha conservado poca música instrumental escrita, pero probablemente esto se deba al hecho de que mucha música que hoy se considera «para cantar» (porque lleva escrita conjuntamente las palabras) estaba destinada también a ser tocada a solo. Los instrumentos no faltaban y se podían usar con mucha libertad, toda vez que no tenían un cometido preciso como hoy. La misma música podía ser interpretada por una viola o por un laúd, por un arpa o por una dulzaina, por una gaita o por unas campanillas. Son innumerables los testimonios pictóricos que nos muestran a hombres y mujeres que cantan, acompañándose de instrumentos.

Se consolidaron las formas más variadas de danza que a menudo se unían a la canción, formando verdaderas y propias «canciones de baile». Se danzaba en cualquier parte, según la ocasión lo sugiriese. El canto y los instrumentos formaban parte de la vida de todos los días. Se usaban instrumentos para llamar a los aldeanos a la recolección, para acompañar a los soldados a la guerra, para atacar a los enemigos, para la caza, en las procesiones. Instrumentos de viento, naturalmente, fuertes y sonoros, que permanecían fuera de la puerta cuando llegaba el momento de entrar en la corte, en palacio o en aquellos lugares que acogían instrumentos más delicados, como las violas, las arpas y las flautas.

Retrato de Francesco Landini, el «ciego de los órganos» y maestro del «Ars Nova» florentina (procede del Códice Squarcialupi, del siglo XV).

Entre los siglos XIII y XIV se desarrollaron muchas formas de música instrumental, popular y refinada. Boccaccio, en el *Decamerón,* habla de danzas acompañadas con laúd o con viola. A veces se utilizaban danzas interpretadas como preludio a canciones cantadas. Nos lo describe también Boccaccio en la última jornada de su *Decamerón,* cuando Minuccio, «músico primoroso», cantor e instrumentista, antes de ejecutar una canción toca una *estampida* con la viola. La estampida era una composición instrumental inspirada en ritmos de danza y formada por varias partes, cada una de las cuales venía repetida, concluyéndose la primera vez de manera distinta de la segunda. Así son los *saltarelli* y los *trotto,* evidentemente danzas vivaces, con saltos y pasos muy ágiles. En un manuscrito que actualmente se halla en Londres figuran dos composiciones que han mantenido su fama durante años y años: el *Lamento de Tristán* y la *Manfredina,* formas muy libres de danza, pero evidentemente, unidas a canciones precedentes. Las estampidas eran danzas de larga duración, en tanto que los *saltarelli* y los *trotto* eran más breves.

En la evolución de la canción y de la música instrumental para danza, Italia ocupó un lugar relevante y aportó su contribución para la difusión de estas formas populares. En el campo de la música profana, en cambio, a niveles artísticos más elevados, Italia, tras el magnífico período del *Ars nova* del siglo XIV, conoce un período notablemente obscuro. Si se excluye, entre otros pocos compositores, la figura de Francesco Landini (hacia 1335-1397), el ciego de Fiésole, llamado el «ciego del órgano», compositor insigne e inspirado, poeta y narrador, hará falta esperar casi un siglo para volver a notar la presencia musical de Italia.

El Cuatrocientos italiano, en música como en literatura, sufrió una especie de eclipse; pareció como si toda la energía artística se agotase en el gran esfuerzo de hacer la elevadísima pintura, escultura y arquitectura del siglo: de Masaccio a Mantegna, de Donatello a Verrocchio, de Brunelleschi a Bramante. La música y la literatura quedan, pues, obscurecidas. Después, finalmente, mientras Lorenzo de Médicis volvía triunfalmente a la lengua vulgar con sus bailes y sus cantos, también la música volvía a florecer, ya fuese popular, ya cortesana. Es el momento de los «cantos carnavalescos», nacidos en Florencia en la segunda mitad del siglo XV y destinados a la diversión del pueblo. Ponían en la picota a los personajes de la vida de cada día: peregrinos, mendigos, albañiles, sastres, comerciantes, usureros, ermitaños.

Los cantos carnavalescos eran vivos y punzantes, a veces dotados de un doble sentido y de una clara obscenidad, y se ponían en escena durante el carnaval junto a manifestaciones más complejas como los «triunfos» y las «carrozas» en las que en la mitología, las virtudes, los astros, las victorias venían representados suntuosamente. Se cantaba a una sola voz o a varias voces, siempre acompañándose de los más diversos (y más extraños) instrumentos: laúdes, guitarras, rabeles, bombardas, pífanos, trompas, trompetas, trombones. Después, como ocurre a veces, no pocos de estos textos profanos

Las miniaturas que acompañaban las melodías (a la derecha) **atestiguan los instrumentos usados en el siglo XIII. La compilación citada demuestra que fueron los árabes quienes llevaron al continente las nuevas formas y los nuevos instrumentos. Los «triunfos» y los «carros» (equivalentes a las carrozas de un carnaval moderno) que Lorenzo de Médicis había introducido en Florencia, caracterizados por su magnificencia, iban acompañados de cantos carnavalescos** (debajo: **una ilustración que recoge estas canciones). Estos desfiles durante el carnaval ofrecían a poetas y músicos ocasión de mostrar su talento.**

fueron olvidados, pero no sus músicas, que se revistieron de textos sagrados. Eran tiempos en que, en Florencia, Savonarola predicaba contra el lujo y contra el mundo corrompido. Las músicas destinadas a los cantos licenciosos del carnaval sirvieron para formar los «laúdes» destinados al uso popular. Así, poco a poco, iba formándose aquel patrimonio musical que finalmente acabaría influyendo, durante el siglo XVI, en toda la música europea.

Paralelamente a la canción carnavalesca florentina, en la corte de los Gonzaga de Mantua, por gracia de Isabel de Este, florecía la «frottola», con compositores en gran parte vénetos, especialmente veroneses. La «frottola» es una forma de música polifónica a cuatro voces (paralela a la homónima forma literaria) que de Mantua se difundió por toda Italia, dando comienzo a una forma que, en breve espacio de tiempo dio lugar al madrigal, el rey de la música del Renacimiento. Gradualmente —y con bastante rapidez— se formó un estilo que, partiendo de lo casi popular, condujo a formas artísticas elevadas. Los frotolistas son considerados como verdaderos pioneros y con su obra influyeron no solo en el desarrollo de la música en Italia, sino también sobre la flamenca y la francesa.

El período entre finales del siglo XV y el comienzo del siglo XVI, fértil en ideas e ingenios en todos los campos, fue en Italia particularmente fecundo desde el punto de vista musical. Nacerán en esta época los nombres más grandes de este magnífico e irrepetible siglo, el siglo del madrigal, de todas las formas musicales vocales y de la naciente y siempre más rica música instrumental.

El origen de la palabra «madrigal» es incierto; quizá de «mandriale» ('pastor') en relación con el tema pastoril de los primeros madrigales, quizá de «matricale» en el sentido de «en la lengua materna». La palabra había aparecido ya en el período del *Ars nova* y era una de sus formas poético-musicales, como la balada y la «caccia», ejecutadas en amenas reuniones de jóvenes en las casas señoriales o al aire libre. Durante el *Ars nova* el madrigal era de tema pastoril o amoroso, con música en general a dos voces, a veces a tres.

Después viene la «frottola», como hemos dicho, y hacia el 1530 se habla de nuevo del madrigal en una forma muy similar a la «frottola», pero a cuatro voces. Aunque en sus inicios el madrigal mantiene casi siempre el uso de textos divididos en estrofas, al cabo de poco tiempo la música utilizó textos cada vez más libres, adhiriéndose con mayor facilidad al

Florencia en el siglo XV. La «Ars Nova» italiana fue, prácticamente, monopolio de esta ciudad. A menudo las canciones de los trovadores, compuestas para festejar ocasiones profanas, se adaptaban a finalidades religiosas. En España tales canciones se recogieron en las famosas «Cantigas de Santa María», bajo la orientación de Alfonso X el Sabio.

significado de las palabras. Los autores flamencos serán quienes darán el primer gran impulso a la nueva forma musical: Philippe Verdelot (¿hacia 1552?), que se trasladó pronto a Italia donde permaneció toda su vida; Adrian Willaert (hacia 1490-1562), de Flandes, que fuera maestro de capilla en San Marcos de Venecia; Jacques Archadelt (hacia 1504-1568), alumno de Verdelot, que vivió en Venecia en el círculo de Willaert. Flamencos sólo de nacimiento, pero crecidos en el nuevo clima musical italiano. Próximo a ellos, pioneros en esta forma, se halla un grupo de grandes compositores entre los que descuellan los nombres de Cipriano De Rore (hacia 1516-1565), flamenco por nacimiento, italiano por educación y por vida, Giovanni Animuccia (1514-1571) y el ya citado Palestrina.

El madrigal se convertirá pronto en «cromático»: su movimiento será más vivo, aumentará el número de notas que se cantarán más rápidamente e introducirá disonancias muy atrevidas. Si primeramente era, sobre todo, sentimental y expresivo, ahora se enfrenta con los temas profundos del dolor. Los mayores autores del madrigal llamado «cromático» —una forma mucho más evolucionada, moderna para un oído actual— fueron Luca Marenzio (1553-1599), gran compositor de Brescia, Carlo Gesualdo príncipe de Venosa (hacia 1560-1613), autor fecundo y osado en sus concepciones y profundo intérprete del dolor y de la muerte, y Claudio Monteverdi.

Desde finales del siglo XVI hasta comienzos del siglo XVII se difundió también otro tipo de madrigal, el «representativo», aún no destinado a la escena a pesar de la presencia de diálogos y a veces, de una acción dramática. En este género sobresalieron autores como Orazio Vecchi (1550-1605), Giovanni Croce, también llamado el Chiozzotto (1557-1609), Alessandro Striggio, amigo de Monteverdi, para quien escribió el texto del *Orfeo* (hacia 1535-1590), el fraile olivetano Adriano Banchieri, boloñés (1568-1634), espíritu humorístico y singular y gran compositor.

Los madrigales ¿eran para voces solas? A veces sí, pero a menudo iban también acompañados de instrumentos. Más bien, en los primeros decenios del siglo XVI y según la costumbre ya subrayada, las líneas vocales se confiaban también a los instrumentos, mayormente viola o laúd. Una «frottola» o un madrigal podían estar, por ejemplo, cantados a

Cantantes de madrigales, canciones breves de métrica bastante libre.

cuatro voces, tocados con violas, o cantados por una sola voz, acompañada de laúd o de violas. Monteverdi los llamó «concertati», es decir, entrelazadas las voces con los instrumentos. Junto a las formas artísticamente refinadas surgieron también otras más populares compuestas por los mencionados autores: «villanelas», «villotas», «arias a la napolitana» y así sucesivamente.

A mediados del siglo XV comienza a distinguirse la música instrumental de la música vocal. Si la música vocal mantiene su primacía entre los compositores (y no solo entre ellos), la música instrumental comienza a asumir su verdadero papel. Como ha dicho Dietrich Kämper, se convierte en «capaz de tradición», en una época que sentía el culto por la palabra tras el descubrimiento de la literatura clásica, fenómeno característico del Renacimiento y del Humanismo. No olvidemos que la cerrada subdivisión por linajes de la sociedad medieval da señales de descomposición. Comienza a afirmarse un principio según el cual el nivel social de los hombres no viene sólo definido por el nacimiento, sino también por el tipo de sus prestaciones y por la calidad de su ingenio. Asciende pues, irresistible, una clase burguesa —es decir, no noble— activa y rica, cuya influencia se hará notar en la música.

Hacia finales del Cuatrocientos aumentan los manuscritos que contienen repertorios recogidos por burgueses amantes de la música o burgueses que encargaron tal labor a músicos profesionales. El interés musical de esta clase de personas se orienta progresivamente hacia el campo profano: canciones, «frottolas», danzas instrumentales, fantasías. A partir de este momento comienza a atenuarse la suspicacia existente entre los compositores y sus «clientes», su público. Aumenta el deseo de «hacer música conjuntamente» y el nacimiento de las primeras academias subraya esta exigencia, junto con el hecho de que nuevas clases sientan la necesidad de aproximarse a fuentes que, en otro tiempo, estaban sólo a disposición de círculos restringidos. Los compositores a su vez entran con buen pie en la sociedad civil, en tanto que la iglesia modifica su posición de intransigencia hacia este tipo de arte; y en 1480 el papa Sixto IV suspende para siempre la excomunión contra los músicos. Aumenta el número de las capillas de corte y aumenta, en consecuencia, la solicitud de compositores de profesión. Está claro que el «mercado» musical se dilata y se modifica sensiblemente.

En el ámbito, por ejemplo, de la «frottola» (que la hemos visto vocal y en ocasiones también instrumental) el desarrollo del uso de los instrumentos es notable. Vale la pena citar un extracto de carta de 1505 que el trombonista Giovanni Alvise, al servicio de la República veneciana, dirige al duque Francesco Gonzaga de Mantua: «Sabrá Vuestra Señoría cómo en aquel tiempo en que nos hallábamos en Mantua, el Señor Don Alfonso, duque de Ferrara, quería que acudiesen cuatro trompetistas y dos cornetistas, y nunca tuve ocasión por no estar las cosas arregladas y ordenadas, ni tener quien lo

supiese hacer; cuando después, estando en Venecia, he logrado ser ducho y he encontrado el verdadero camino para aquellas y para otras cosas igualmente bellas, y las he experimentado todas, esto es, cuatro trombones, dos cornetas, y después cuatro trombones y cuatro pífanos, y después aquel moderno motete para ocho flautas, y además, os mando para tocar cinco trombones de un golpe, y un fragmento que se toca a cinco...» El documento, interesantísimo, muestra la variada distribución de los instrumentos para piezas de «verdadera música de cámara». La propuesta contenida en la carta de Alvise es el testimonio de un verdadero «experimento» en búsqueda de nuevos efectos sonoros, con la unión de instrumentos fuertes a otros más delicados, como los «pífanos». Y cuando Alvise habla de un «moderno motete para ocho flautas» quiere decir que la técnica constructiva de las flautas rectas ya estaba entonces muy avanzada y permitía el uso de flautas de un gran ámbito sonoro, desde las notas más bajas hasta las más agudas.

Si la música de cámara (ahora ya podemos llamar así a esta música que se interpreta en la corte, en una sala, con pocos instrumentos y pocas voces) influyó en el desarrollo de la música instrumental de conjunto, todavía es más importante la contribución prestada por la música de danza. A nivel popular, serán los instrumentos de viento los preferidos. En el *Cortesano*, de Baltasar Castiglione, se aconseja no usar instrumentos de viento para las danzas, sino viola y laúd, más refinados y discretos. El laúd, sobre todo, se convierte en un aristocrático instrumento para acompañar danzas en la corte y en las moradas de los aristócratas. El dulce sonido del laúd daba ritmo, por ejemplo, a la «gallarda», danza vivaz de origen italiano, difundida en el Quinientos y en siglos sucesivos, verdadera danza de corte en ritmo ternario que en el siglo XVII se convierte en instrumental y forma parte de las suites,

A la izquierda: **retrato de Adriano Banchieri, compositor de madrigales, poemas dialogados con temas, por lo general, de carácter satírico.** Abajo: **el tercer personaje representado es Carlo Gesualdo, príncipe de Venosa, que fue un compositor de madrigales.**

A Pilgrimes Solace.

Wherein is contained Muficall Harmonie of 3. 4. and 5. parts, to be fung and plaid with the Lute and Viols.

By *John Dowland*, Batchelor of Muficke in both the Vniverfities: and Lutenift to the Right Honourable the Lord Walden.

1612

LONDON: Printed for *M. L. J. B.* and *T. S.* by the Affignment of *William Barley.*

Frontispicio de la obra del tañedor de laúd y compositor de canciones John Dowland titulada «Pilgrimes solace».

juntamente con otras danzas. Muchos compositores, como el inglés John Dowland (1562-1626), han escrito deliciosas páginas de danza para viola y para laúd que unen, a una escritura refinada, motivos de claro origen popular.

La música de danza estaba, en general, confiada a un solo instrumento o, en algún caso, a grupos que acompañaban las danzas en las cortes, en las casas o en los palacios de los ricos. Como hemos visto, los instrumentos de viento quedaban, las más de las veces, fuera de las ricas salas y sólo tenían entrada en casas particulares, como se colige de la carta de Alvise a Gonzaga. Es conveniente subrayar el hecho de que, durante decenios y decenios, los juglares y los tañedores encargados de acompañar los bailes eran considerados como pertenecientes a una ínfima clase social, por lo que también los instrumentos de viento se consideraban indignos de un gentilhombre, como dice claramente Castiglione en el *Cortesano.* Incluso el padre de Galileo, Vincenzo Galilei, músico óptimo y gran teórico de la música, escribe en 1581: «Jamás se escuchan estos instrumentos en las habitaciones privadas de los juiciosos gentilhombres, señores y príncipes, donde intervienen aquellos que verdaderamente tienen el juicio, el gusto y el oído depurados.» Tanto más importante, por consiguiente, el moderno sentir de Gonzaga, atento, como Isabel de Este, a los más recientes y nuevos descubrimientos de la música. La música danzable es, pues, música secundaria, en cuanto a interpretaciones populares, y secundarios por lo tanto, en la estimación social, aquellos que la ejecutan, toda vez que tocar instrumentos de viento «no es cosa de hombres libres, sino de gente servil».

Sin embargo, poco a poco, la situación cambió y la música de baile comenzó a penetrar en los círculos más refinados. En las fiestas de carnaval o en las populares de primero de mayo que se celebraban en diversas ciudades, se empleaba ampliamente la música de baile y no sólo a nivel popular, sino también en las academias, surgidas en gran número sobre todo en la Italia del norte. Junto a los instrumentos de viento figuran también los de percusión, ruidosos y festivos. En un libro registro veronés del siglo XVI, custodiado en la Academia Filarmónica de Verona, podemos leer: «y hay un tambor de campaña con sus baquetas, otro tambor pequeño y dos flautas de tres agujeros, cuatro pífanos de campaña, cinco dulzainas a la alemana de cantar...»; una presencia sólida, como fácilmente se puede interpretar, con tambores, flautas, pífanos, dulzainas, sin contar decenas de instrumentos de viento, al lado y con igual importancia que los consabidos instrumentos de punteo y de arco, como laúdes y violas. Se trata de indicaciones utilísimas para suministrar un cuadro de la orquesta —si así cabe llamarla— del Renacimiento, indicaciones que hay que utilizar, sin embargo, con gran cautela cuando hoy se quiere interpretar la música, sea o no de baile, de aquel tiempo.

¿Cómo era, cómo se desarrollaba una velada de baile a mediados del siglo XVI? Resulta verdaderamente interesante la descripción legada por Simeón Zuccolo, véneto. en un libro impreso en Padua en 1549, que así nos describe una velada de carnaval:

«Si no fuese la demencia, y el vino, y la dulzura de la música embriagadora, cosas todas ellas que aturden totalmente a los hombres haciéndoles sordos, ciegos, mudos, y fuera de sí, jamás podrían, bajo ningún concepto, soportar que les echaran tantas y tales vilezas en el rostro y en público, sin el menor respeto: y aún menos pagarían los pífanos: antes se dirían: tanto les honraremos dándoles bien de comer y mejor de beber a reventar, y poniéndoles después sobre altísimos tablados, y eminentes tribunas a fin de que mejor vean y más notoriamente puedan befarse hombres y mujeres resonando así su grandísima y abundantísima necedad. Pero consideramos algunos, siendo ésta una muy nuestra y grandísima locura, que a cambio de tener entre los necios días de carnaval un hermoso y buen conjunto de pífanos, se bromee, se digan groserías, se nos robe como gitanos nuestro dinero y que cada uno gaste, y lo gaste voluntariamente sólo porque lo tiene». Lo dicho, no es sólo una amarga consideración sobre las costumbres, sino también una información sobre los músicos, que no se limitaban a tocar, antes participaban directamente en la fiesta con libre iniciativa.

Teniendo en cuenta el tipo de público, muy popular, las consideraciones de Zuccolo permiten pensar que la diversión era ampliamente recíproca. Instrumentos de viento e instrumentos de cuerda, protagonistas en todos los niveles sociales de la

A medida que el madrigal se desarrollaba, crecía también el mundo de los instrumentos. Debajo de estas líneas: **una tertulia de borgoñones estudiando música.**

Como puede verse en la deliciosa miniatura de la página precedente, los cantos de los trovadores eran fuente de diversiones y de placer; hablaban de amor pasional y no sólo idealizado.

vida «profana», en el cantar como en el tocar. Otra «orquesta», muy refinada, estaba compuesta por las varias violas usadas en aquel tiempo, de diversas dimensiones y, por consiguiente, de sonoridad distinta, desde la grave hasta la aguda, como ocurría con las flautas rectas. En una carta (1530) del prelado Andrea Borgo dirigida al obispo Bernardo Clesio de Trento y en la que se habla de una «compañía de músicos», viene escrito: «... después tocaron con tres violas y una lira bailes a la italiana». Por lo demás, en el estupendo cuadro de Paolo Caliari, llamado el Veronés, *Las bodas de Caná,* están reproducidos músicos con una viola de 'braccio', dos liras y un violín.

Hemos dicho ya que muchas veces la música para cantar se convertía también en música para ser tocada. Hacia la mitad del siglo XVI la ejecución de canciones con instrumento era un hecho consolidado. Las canciones parisinas *(chansons)* venían impresas en muchas ediciones con «arreglos» para instrumentos. Y resulta verdaderamente singular que la propia canción, tan unida a la voz, sea la forma musical que contribuya, de manera determinante, al desarrollo de la música instrumental. La nueva moda (el que se tocara la música destinada al canto) se difunde con extrema rapidez en Italia. Las relaciones con Francia eran estrechísimas. Fueron los propios peregrinos y los viajeros franceses los que llevaron la canción parisina a Italia. En un libro de finales del siglo XVI, se escribe entre otras cosas que «... los grupos hacían su peregrinaje con ligereza, y también a menudo con la mente ocupada por aquellos cantares franceses tan airosos durante

Derecha: **dos de los más grandes compositores de todos los tiempos: Henry Purcell** (retrato superior) **y Claudio Monteverdi** (retrato inferior). **Autores de obras maestras en distintas formas, son sobre todo y respectivamente conocidos por «Dido y Eneas» y por el «Orfeo».**

Otro protagonista de la música del Renacimiento, Orlando di Lasso (arriba), **aquí sentado frente al arpicordo durante un concierto en la capilla de la corte de los duques de Baviera.**

A la derecha: **detalle de «Las Bodas de Caná», de Veronés, en el que podemos ver distintos ejecutantes con una viola «da braccio», dos liras, un violón y un pífano.**

tres, cuatro y cinco horas, con tanta sonoridad de voces y con tan alegre manera que la gente que les oía corría por los caminos, como atraídos por aquella alegría, para poderles escuchar...». Estas canciones entraron en Italia con mucha fuerza y, con ellas, también sus arreglos instrumentales: el conjunto influyó bastante sobre los desarrollos de la música vocal y de la música instrumental italiana.

Nace entonces la «canción para tocar» («canzone per suonare»), que puede presentarse de tres maneras distintas: como una transcripción de fragmentos vocales, como una libre reelaboración de trozos para voces o como una composición totalmente nueva y original. Estas tres maneras se hallan presentes en las obras de los dos Gabrieli, Andrea y Giovanni; el primero, auténtico campeón de la «canción para tocar» para «toda clase de instrumentos» como nos ha dejado escrito; el segundo, continuador del arte de su tío en las canciones y en las sonatas. No está clara la diferencia entre canción y sonata en el lenguaje de los Gabrieli. En realidad una forma derivaba de otra y en la práctica los dos términos significaban la misma cosa. Escribir, por ejemplo, «sonata piano y fuerte» indicaba tan solo la presencia de contrastes sonoros y tímbricos. Se trataba en el fondo de verdadera música instrumental concertada como había escrito el mismo Monteverdi.

Si este fenómeno acabó por ser fundamentalmente italiano, pronto se convirtió en un hecho europeo, difundiéndose (junto con la música vocal, naturalmente) por Francia, por los Países Bajos, por Alemania, por Bohemia, por Polonia, por Inglaterra. Es particularmente interesante la situación musical en este último país separado de Italia por profundas diferencias. Si, por ejemplo, la nueva música instrumental se ejecutaba en Italia en la iglesia, en los salones de los príncipes, al aire libre, ante un público bastante numeroso, en Inglaterra se reservaba a un reducido círculo de oyentes en las casas de la burguesía adinerada. Si la música italiana constituyó un esplendor de magnificencia y de colorido, la inglesa se revistió de delicados tonos y su trama sonora permaneció fiel a las reposadas violas, en tanto que en Italia resonaban «cornetti», violines y trombones. Sin embargo, también la música inglesa sintió la «revolución» que había estallado en Italia y recogió las novedades que le llegaban del «país del sol».

No obstante, la música profana inglesa llega pronto a un estado de madurez que la reviste de un ropaje totalmente original. Tras el ya citado Dowland, compositores como William Byrd (hacia 1543-1623) y Orlando Gibbons (1583-1625) impulsaron en todos los terrenos, sagrado y profano,

Arriba: conjunto de músicos tocando en una «loggia» o pórtico en las calles de Florencia. Detalle del «Cassone Adimari», de autor desconocido, obra del siglo XIV. En esta ciudad, especialmente bajo los Médicis, la música tuvo un gran florecimiento, que culminó con el nacimiento del melodrama.
La pintura de la página contigua representa un banquete de boda durante la época de Isabel I. En este ambiente trabajó el más grande de los compositores ingleses, Henry Purcell.

un discurso musical, original inglés que, si inseguro al principio, acabó, gracias a muchos compositores que desarrollaban en Europa su actividad, por influir sobre el desarrollo de la música del continente. Lo que preparó el advenimiento de un compositor que ha quedado como una de las cumbres de la historia de la música de Inglaterra y de Europa: Henry Purcell (1659-1695), londinense, destinado a recoger los frutos de un lento, gradual y genial desarrollo de la música inglesa.

Muerto cuando solamente contaba treinta y seis años, el compositor de Westminster, en su breve pero genial carrera, supo resumir las experiencias musicales de Francia e Italia uniéndolas a la tradición y la cultura inglesa y cosechando en el campo tan vasto y complejo de las formas musicales el máximo fruto. Purcell, en breve espacio de tiempo, mostró un estilo personalísimo y genial. Si ha ocurrido a menudo que la práctica musical de un compositor se iniciase con obras vocales, con Purcell es evidente, en cambio, un nacimiento «instrumental», quizá por el hecho de haber sido, de joven, compositor para los «violines del rey», esto es, para la orquesta real inglesa, instituida a imitación de la francesa denominada los *24 violons du Roi,* de Versalles. Su genio viajó con vuelo seguro por los géneros sagrado y profano, el teatro y las composiciones de circunstancias, las odas y las cantatas, la música para conjunto instrumental («consort», del latín «consortium») instrumental, la música sagrada, las arias a una o más voces, la música escénica escrita para las comedias y tragedias de los autores John Dryden y John Fletcher.

Las odas y las cantatas muestran la calidad de Purcell, expresada en el más alto grado, tanto en el campo instrumental como en el vocal. La oda, por ejemplo, estaba escrita en honor del rey o de algún miembro de la familia real. Tuvo, tal vez, origen

italiano, pero su forma definitiva, tal como la concibió Purcell, es puramente inglesa. Las odas se escribían para el día primero del año, para aniversarios, para matrimonios, para el regreso del rey a Londres: junto con las *Welcome songs* (canciones de bienvenida) forman una parte considerable de la producción musical de Purcell. Tanto en las odas como en las *Welcome songs* las partes instrumentales están muy cuidadas. La estructura es a menudo compleja y comprende todas las formas de la música escénica, desde la obertura al estilo francés hasta los grandes 'ariosi', desde las arias a los grandes duetos o a los coros. Purcell casi siempre usa en las odas, además de las voces, los instrumentos de arco a los que con frecuencia añade flautas, oboes y trompetas.

Purcell escribió también odas para ocasiones no reales. La más importante es, sin duda, la escrita en 1692 para el día de Santa Cecilia, patrona de la música desde comienzos del siglo XVI. La primera celebración en Inglaterra de la que tengamos noticia tuvo lugar tan solo en 1683, mientras que en la Europa continental las ceremonias y fiestas en honor de Santa Cecilia se celebraban ya desde hacía bastante tiempo. La orquesta para la *Oda a Santa Cecilia* está formada por instrumentos de cuerda, tres flautas (una aguda y dos graves), oboes, trompetas y timbales. Son cinco los solistas: una soprano, dos contraltos, un tenor y un bajo, a los que debemos añadir el coro. Purcell escribió también otras composiciones en honor de Santa Cecilia: dos en 1683 y una, sencilla, para soprano, bajo, coro, violines y continuo. Tal como ha escrito Jack Allan Westrup, Purcell «era un compositor cuya existencia difícilmente hubiera podido preveerse y que no podía tener sucesores naturales. Compositores de este tipo no pueden insertarse en ningún esquema de la historia musical ordenado previamente, pero con su genio la enriquecen con una contribución única y singular».

El órgano, un instrumento milenario

«Organo» significa «instrumento» de su correspondiente palabra griega, y lo mismo, por lo tanto, que el latín *organum.* Ahora el término, musicalmente hablando, se refiere tan solo al instrumento que todos conocemos, protagonista durante siglos de la música sagrada. Una definición sintética de este familiar instrumento puede ser la dada por uno de los más grandes organistas de nuestro tiempo, Luis Fernando Tagliavini: el órgano es el instrumento musical en el cual los sonidos vienen producidos por tubos alimentados por aire que reciben de un juego de fuelles y regulados por medio de las teclas.

El origen de este instrumento se pierde en la noche del tiempo. Se habla de una *hydraulis* griega u «órgano hidráulico», que habría sido inventado en el siglo III a. J. por Ctesibio de Alejandría. Tenemos un buen conocimiento de este antiquísimo instrumento gracias al descubrimiento de restos bien conservados y de terracotas con imágenes del mismo. Parece que durante todo un milenio el instrumento fue alimentado por la presión del agua; después con la presión suministrada directamente por el aire se habría definido una forma bastante más similar a la actual.

En Oriente el órgano conservó el carácter profano que había tenido desde su origen. En Occidente la Iglesia lo convierte rápidamente en un instrumento litúrgico. Tenemos noticia de un órgano regalado por el emperador Constantino Coprónimo al rey de los francos, Pipino, para la iglesia de Compiègne. La evolución del órgano en Europa fue

Angel músico que toca el órgano portátil, detalle de una pintura de Hans Memling.

Arriba: **esta miniatura del siglo IX representa un órgano hidráulico accionado nada menos que por cuatro hombres.**
En la página siguiente: **«Interior de un órgano con 16 pies», grabado de Dom Bedos de Celles.**

continua (y puede decirse que dura todavía), en modos diversos según los diferentes lugares. Los italianos permanecieron fieles, hasta el Setecientos, a un órgano de cuerpo único, actuado por un solo teclado y un único «pédaliér». En otros lugares, hasta el Cuatrocientos, el órgano asume dimensiones notables y está articulado en dos o más cuerpos. Al «gran órgano» se añadió a menudo un «positivo respaldado», más pequeño. «Positivo» viene del verbo «posare», 'asentar' (es decir, relativo a un instrumento que se podía cambiar de sitio) y «respaldado» por hallarse a la espalda del organista. El uso se difundió tanto por Alemania como por Francia y por España. En estos países se construyeron también órganos con tres y cuatro cuerpos, coordinados todos en un conjunto imponente que dio pie a una arquitectura constructiva de excepcional complejidad. En Francia, en cambio, sin que se desdeñara la adición de un cuerpo, se prefirió, en general, enriquecer la posibilidad tímbrica y colorística del instrumento añadiendo nuevos teclados. En Italia el segundo cuerpo suele añadirse al órgano alrededor del siglo XVIII.

En el siglo XVI se habían delineado ya, en sus elementos fundamentales, todas las características del órgano clásico y los dos teclados fueron de uso

Miniatura del siglo XVIII que representa músicos que tocan para un rey: los instrumentos son un cromorno, campanas, una viola y un órgano positivo; este último es un instrumento aerófono cuyos fuelles están accionados, como puede verse, por una persona distinta al intérprete.

corriente. Se presume que los pedales aparecieron hacia finales del siglo XV. En el *Fronimo,* un diálogo de Vincenzo Galilei de la mitad del siglo XVI, se hacen comentarios sarcásticos sobre la continua adición de cuerdas al laúd por lo cual pronto —dice— se deberán tener manos como la de Artajerjes para poder tocarlas todas. Pero ¿por qué todas estas cuerdas?, pregunta. Y Fronimo responde: «Para tener, en el laúd como también en el órgano, el pedal».

Poco a poco el órgano acrecienta su importancia. En los comienzos es difícil separar la música escrita para órgano de la compuesta para otros instrumentos de teclado, clavecín o clavicordio. Para distinguirlo a veces sólo la indicación litúrgica permite colegir que se trata de composiciones destinadas únicamente al órgano. Está claro que el órgano queda excluido de las danzas. En cualquier caso, la literatura de los comienzos lleva a menudo escrita la indicación «para toda clase de instrumentos de teclado», lo que evidentemente incluye también al órgano.

La primera fuente de música destinada con seguridad a instrumentos de teclado es un fragmento que puede datarse alrededor de 1320. Un segundo documento, un código de Faenza, lleva composiciones instrumentales evidentemente utilizables para el órgano. En Italia la primera obra impresa de música para instrumentos de teclado fue editada en Roma alrededor de 1517 y lleva el título de *Frottole intabulate da sonar organi* ('Frottolas en tablatura para tocar en órgano'), teniendo presente que la locución «en tablatura» se refiere al sistema de notación (para la música polifónica destinada a un instrumento único) que permite captar con una sola mirada las notas que van ejecutadas simultáneamente.

La primera gran obra para órgano se debe a Marcantonio Cavazzoni de Bolonia, lleva el título de *Recerchari Motetti Canzoni* ('Ricercares, Motetes, Canciones') y data de 1523. Cavazzoni (hacia 1490-1570), que desempeñó sus actividades en Urbino, Venecia, Padua y Chioggia, es el autor que con las composiciones de 1523 fija el momento en que la música instrumental se libera de la vocal. En el libro del compositor boloñés figuran, junto a motetes y canciones, también «ricercares», composiciones que ya habían aparecido en precedentes obras de los laudistas. El «ricercare» es una forma instrumental muy libre que se desarrolla por imitaciones: esto es, las voces se suceden, se entrelazan, se desarrollan «imitando» las distintas figuras, las frases y los temas. Es importante el hecho de que en esta obra del organista emiliano los «ricercares» estén situados antes que los motetes, con lo que se llega a formar un todo único constituido por un fragmento musical de introducción (el ricercare) y un fragmento de carácter religioso y de rigurosa construcción. Una forma libre precede a otra de estructura severa: anticipación de cuanto ocurriría mucho tiempo después, con la unión de un preludio a la fuga, en la obra del genial Juan Sebastián Bach.

También fue un gran compositor el hijo de Marcantonio Cavazzoni, llamado Girolamo (hacia 1515-1565). Todavía se discute su fecha de nacimiento. Willi Apel sostiene que habría nacido alrededor de 1525, ya que de otra forma no podrían explicarse las palabras escritas en los prefacios de las recopilaciones de música para órgano aparecidas en 1542 y en 1543 en Venecia. Allí (en la dedicatoria) Girolamo Cavazzoni dice, hablando de sí mismo: «hallándome en una edad jovencísima» y, más adelante, «siendo un niño todavía». Sin embargo, parece que el muchacho fue verdaderamente precoz, prescindiendo de su fecha de nacimiento, si es verdad que en 1525 (a los quince años, por consiguiente) era ya organista en Urbino y superintendente en la construcción de un órgano del organero Antegnati. En cualquier caso los dos libros de composiciones de Girolamo Cavazzoni, desgraciadamente los únicos conservados de su obra, revelan una madurez artística excepcional, junto a la alta calidad compositiva que tuvo el padre. Girolamo llevó el «ricercare», por ejemplo, a un extraordinario desarrollo, a un grado de complejidad muy elevado. Las imitaciones partiendo de un tema son más que las consabidas cuatro o cinco; con Girolamo pasan a cifras elevadas, que pueden ir de ocho hasta diecinueve. No resulta excesivo decir que anticipó la construcción polifónica de los tiempos sucesivos hasta llegar a Bach. Extremadamente interesantes son también sus motetes, sus misas o el *Magnificat*.

Con Girolamo Cavazzoni es obligado recordar los dos Gabrieli, Girolamo Parabosco (hacia 1520-1557), Annibale Padovano (1527-1575), Claudio Merulo (1533-1604) y otros. Así como el joven Cavazzoni había impulsado el «ricercare» hasta formas muy evolucionadas, Andrea Gabrieli (cuya obra para órgano se imprimió póstumamente) llevó el órgano a una evolución todavía mayor, tanto en un sentido instrumental estricto, como en un sentido concretamente litúrgico. Con su sobrino Giovanni, la canción se extendió en una forma instrumental autónoma y el «ricercare» se desarrolló ulteriormente. Claudio Merulo fue un protagonista del órgano en el siglo XVI. Sus «tocatas» son libres, dotadas de una inagotable fantasía, difíciles de ejecutar en el sentido de que precisan un firme virtuo-

Frontispicio del «Musikalisches Lexitxon», de Johann Gottfried Balther: una ejecución de cantatas en una iglesia alemana; junto al organista, está el «director».

Claudio Merulo en un retrato del Correggio.

sismo instrumental. Pero toda Italia, de Norte a Sur, por Venecia, por Ferrara, por Nápoles, conoció un gran fervor organístico. Se construyó, en el breve transcurso de unos decenios, una amplia literatura y una sólida escuela que culminaron con la obra de un genio como Girolamo Frescobaldi (1583-1643), ferrarés, discípulo de Luzzaschi (que había escrito, entre otras cosas, los *Madrigales para cantar y tocar a una, dos y tres sopranos,* para el «concierto de las damas» de la duquesa de Este, en Ferrara).

También a Frescobaldi se le puede aplicar lo dicho para no pocos «grandes» de la música: que no fue un innovador, que no dio a sus contemporáneos ninguna nueva forma de expresión. Se limitó, si así cabe expresarlo, a dar forma definitiva a un lenguaje que había sido empleado por sus predecesores y sus contemporáneos. Como de costumbre, su genio tenía el don de la síntesis: supo estampar el sello de su potente e inimitable personalidad a formas ya conocidas. Antonio Libanori, escritor del Seiscientos, habla así de él: «Siendo todavía un niño, con la delicadeza de la voz al cantar, con la velocidad de la mano al tocar, fue considerado un ángel del supremo coro. Cuando contaba aún pocos años recorrió diversas y principales ciudades de Italia con su dulcísimo canto, con su suavísimo sonido en todos los instrumentos musicales, tanto de viento como manuales, pero especialmente el clavecín y el órgano, incitando a los oídos para escucharle y a las lenguas para elogiarle.» Vincenzo Giustiani (1564-1637) escribe así en su *Discurso sobre la música de su tiempo:* «... de órgano y de clavecín Gerónimo Frescobaldi, ferrarés, lleva la delantera a todos, tanto en la habilidad como en la agilidad de las manos».

Frescobaldi fue un precoz talento musical. En 1604 era organista y cantor en Santa Cecilia de Roma; tres años después, organista en Santa María del Trastévere, bajo la protección del cardenal Bentivoglio, al que siguió a Flandes cuando el prelado acudió allí, como nuncio apostólico del papa Pablo V. Estuvo en Malinas, en Bruselas y en Amberes donde publicó su primer trabajo (madrigales a cinco voces), una de sus pocas obras de música vocal, toda vez que en su producción prevalecía la dedicada al género que se adecuaba más a su genio: la música instrumental. En 1608, en Roma, se convierte en organista de la Capilla Julia. Todavía Libanori, en su prosa elogiosa dice: «Corrió la voz de este estupendo y maravilloso músico, milagroso organista; dicen que la primera vez había más de treinta mil oyentes y los mismos viejos y celebradísimos organistas quedaron atónitos y, no pocos de entre ellos, tocados por la envidia.» Prosa laudatoria y exagerada según costumbre del tiempo, pero claramente a la altura del personaje. Salvo pocas ausencias por breves períodos (en Mantua, en Florencia), Frescobaldi permaneció en Roma donde contrajo matrimonio del que tuvo cinco hijos.

La primera contribución del ferrarés a la literatura «de teclado» fue un volumen de «fantasías», en 1608. En esta obra juvenil ya dio pruebas de gran maestría; no era el primero en tratar esta forma, pero obtiene resultados de alto nivel artístico, superiores a todos cuantos habían logrado sus antecesores. Además usó una técnica compositiva extremadamente refinada y audaz para su tiempo, una técnica muy próxima a la que se emplearía entre finales del siglo XIX y principios del XX por los dodecafonistas: empleaba las «células» musicales,

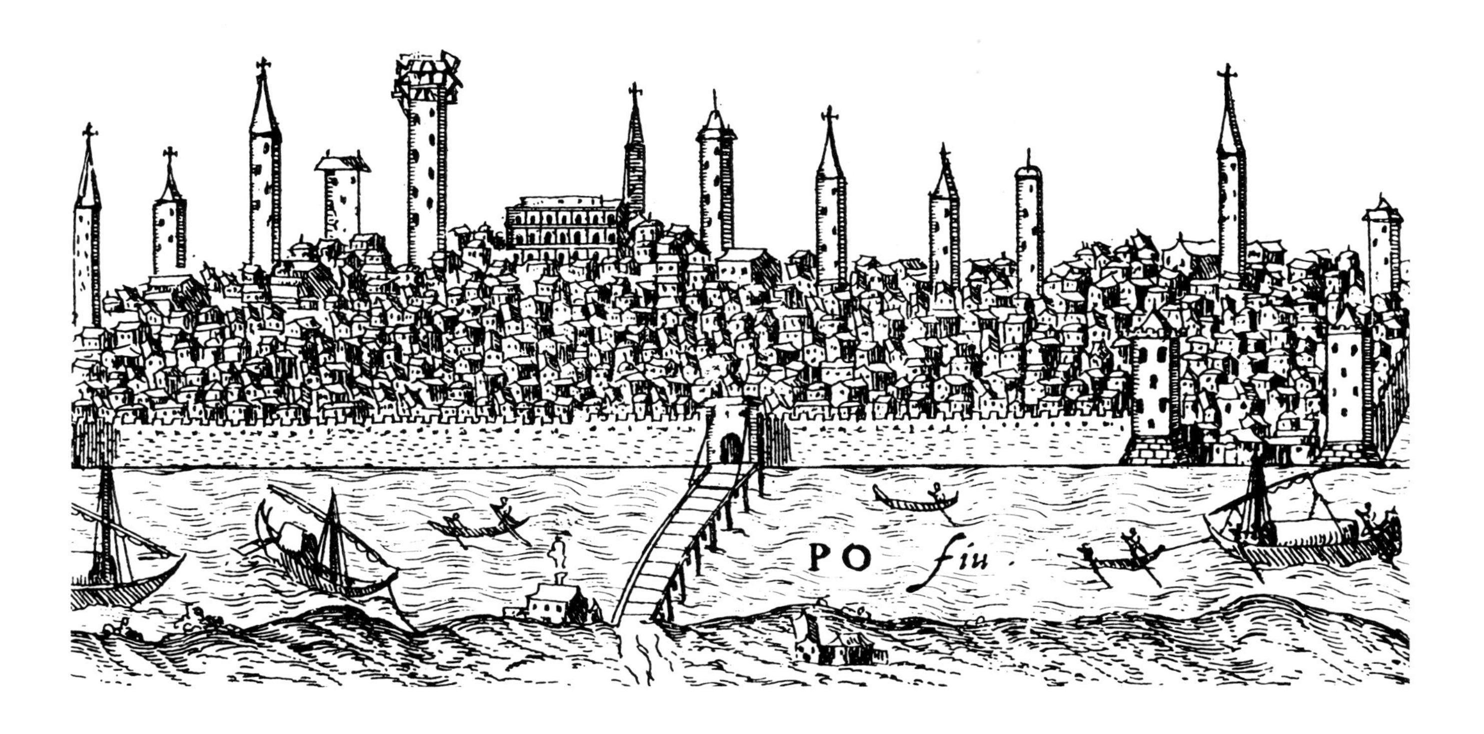

Una vista de Ferrara en 1580. En esta ciudad nació Girolamo Frescobaldi (izquierda), **máximo autor italiano de música para órgano.**

que cambiaba constantemente; es decir, «daba vueltas» a una especie de módulo fijo, cambiando de esta manera el discurso musical, con resultados extraordinarios. Es un hecho bastante interesante el que Frescobaldi usara estas técnicas que, sin duda, asombrarían a sus contemporáneos más en sus obras de juventud que en las de madurez. Con el tiempo Frescobaldi supo equilibrar su extraordinaria capacidad técnica y compositiva con la exuberancia de su genial fantasía.

Frescobaldi fue un compositor fertilísimo que dedicó a la música instrumental la mayor parte de su actividad. Las composiciones vocales ocupan un lugar menor en la producción del ferrarés: un libro de madrigales (1608), dos libros de arias (1630), un segundo libro de madrigales (1627), llegado incompleto hasta nosotros (sólo 14 composiciones sobre 32) y otras nuevas composiciones vocales en varias colecciones.

FIORI MVSICALI
DI
DIVERSE COMPOSITIONI
TOCCATE KIRIE CANZONI
CAPRICCI, E RECERCARI
IN PARTITVRA A QVATTRO
VTILI PER SONATORI
AVTORE
GIROLAMO FRESCOBALDI
ORGANISTA DI SAN PIETRO
DI ROMA
OPERA DVODECIMA.
CON PRIVILEGIO.

IN VENETIA,
Appresso Alessandro Vincenti. M D C XXXV.

Frontispicio de la primera edición de «Flores musicales» (1635), obra maestra de Frescobaldi.

Si Frescobaldi es príncipe en las obras vocales, en las instrumentales es rey. Los términos «toccata», «ricercare», «capricho», «fantasía», «canzone» y «partita» le hicieron célebre en su tiempo y aún hoy le convierten en uno de los compositores más queridos y admirados del Seiscientos. He aquí su inmensa labor: además de las «fantasías», de *Ricercares y canciones francesas,* un primer *Libro de tocatas y partitas* (que se editó en cuatro ocasiones, con adición de nuevos trozos); el *Libro de caprichos y de arias, Hechos sobre diversos temas y arias;* el *Segundo libro de tocatas, canciones, versos, de himnos, magnificat, gallardas;* 'courantes' y otras partitas para «clavecín y órgano»; todavía «canzoni» en 1628; el célebre volumen *Flores musicales de diversas composiciones, Tocatas, Kyrie, Canzoni, Caprichos y Ricercares en partitura a cuatro,* obra de 1635; las «canzoni» impresas póstumamente en 1645, y otras composiciones de reciente hallazgo.

Esta obra monumental va desde una extrema fantasía a un severo pensamiento musical, describiendo una parábola artística de extraordinaria riqueza. Hacia el fin de su «carrera» Frescobaldi halló la cima del arte en la máxima concentración y en la mayor simplicidad. Demostró una fantasía desenfrenada y un excepcional denuedo de compositor, tanto en su juventud como en su madurez. Al final de su vida, especialmente en las *Flores musicales,* ante el servicio litúrgico, se recoge en la austeridad. Escribe Carlo Mosso: «Resurge el ideal del canto sencillo, vuelve la antigua vocalización del motete: el gregoriano es el símbolo de la fe cierta del compositor y fuente inagotable de meditaciones, no mera ocasión o pretexto. Reaparece el severo 'ricercare' despojado de cualquier 'figura decorativa'; la tocata abandona el antiguo esplendor para resumirse en pocos y densos compases, en una condensación casi aforística, en la que las cosas se dicen una sola vez, con una intensidad totalmente moderna: el pensamiento corre, aparte obvias diferencias de lenguaje, hacia Webern, hacia ciertas páginas esenciales de Debussy... Acaso, por esta modernidad del sentir, por esta espiritualidad que conserva intacta después de más de trescientos años su profundo atractivo, el conocimiento del arte de Frescobaldi debería iniciarse con una meditada lectura de las *Flores musicales.*»

En marzo de 1643 Frescobaldi, atacado de fiebre maligna, murió en su casa de la calle Magnanápoles, en Roma, cuando contaba sesenta años. Se le sepultó, con todos los honores, en la basílica de los Santos Apóstoles de la Ciudad Eterna, y los principales músicos de la misma cantaron para él la misa de réquiem.

La literatura para clavecín y para órgano alcanza con Frescobaldi una de sus cumbres insuperables. En Italia recoge su herencia Michelangelo Rossi (1656?) cuyas fantasiosas toccatas son todavía célebres. Pero la figura más genial fue, sin duda, la de Bernardo Pasquini (1637-1710), de Pistoia; estudioso profundo de la obra frescobaldiana, supo dar

a las formas antiguas una impronta personalísima, dentro del espíritu de su gran predecesor ferrarés. Bajo sus manos y con su fantasía, la «toccata» evoluciona en el sentido moderno del tiempo, hacia formas propias del período inmediatamente anterior a Bach y, después, triunfalmente, del propio Bach.

Pasquini fue también un músico precoz. A los veinticinco años se había consolidado como organista en Roma, ciudad a la que se había trasladado siendo niño. Clavecinista de cámara del príncipe Borghese desde 1669, fue apreciado como concertista en Italia y en el extranjero, huésped de María Cristina de Suecia, de Fernando de Médicis, de Leopoldo I, de Luis XIV de Francia. No sólo dio impulso y desarrollo a la toccata, sino que preanunciando al gran Domenico Scarlatti, figura entre los primeros autores de sonatas. Fue también autor de quince óperas y otros tantos oratorios, de cantatas, motetes, obras teóricas y «reglas» para «bien tocar el clavecín y el órgano».

Pero el clavecín y sobre todo el órgano triunfan también en Alemania y en Francia. En el período

Arriba: **un autógrafo de Dietrich Buxtehude: «Aperiti mihi portas justitiae» ''Abridme las puertas de la justicia'').**
Izquierda: **el órgano de la catedral de Brescia, fabricado en el siglo XVII.**

que va desde la mitad del siglo XVI hasta el tiempo de Bach y de Haendel el dominador del teclado se llama Dietrich Buxtehude, un hombre al que la historia musical recuerda como el compositor que enlaza, de manera homogénea, a la primera época organística con aquella otra madura que dará como producto máximo a Juan Sebastián Bach. En Buxtehude se compendia y se exalta todo el mundo musical de la Europa del norte, mundo protestante y severo muy distinto del de la Alemania del sur. Hay en su música algo de estático y meditativo característico del mundo espiritual nórdico. Sin embargo, sus ritmos son también vivacísimos y ricos en mutaciones. Quizá fue esto sobre todo, lo que fascinó y atrajo al joven Bach hacia el norte, hacia Buxtehude, peregrinando a pie durante kilómetros y kilómetros. Buxtehude sorprendía a sus oyentes en la Marienkirche de Lübeck. Atrajo pues a Bach y al joven Haendel, aunque este último conservará una particular tendencia hacia la música italiana, tan distinta del modelo nórdico.

Dietrich Buxtehude (1637-1707) nació cerca de Lübeck, fue alumno de su padre y desde los treinta años hasta su muerte, organista de Lübeck. Dio un particular prestigio a las *Abendmusiken* (serenatas musicales), conciertos públicos organizados en la iglesia durante el mes precedente a la Navidad, celebrados fuera del servicio litúrgico. Esta tradición duró en Lübeck hasta 1810. Excluidas algunas composiciones vocales profanas (poemas nupciales), consagró toda su actividad al órgano y a la música sacra (un oratorio, una misa, un motete a 24 voces, además de un centenar de cantatas). La biografía de Buxtehude no presenta nada que resulte particularmente interesante. Su vida fue regular, llana, desarrollada entre el hogar y la iglesia. En su tiempo fue honrado por los verdaderos entendidos (ya hemos visto a Bach), pero poco considerado especialmente por la rica burguesía de Lübeck que tan bien viene descrita, en nuestro siglo, por Thomas Mann en *Los Buddenbrook*.

Cuando murió en 1707, compositores como Haendel y Mattheson habrían podido sucederle ante el importante órgano de la Iglesia de Santa María. Pero existía una costumbre no siempre grata: la necesidad de casarse con la hija del difunto. Y al parecer la hija de Buxtehude no era un dechado de

El órgano de Helsingborg, en Dinamarca, tocado por Dietrich Buxtehude durante su estancia en aquel país. Buxtehude fue, después de Bach, el máximo exponente de la música organística alemana.

belleza. Parece que esta fue la razón por la que ambos músicos rechazaron el puesto. El poeta Hans Franck narró que la madura muchacha (ya frisaba los treinta) fue rechazada también por el joven Bach, que contaba entonces veintiún años. La «impugnada» hija de Buxtehude acabó por desposarse con un mediocre compositor, Christian Schiefferdecker, porque —así se dice— hacía falta que el órgano de la Marienkirche fuese tocado de una u otra manera.

Que Buxtehude era un hombre severo resulta evidente. Nos ha llegado tan solo un testimonio de calor humano: lo demostró dedicando a su anciano padre (al que tanto debía musicalmente) una de sus más bellas cantatas, a la altura de las de Juan Sebastián Bach. El organista de Lübeck reagrupó en sí mismo todos los elementos del período en que vivió, período que fue denominado barroco: el estilo sabio y docto, el estilo popular y el, por así llamarlo, «romántico», apasionado y rico, también en el plano poético; tres estilos que Bach después sintetizaría y llevaría a una definitiva y altísima conclusión. Se ha escrito que de no haber existido Bach, la Alemania musical del siglo XVIII habría estado representada por Buxtehude en la misma medida en que Inglaterra estaba representada por Henry Purcell.

¿En qué formas sobresale Buxtehude? Se ha dicho que en las composiciones litúrgicas, las 112 cantatas de iglesia, los ocho poemas nupciales. Pero fundamentalmente queda su producción para el instrumento preferido, el órgano, el clavecín y la música de cámara. El amado órgano ha sido objeto de las mayores atenciones por parte de Buxtehude, con corales, canciones, fugas, tocatas, chaconas, preludios y fugas y un pasacalle. Su obra organística tiene un atractivo particular. Lo ha resumido muy bien Hans Joachim Moser: «Las obras organísticas de Buxtehude se distinguen por la tendencia al sonido tenebroso, por el atractivo de las situaciones armónico-acordales, por el rudo dinamismo, de todo lo cual bien cabe argüir la presencia de un estilo barroco-romántico».

Nobles rezando en una iglesia con músicos (miniatura del «Libro de las horas» de Etienne Chevalier).

El compositor de Lübeck demuestra en cualquier forma su extraordinaria maestría técnica que sobresale en la fantasía llevada, a menudo, a proporciones gigantescas. (Si maravillan también los desarrollos a los que Buxtehude conduce los corales, el pasacalle desempeña un papel especial en su obra organística.) No podemos olvidar aquello que Hermann Hesse, el gran escritor alemán, escribe en su *Demian:* «Cuando estaba triste le rogaba a Pistorius que interpretara el pasacalle del anciano Buxtehude. En la vespertina oscuridad de la iglesia me perdía en esta música extraña y dulce, música que parecía elevarse solo por sí misma, y muchas veces salía de allí alterado y más dispuesto a seguir la voz del alma.»

A su vez los preludios y fugas son verdaderos monumentos en los que la inagotable dignidad del compositor mantiene cautivada la atención del oyente. Se ha hablado, refiriéndose a Buxtehude, de «furor organístico» por el incesante fluir de su música, por los vertiginosos desarrollos a los que lleva un tema aunque sea sencillo.

Buxtehude es, pues, uno de los dos grandes polos de la organística alemana (el otro es Bach); un gran talento, de una ejemplar seriedad, de una técnica extraordinaria. Al llegar a este punto es un deber decir que Italia está muy lejos de un claro y seguro conocimiento del arte de Buxtehude, excepto de algunos de sus más notables trozos para órgano. Se ignora casi totalmente su producción sacra, su música de cámara y sus composiciones para clavecín.

Más o menos por el mismo tiempo se afianzó otro compositor, un «menor», pero no menos interesante: Johann Pachelbel (1653-1706). Fue un virtuoso del órgano y pronto se hizo famoso en toda Europa. Estudió en Nuremberg, ciudad en la que había nacido. Hombre de cultura, fue organista en Altdorf, en Viena (en la catedral de San Esteban), en Eisenach, en Erfurt en donde conoció a muchos de los Bach (tuvo como discípulo al hermano mayor de Juan Sebastián, Johann Christoph) y en Stuttgart, para concluir su vida musical en Nuremberg, su ciudad de origen.

Johann Pachelbel fue, ante todo, un virtuoso, un concertista. Pero no sólo intérprete, sino también compositor y, por cierto, admirador incondicional de Buxtehude. Cuando siendo organista de la iglesia de san Sebaldo, en Nuremberg, quiso honrar al organista de Lübeck, escribió en el prefacio de una obra suya *(Hexachordum Apollinis,* de 1699) que hubiese querido confiar a la escuela de Buxtehude a su dotadísimo hijo Hieronymus, que prometía convertirse en un virtuoso del clavecín, cosa que ocurrió al poco tiempo. De cualquier modo la experiencia de los maestros de la Alemania central y de los de la Alemania del sur se halla bien representada en la figura musical de Pachelbel que, con todo derecho, junto a Buxtehude, puede ser considerado uno de los mayores precursores de Bach, de quien se dice que durante la noche copiaba las composiciones del organista de Nuremberg para poderlo estudiar.

La producción de Pachelbel es bastante amplia y abarca distintas formas: elaboraciones de corales, variaciones, fantasías, tocatas, fugas, chaconas y suites para órgano y para clavecín, seis partitas para dos violines y continuo, motetes, cantatas de iglesia.

Pachelbel no quedó inmune a la influencia italiana, que se advierte claramente en lo cantable de su línea melódica, en las armonías sencillas, no sofisticadas ni elaboradas, en la fantasía más libre, en la poesía con que sabe expresarse. Así, la influencia de la música italiana está ya presente en Alemania antes de Bach, con Pachelbel; después será el propio Bach quien absorba la linfa vital italiana (y, sobre todo, veneciana), con los resultados que todos conocemos.

Interesante también es que Pachelbel haya reunido en un volumen, antes de Bach, una serie de composiciones ordenadamente dispuestas, precisamente el *Hexachordum Apollinis* ('Hexacordo de Apolo'), como también había hecho Buxtehude con sus 19 suites para clavecín. Una especie de anticipación de *El clave bien temperado* de Bach, en forma rudimentaria, pero orgánica.

De Frescobaldi a Pasquini, de Buxtehude a Pachelbel: el sintético panorama organístico quedaría absolutamente incompleto si no hiciésemos un alto en la fascinante Francia del tiempo de François Couperin, llamado el Grande (1668-1733), compositor, organista, clavecinista parisino, gran artista que, como Bach, fue casi totalmente olvidado después de su muerte durante dos siglos. Hoy Couperin está justamente considerado como el máximo compositor francés en los instrumentos de teclado y en la música de cámara, además de gran autor de música sacra, anticipador de la música hasta nuestro siglo.

Couperin pertenecía a una familia de compositores: su padre y su tío eran organistas. Fue de una precocidad musical totalmente excepcional, ya que a los once años hubiese podido convertirse en organista de la iglesia de Saint-Gervais en París. Pero prosiguió sus estudios: a los 17 años pasó a ser organista efectivo. Casado, tuvo cuatro hijos; los dos varones murieron pronto y las dos hijas se convirtieron en compositoras bastante apreciadas.

Es singular el destino de Couperin organista. Se dedicó a este instrumento durante toda su vida, pero ha dejado pocas composiciones para el órgano

En la página contigua: **el órgano barroco de San Michele in Bosco, de Bolonia.**

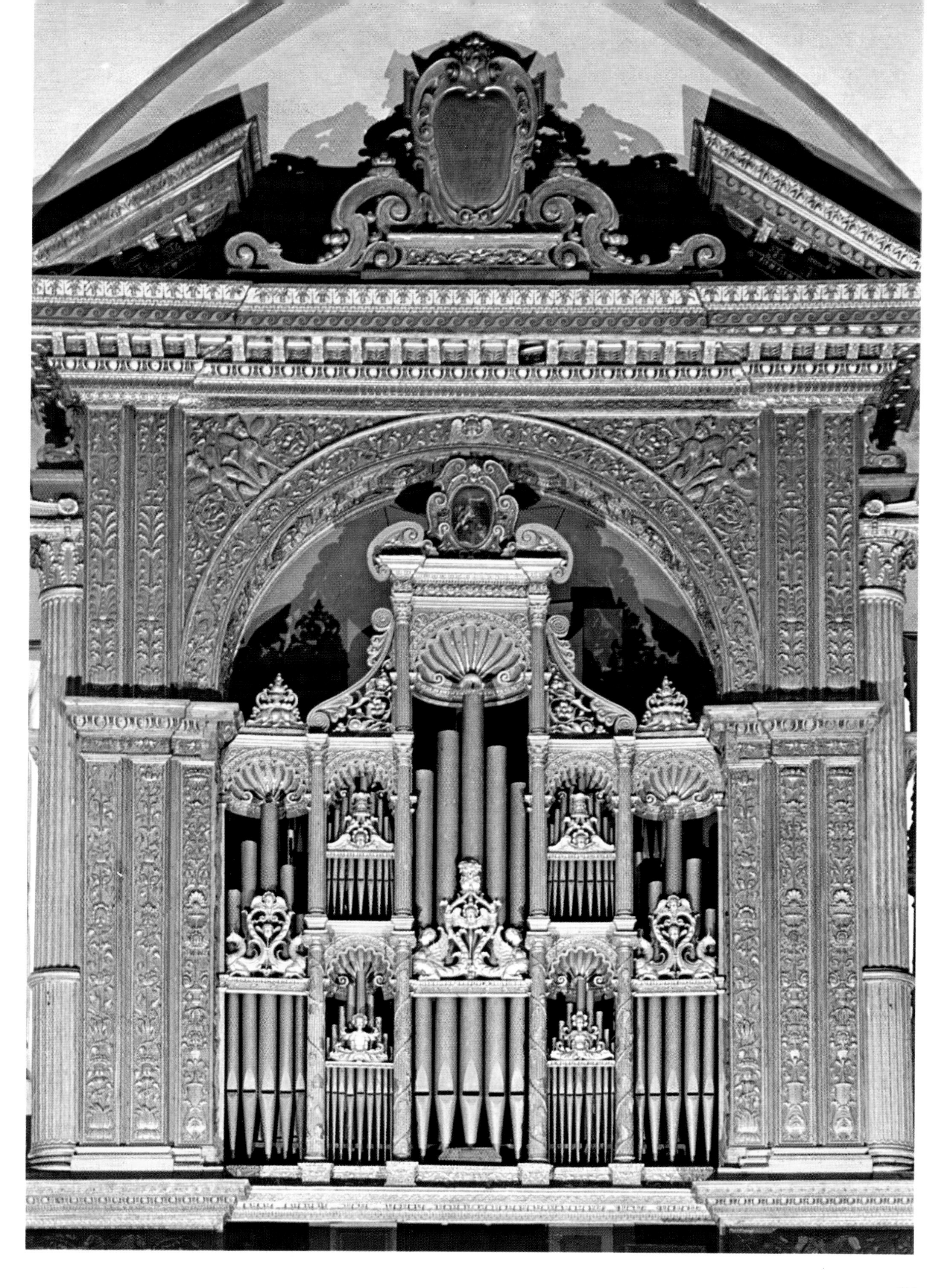

en comparación con lo que escribió para clavecín. Se han conservado las dos misas, incluso en la publicación de 1690, de larguísimo título: *Piezas para órgano consistentes en dos Misas, una para uso ordinario de la parroquia, para las fiestas solemnes, otra adecuada para los conventos de religiosos y de religiosas.* Ambas misas se dividen en siete secciones, cada una de las cuales, a veces, está subdividida en fragmentos destinados a aprovechar ampliamente las grandes posibilidades sonoras y colorísticas del órgano francés. Couperin fue un gran organista (además de excepcional clavecinista, incomparable intérprete de sus composiciones). En 1693, ante una comisión presidida por Luis XIV, el rey Sol, presentó el examen para convertirse en organista de la capilla real.

Ganó la plaza de organista real, sucediendo a su maestro Thomelin.

Couperin desarrolló también una intensa actividad didáctica, enseñando el clavecín al duque de Borgoña, sobrino del rey, a los hijos e hijas del rey y a muchas personalidades de la corte. Celebró conciertos en los salones de la alta sociedad cursando una brillante carrera, aunque en la corte los encargos musicales estaban monopolizados por Michel Delalande (1657-1726), maestro de capilla del rey y superintendente de la música de cámara. La educación musical de Couperin, de cualquier manera, fue en sus comienzos substancialmente organística y su técnica compositiva, en este campo, totalmente distinta de la del clavecinista. Recordemos, sin más, que las dos misas antes mencionadas se creyeron por largo tiempo composiciones del tío, también llamado François (por ello después Couperin fue denominado *el Grande,* para distinguirle precisamente del tío compositor). Las obras organísticas presentan caracteres propios de la juventud: frescura en la inspiración y vigor en la conducción de las partes. Quizá no se eleven por encima de la media de las composiciones de su tiempo, como ocurre en cambio con las obras para clavecín. Estas atraen siempre por su espíritu juvenil y por su agilidad inspiradora. Ricardo Wagner ha utilizado dos estupendos temas de estas misas en sus *Maestros cantores.* Hay en ellas una búsqueda inteligente de efectos que muestra la excelencia del organista y, en germen todavía, lo que será la característica de sus grandes obras (en las que la investigación de los efectos se abandonará totalmente): aquella discreción, aquella búsqueda interior, aquella tendencia a la exquisitez expresiva que nace siempre de una carga poética y que no es un hecho exterior, sino un purísimo acto interior, un acto del espíritu.

Los «Tres músicos», de Velázquez.

Orígenes de la orquesta y del concierto

Nos hemos acostumbrado al concepto de «orquesta de cámara» y quizá creamos que dado su cotidiano empleo se trate de una institución de hace mucho tiempo. Con un poco de fantasía es posible definir también como «orquesta» los grupos de instrumentos que ya en la Edad Media tocaban conjuntamente. Podrá parecer increíble, pero el término «orquesta de cámara» data tan solo de hace medio siglo y los diccionarios musicales comienzan a hablar de la orquesta de cámara sólo hacia el año 1930. El diccionario de Michel Brenet (1926) y la tercera edición del famoso diccionario inglés del Grove (1927-28) no aluden a ella. Figura una pequeña indicación en el *Harvard dictionary,* en el que se dice que se trata de una «pequeña orquesta de cerca de 25 ejecutantes». Hace falta llegar hasta el año 1935 para que este concepto quede puntualizado.

Durante un tiempo el término «orquesta» tenía una estricta conexión con el de «concierto» que significó, hasta finales del prerrenacimiento (poco más o menos en el siglo XV, por lo tanto), un conjunto organizado de instrumentos, en la más variada estructura.

Escena del concierto al aire libre del «Banquete del rico Lázaro», de Bonifacio de'Pitati (Venecia, Academia).

Los «conciertos musicales gozaron de gran auge en las cortes, en las casas señoriales; y en mil ocasiones en fiestas, convites, ceremonias. Ercole Bottrigari, teórico musical del siglo XVI, boloñés, escribe —hablando de Alfonso de Este en Ferrara— que daba un estipendio a compositores, italianos y extranjeros, que eran «así de buena voz y de hermosas y graciosas maneras en el cantar, así como de gran excelencia en el tocar estas cornetas, aquellos trombones, dulzainas, pífanos, aquellas otras vihuelas, rabeles, aquellos otros laúdes, cítaras, arpas y clavecines».

En la corte de Ferrara existía un «concierto de damas», expertas en tocar y en cantar. Se trata, casi con seguridad, de uno de los primeros ejemplos de verdadera y propia orquesta de cámara. Las mujeres cantantes e instrumentistas estaban dirigidas por una de ellas llamada «maestra del concierto» (este último término tiene aquí claramente el significado que más tarde tendrá la palabra «orquesta»). Muy notables también fueron los concertistas ferrareses de las hermanas de San Vito, definidos como «un paraíso abierto y no cosa humana»: anticipo de todo cuanto ocurriría, sobre todo en Venecia, en los famosos «ospedali» u hospicios, en particular en el de la Piedad, con Antonio Vivaldi y con las «putte» o pupilas del centro, cantantes e instrumentistas.

No sabemos con certeza qué clase de música fue ejecutada en estas circunstancias, pero no nos alejaremos de la verdad si afirmamos que, con seguridad, las canciones y los madrigales que los compositores confiaban al papel manuscrito y, hacia finales del Cuatrocientos, también a la imprenta, venían «arreglados», se diría que expresamente, para los instrumentos que la ocasión permitía. Madrigales, canciones, aire de danza compuestos para voces eran adaptados a los instrumentos. No en balde en muchas obras publicadas puede leerse que las composiciones estaban adaptadas «para cantar y tocar con toda clase de instrumentos». Las distintas partes de las composiciones vocales se adaptaban al instrumento más idóneo, con sonido más o menos agudo según la parte citada. El resultado era un «conjunto» un «concierto». En definitiva, se venía formando una verdadera orquesta, aunque fuese en forma no codificada y siempre con formaciones extremadamente diversas.

El desarrollo de los instrumentos continuó favoreciendo este «modo» de hacer música. Los instrumentos principales se dividían en «familias» según la altura del sonido. Por ejemplo, la viola ocupaba un amplio ámbito sonoro convirtiéndose, se-

gún el tamaño, en viola soprano, contralto o tenor (viola 'da braccio'), bajo o contrabajo de viola o violón (viola 'da gamba'). Lo mismo ocurría con las flautas, que iban desde la flauta pequeña (una especie de flautín de los tiempos modernos) hasta la flauta baja; y así puede decirse de cornetas, trompetas y trombones.

En lenta y segura progresión se iba formando el concepto que ha sido la base de la relación entre voces e instrumentos. En el año 1600, cuando se trató de dar, aunque fuese en forma no escenificada, *La Representación del Alma y del Cuerpo,* obra fundamental de la música de todos los tiempos, el libretista Alessandro Guidotti escribió importantes informaciones sobre las costumbres del tiempo en lo que afecta al empleo de los instrumentos: «Queriendo representar en el palco escénico la presente obra y seguir las advertencias del señor Emilio del Cavaliere, los instrumentos sonarán mejor en número más o menos elevado según el lugar, sea tea-

Arriba: **retrato de Arcangelo Corelli.**
Abajo, a la izquierda: **autógrafo de una sinfonía de Alessandro Stradella.**

tro o salón. Para que los instrumentos no sean vistos, deberán tocarse entre bastidores y por personas que vean la acción de los que cantan. Y para dar algunos ejemplos de aquellos que se han experimentado en lugares similares y han servido, citaremos la lira doble, un clavecín, un chitarrone o tiorba como se llama, que hacen un bonito efecto en su conjunto, así como un órgano suave con un chitarrone. Y el señor Emilio alababa el cambio de instrumentos, conforme al efecto del recitante.»

Lo dicho evidencia cómo lentamente se iba formando una conciencia orquestal que, por ejemplo, en el *Orfeo* de Claudio Monteverdi (1607) alcanza óptimos resultados. Las posibilidades financieras de la corte de los Gonzaga en Mantua permitieron que Monteverdi, en aquella ocasión, pudiese acompañar su obra maestra con una «orquesta» formada así: «dos clavecines, dos contrabajos de viola, diez violas 'da brazzo', un arpa doble, dos pequeños violines a la francesa, tres archilaúdes, dos órganos positivos de madera, tres bajos de viola 'da gamba', cuatro trombones, un órgano portátil, dos cornetas, un pequeño flautín agudo, cítaras, flautines». Naturalmente esta gran masa de instrumentos se empleaba según la ocasión dramática, siguiendo con particular fidelidad tímbrica los varios momentos de la obra.

Lentamente se fue aprendiendo de esta forma a distinguir y a contraponer los instrumentos de arco y los instrumentos de viento y así se avanzó (en particular durante la mitad del siglo XVII) hacia una simplificación de la masa instrumental, prefiriendo los autores un número menor de instrumentos con características de mayor homogeneidad. El mismo Monteverdi, en el *Combate de Tancredo y Clorinda* abandonó la gran «orquesta» del *Orfeo* y eligió cuatro violas de timbre diverso, formando una verdadera y propia orquesta de cámara de cuerda. Así en 1634 Stefano Landi, en su *San Alejo,* contrapone al acompañamiento realizado con instrumentos «bajos» (laúd, tiorba, clavecín, etc.) un grupo de tres violines y un violón (contrabajo de viola). Se afirmaba ya un nuevo gusto orquestal que, gradualmente, acabó por alcanzar el «concierto», no como conjunto de instrumentos, sino como forma musical, forma que pasando por los nombres de Stradella, Corelli, Torelli alcanzará el gran esplendor del

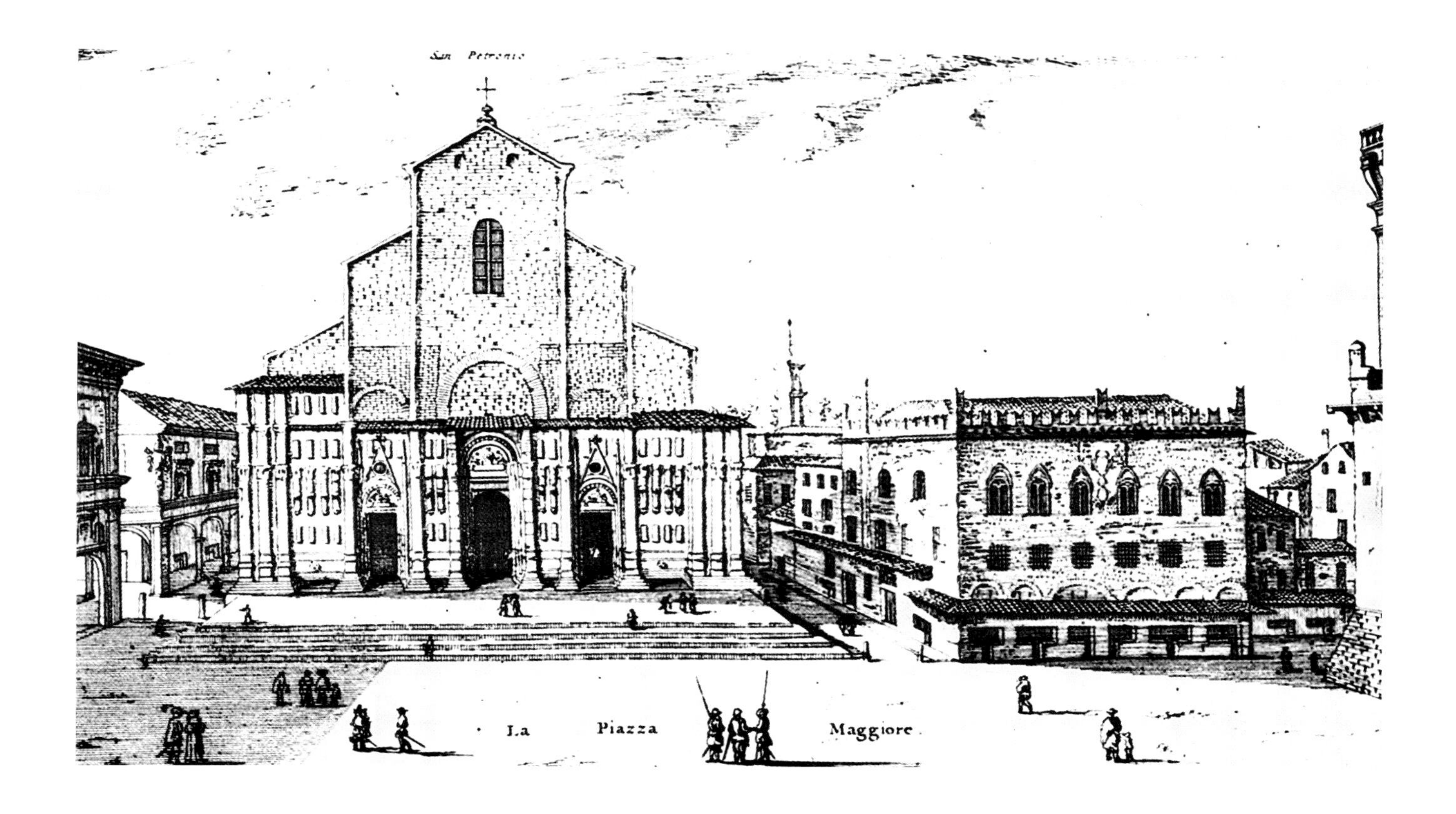

La iglesia de San Petronio, en Bolonia, ciudad en la que se desarrolló la llamada «escuela bolonesa», con nombres como Banchieri, Perti, Bononcini, Vitali, Torelli y Corelli.

alto Barroco dominado por la personalidad musical de Antonio Vivaldi.

En la reunión de instrumentos de arco en cuatro partes está individualizado el nacimiento de la orquesta de arcos en sentido moderno. En el número elevado de formaciones de varia estructura instrumental, siempre prevalecen las más simples: de una parte, la formada por dos violines y bajo; por otra, la compuesta por dos violines, viola y bajo. La primera es típica de la «sonata a tres» y caracterizará después la «música de cámara»; la segunda se encamina decididamente hacia la forma del «concierto». En Francia se hallan grandes formaciones de arcos, y hacia 1630 la *Bande des vingt-quatre violons* ('Banda de los veinticuatro violines') se dividirá en varias secciones, partiendo de los violines hasta los contrabajos: 6 + 4 + 4 + 4 + 6. En el citado período el *Corps de la musique de la chambre du Roi* ('Cuerpo de la música de cámara del Rey') comprende también doce oboes. La adición de algunos instrumentos de viento (usualmente flautas y oboes) no modifica la estructura de la orquesta de cuerda; los instrumentos de viento casi siempre tocan algunas partes destinadas a la cuerda. Será esta orquesta de arcos la destinada a dominar el gran período de la historia de la música que vio el triunfo del concierto de la escuela italiana.

Giuseppe Torelli (1658-1709), uno de los protagonistas del «concierto», en la *Advertencia* impresa en la edición de su *Obra quinta* de 1692 escribe: «Si te complace tocar estos conciertos, no te desagrade multiplicar todos los instrumentos, si quieres descubrir mi intención.» Y precisamente el lugar donde trabajó el veronés Torelli —es decir, Bolonia— será la cuna del concierto instrumental. Guglielmo Barblan ha sintetizado muy bien este desarrollo: «Tras los providenciales profetas y los activos pioneros, el concierto instrumental tuvo sus

Un concierto barroco al aire libre. Estos entretenimientos constituían una de las características de aquellos tiempos, cuando prevalecía el espíritu de «hacer música» por placer.

apóstoles con su Meca en Bolonia, su santuario en San Petronio, su cerebro en las academias ciudadanas, todas ellas compendiadas por la famosa Academia Filarmónica (1666), y su *hinterland* en la capilla de la corte de Módena.»

Cierto que en Bolonia no existe la rica, abundante y espléndida vestidura de San Marcos de Venecia, ni el fasto opulento del ambiente romano; pero tiene, en cambio, un sentido cívico de la música, una cualidad que se podría definir como burguesa o provinciana en la más elevada acepción del término. Son compositores boloñeses y no boloñeses, pero felsíneos (o sea, de Félsina, nombre antiguo de Bolonia) por elección los que dan vida a un desarrollo extraordinario de esta forma. Convergen sobre el «concierto» las aportaciones de lo sagrado y de lo profano, de la comunidad religiosa o de la ciudadana y de la académica. Adriano Banchieri (1568-1634) había comenzado a dar impulso y vida a la comunidad musical boloñesa con sus *Conciertos eclesiásticos;* fue seguido por Maurizio Cazzati (hacia 1620-1677) con sus bellas sonatas. Hoy es una opinión corriente que el «concerto grosso» del Barroco tuvo sus orígenes precisamente en el clima boloñés, en las «sonatas a tres» de iglesia, en las «sonatas con trompeta». El concierto «grosso» consiste en un grupo instrumental (el «tutti» o concierto «grosso» verdadero) y un grupo más pequeño (el «concertino»), formado habitualmente por un trío. La característica fundamental de esta forma es la oposición, seguida de la fusión, de estos bloques que resultan tan sonoros. También Domenico Gabrielli (1659-1690) contribuyó a este desarrollo con sus *Sonatas con seis trompetas.* En la práctica, el concierto barroco nace en la iglesia, aunque sea también evidente la influencia del teatro y de la «música de cámara». Son muchos los compositores que contribuyeron, en un breve período de transición, a la definición del «concierto». Se trata, como podemos ver, de nombres importantes: Jacopo Perti (1661-1756), también Giovanni Maria Bononcini (1642-1673), Giambattista Vitali (1632-1692), su hijo Tommaso Antonio (1663-1745) y otros. Son los peldaños que forman la escalera que nos conducirá a Giuseppe Torelli, el hombre cimero de la escuela de San Petronio.

Terminados los primeros estudios en Verona, Torelli se trasladó a Bolonia, convirtiéndose en discípulo de Perti y, pronto, en académico filarmónico. En 1686 estaba en la capilla de San Petronio, en 1695 en Viena y, después, en la corte de Brandeburgo-Ansbach. Regresó a Bolonia en 1701. Fecundo compositor, fue autor de sonatas, conciertos y sinfonías. Tras su muerte, su hermano Felice (excelente pintor) dio a la imprenta la obra más completa y válida de Torelli, la *Obra octava: Doce conciertos «grossi» con una Pastoral para la Santísima Navidad.*

Se ha dicho que Torelli fue, en el fondo, un punto de llegada del concierto y que en él, genial compositor, confluyeron las diversas experiencias, sobre todo boloñesas, pero también romanas. Sabemos, en efecto, que estaba a la «usanza de Roma» el tipo de «concierto» que se iba afirmando alrededor de 1680, pronto pasado a Bolonia; esta técnica compositiva había sido anticipada por Alessandro Stradella unos cinco años antes, sin contar con la aportación milagrosa de un genio como Arcangelo Corelli. Pero sigamos un poco más con Torelli, que figura entre los primeros en afirmar la

Lámina del siglo XVIII que representa un concierto dado en un salón, acontecimiento muy típico de aquella época.

primacía de un instrumento muy querido por él y particularmente usado en su experiencia por tierra alemana, el violín. Tenía, se dice, temperamento apasionado; con la *Obra sexta: Conciertos musicales,* publicados en Alemania convirtióse en el típico compositor del concierto para violín solista: en el prefacio advertía que donde se halle escrita la palabra «solo» la música tiene que ser interpretada por «un solo violín». Así nace el concierto para violín solista, concierto que en la obra póstuma alcanza verdaderas cumbres del arte. Quede dicho también que simultáneamente a Torelli trabajaron aquellos hombres que dieron al violín una forma y una perfección absolutas: los Stradivarius y los Guarnerius. La *Obra octava* de Torelli marcó pues, en este campo, el esplendor de una evolución gradual, pero continua; no podemos olvidar las «invenciones» tímbricas de los conciertos torellianos con una o más trompetas, que se expandían en una búsqueda sonora de gran atractivo y de alta calidad y que hacen de Torelli uno de los protagonistas del gran Barroco italiano.

Al hablar del «concierto» hemos citado el nombre de Alessandro Stradella (1644-1682), que murió asesinado a los 38 años tras una breve y agitadísima existencia que lo hizo casi legendario, por los muchos escándalos y peripecias y las mil aventuras amorosas en las que se vio envuelto. Ya ocho años antes de que lo mataran había sido gravemente herido en Turín por dos sicarios. Su vida acaba en Génova, ciudad a la que le había conducido su carécter errabundo y aventurero.

Stradella fue un compositor fuera de toda norma. No pertenece a ninguna de las categorías conocidas a las cuales, normalmente, se pueden adscribir los otros compositores: maestros de capilla, compositores de corte, instrumentistas, célebres compositores de ópera. El trabajó en plena libertad, como

Arriba: **un violín de los Stradivarios.** A la derecha: **dos denuncias anónimas hechas en Génova, que acusan a los hermanos Comellini como instigadores del asesinato de Alessandro Stradella, autor de composiciones religiosas sublimes y originalísimas, siendo al mismo tiempo un hombre de vida aventurera.**

5
L'assassinamento commesso nella persona di Stradella, ne sono li mandanti li Mag.ci Antoniotto, Gio: Batta, Domenico, e Baldassarre fratelli Comellini, per la voce sparsa nella Piazza di Banchi; e tutto ciò habbiano fatto eseguire per levarlo dalla Casa di loro Cognato Giuseppe Garibaldo, mentre tello Giuseppe non volle effettuarlo alla richiesta di d.to Gio: Batta.

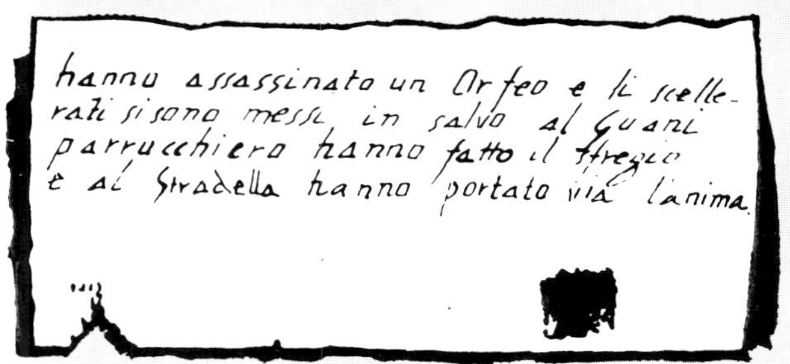

hanno assassinato un Orfeo e li scellerati si sono messi in salvo al Guani parrucchiero hanno fatto il freggio e al Stradella hanno portato via l'anima.

un verdadero protagonista «romántico» en un ambiente cerrado y difícil, formado por las innumerables cortes principescas y eclesiásticas que florecían en la Roma del Barroco.

En el ámbito de aquello que habíamos dicho ser la «usanza romana», él, contraponiendo un «concertino» (formado por pocos instrumentos solistas) a un «concierto» (formado por un grupo más nutrido de otros instrumentos), anticipó la futura forma del concierto «grosso» que Arcangelo Corelli determinara. En 1675 Stradella compuso el oratorio *San Juan Bautista,* en cuyas partes instrumentales la fórmula del concierto «grosso» se afirmó claramente y en la que lo instrumental se separó, se liberó de la influencia de lo vocal. Hay ya, en este caprichoso artista, una clara evolución hacia la música futura. Fue uno de los pioneros de la música del Setecientos.

A decir verdad, en la producción stradelliana la parte que contempla la pura composición instrumental es mínima en comparación con los otros géneros musicales desarrollados. Pero también en las serenatas, en las cantatas, en los oratorios y en los motetes hallamos amplios testimonios de la gran intuición instrumental del compositor romano. Siguen siendo fascinantes sus sinfonías (a dos, a tres), junto a las tres «sonatas», complejas composiciones en las que se contrastan y alternan los bloques sonoros: violas divididas en dos coros con una trompeta, dos violines y laúd contra cuatro violas; dos violines y bajo contra dos trompetas y bajo. También él, como todos los grandes, era un inquieto explorador del sonido y de sus dominios.

Si con Torelli habíamos asistido a la primera tentativa concreta de llevar el violín a una definitiva dignidad solística, ciertamente con Arcangelo Corelli (1653-1713) se abre la era de la escuela violinística en Europa; y este arte se difunde por todas partes. Corelli es un personaje nuevo en la historia de la música. Si no fecundísimo compositor, sí atento y severo controlador de su propio arte, sometido siempre a un escrupuloso examen, y al que jamás dejó al azar de una incontrolada fantasía. Nacido en Fusignano, cerca de Ravena, de una acomodada familia de propietarios rurales, tomó como nombre de pila el de su padre, muerto antes de su nacimiento. Faenza, Lugo y Bolonia fueron las tres primeras etapas de su precoz vida musical. El futuro dominador del «concierto grosso», el que tenía que inaugurar la verdadera época de la escuela

Retrato de María Cristina de Suecia, que patrocinó la vida musical en Roma a finales del Seiscientos, dando conciertos con compositores como Alessandro Scarlatti, Pasquini y Corelli.

del violín, en el sentido moderno de la palabra, fue aceptado en la Academia filarmónica cuando contaba diecisiete años. Sin ser un niño prodigio, sin dejarse deslumbrar por su rápida carrera, severo consigo mismo, continuó los intensos estudios con numerosos maestros de las más variadas extracciones: uno fue un riguroso defensor de los valores tradicionales (Giovanni Benvenuti), otro (Leonardo Brugnoli, llamado el del Violín), defensor de un arte unido a la fantasía y a la libre expresión.

De esta forma Corelli penetró a fondo en aquel arte instrumental en el que profundizó durante toda su vida, sin sentir jamás el atractivo de otras cosas que no estuviesen relacionadas con el violín: ni la música teatral, ni la música sacra. Severidad, rigor, vocación absoluta fueron sus características.

VIOLINO PRIMO.

SONATE

A trè, doi Violini, e Violone, ò Arcileuto,
col Baſſo per l' Organo.

CONSECRATE

ALLA SACRA REAL MAESTÁ DI
CRISTINA ALESSANDRA
REGINA DI SVEZIA, &c.

DA ARCANGELO CORELLI DA FVSIGNANO,
detto il Bologneſe,

OPERA PRIMA.

In ROMA, Nella Stamperia di Gio: Angelo Mutij. 1681. Con licenza de' Super.

Arriba: **frontispicio de la «Opera prima» de Corelli (1681), dedicada a María Cristina de Suecia.**

En la página contigua: **detalle de un fresco alegórico («Abril») que figura en el Palacio Schifanoia, de Ferrara.**

Lento y meditativo en el componer, no tocaba el violín por exhibición, sino sólo cuando sabía que podía dar una muestra verdadera de su arte de intérprete, antes que de ejecutante. A los dieciocho años marchó a Roma, donde el ambiente musical era extraordinariamente rico. La vida artística de la ciudad eterna estaba dominada por la munificencia de María Cristina de Suecia que, católica, no había querido seguir la doctrina luterana y se había refugiado en Roma (con todas sus rentas). En los salones del Palacio Riario (después Palacio Corsini) se dieron memorables serenatas y tardes musicales honradas por los grandes nombres de Alessandro Scarlatti (1660-1725), así como de Bernardo Pasquini (1637-1710) y, a partir de 1671, de Corelli. Es muy probable que en 1675 Corelli se trasladase a París, donde estableció contacto con la música de Lully (Giambattista Lulli), el florentino que dominó, sin rival posible, el campo francés. Próximo al arte de Lulli, emigrado de Italia a los trece años, la escuela corelliana dio sus primeros pasos en tierra francesa pero sin entrar triunfalmente, sino a través de los mejores alumnos franceses del romañés, como Anet y Leclair. Ocurriera o no el viaje a Francia, la carrera de Corelli prosiguió segura, tanto en el plano violinístico como en el de director. Corelli, en efecto, fue magnífico director de orquesta en un momento en que este arte estaba en su albor. Así pues, primer violín y director de orquesta (más tarde se impondrá la frase «primo violino capo d'orchestra», o sea, «cabeza» de orquesta), su experiencia madurada en este campo sólo puede subrayar el rigor ejecutante de Corelli, que se transvasa a las numerosas obras dadas a la imprenta. Su vida (que incluye también contactos con el mundo alemán) se desarrolla, en su mayor parte, en Roma, donde disfruta de la protección de los poderosos cardenales Benedetto Pamphili y Pietro Ottoboni.

El 1708 fue el año de la crisis. Corelli abandonó toda actividad pública, retirándose después a la vida privada.

En los últimos años de su vida sufrió frecuentes crisis depresivas. Corelli murió el ocho de enero de 1713 y fue sepultado en el Panteón.

Su gran obra, la sexta *(Conciertos «grossi» con dos Violines y Violoncelo de concertino obligados, y otros dos Violines, Viola y Bajo de Concierto «Grosso» al arbitrio ya que se pueden doblar),* que comprende el célebre *Concierto para la noche de Navidad,* aparece como obra póstuma en 1714, bajo los cuidados de Matteo Fornari, su discípulo predilecto a quien, por testamento, había dejado los violines y las «hojas manuscritas» que comprendían algunos conciertos y sonatas, además de dos composiciones sacras.

Manuscrito de la «Gigha Stachata» de Giuseppe Torelli.

Poco después, en un volumen de Crescimbeni, *Noticias históricas de los árcades muertos,* viene escrito: «Corelli fue el primero que introdujo en Roma las sinfonías en tan copioso número y variedad de instrumentos que resulta casi imposible creerlo, tantos como posible fuese regular sin temor a desconcierto, sobre todo en la conjunción de los de viento con los de arco, que muy a menudo superaban el centenar.» Importantísima afirmación que muestra no solo la evolución del tipo de orquesta, de la que ya hemos hablado, sino también el crecimiento, a veces exagerado, del número de sus componentes. El oratorio *Santa Beatriz de Este* (música de Giovanni L. Lulier del Violón, de 1689) fue dirigido por Corelli, que tenía a sus órdenes 39 violines, 10 violettas (especie de violas altas), 17 violones, 10 contrabajos, un laúd, dos trompetas. En un libreto de una academia ofrecida por María Cristina de Suecia en honor del embajador inglés de Jacobo II Estuardo ante el papa Inocencio XII, se halla el nombre de Bernardo Pasquini como compositor de la música y el de Arcangelo Corelli como «cabeza de los instrumentos de arco en número de ciento cincuenta» más cien coristas. Solista de excepción, pues, pionero en la dirección de orquesta, extraordinario maestro y creador de una escuela violinística que rápidamente se difundió por toda Europa (cinco son sus volúmenes de sonatas de cámara y de iglesia).

El gran Giuseppe Tartini (1692-1770) había puesto como obligatorio para sus alumnos el estudio de la *Obra quinta* de Corelli, editada alrededor del 1700, obra que comprende composiciones admirables, entre las que figura la justamente famosa *Follia.* Pero será el concierto «grosso» el que dará la mayor gloria a Arcangelo Corelli; luego esta forma musical, pasando por la genialidad de Giuseppe Torelli, alcanzará la máxima perfección con Antonio Vivaldi. Vivaldi reducirá a tres los tiempos (allegro, adagio, allegro), pero la estructura permanecerá siendo casi corelliana. En ella la oposición y la fusión entre el «concertino» y el grueso de la orquesta de cuerda alcanza el vértice del arte. Un musicólogo alemán ha afirmado con justicia que «el concertino corelliano, realizado con el trío de arcos, proyecta el lenguaje de la sonata a tres hacia el ámbito de la orquesta, donde el contrapunto goza de una riqueza que es la mejor herencia de la escuela boloñesa».

Arcangelo Corelli dio al violín la máxima dignidad artística, alejada de cualquier forma de exhibicionismo. No fue, pues, un «virtuoso» en el sentido que el término tuvo en los siglos XVIII y XIX, sino un verdadero intérprete. Los compositores y los jefes de escuela que le suceden no podrán dejar de tener en cuenta este severo planteamiento que en Italia, a través de Giovan Battista Viotti (1755-1824), llegará hasta Nicolo Paganini (1782-1840).

Es curioso que Corelli no hubiese dado gran desarrollo al violín solista (lo hará poco después Torelli). También él, como ocurre a menudo, innovó la forma permaneciendo como un conservador en lo fundamental. El haber tomado conciencia de la or-

Retrato de Giuseppe Tartini, compositor y gran violinista.

questa en su intensísima actividad de director y de concertador o maestro, le llevó a considerar el problema del concierto en un sentido «orquestal». En este campo debemos también a Arcangelo Corelli un inicial impulso hacia aquel «sinfonismo» que deberá gozar, en los decenios siguientes, del desarrollo que todos conocemos. El éxito de Corelli entre sus contemporáneos fue enorme y alcanzó justa fama en toda Europa. Con él la música instrumental europea asume forma concreta. Nada cabe pensar en este campo sin la experiencia corelliana, ya sea en la música instrumental, ya en la evolución del arte violinístico. Todos sus conciertos tienen la solidez y la densa expresividad de la música compuesta para la eternidad. Incluso en nuestros días siguen demostrando la vitalidad de todo cuanto un genio puede dar.

Instrumentos en la Edad Media y en el Renacimiento

Cuando se habla de instrumentos antiguos de los primeros quince siglos de la era cristiana, nos referimos en general a la Baja Edad Media y al Renacimiento, períodos sobre los cuales tenemos suficientes testimonios. La poesía, la escultura y la pintura de la Edad Media nos han legado documentos fundamentales para la historia de los instrumentos musicales. Hace falta llegar al comienzo del siglo XVI *para que, con el advenimiento de la imprenta, se escribiera no sólo música instrumental, sino también tratados sobre los propios instrumentos. Se trata de una serie de instrumentos que son, en definitiva, los antecesores de los que componen la orquesta que hoy conocemos. Durante casi dos siglos muchos de estos instrumentos se hicieron populares, aunque fuese de forma gradual. Pero a finales del Setecientos muchos de ellos habían quedado reducidos a un estado de mera curiosidad.*

La rota, probablemente el instrumento de cuerda más antiguo de Europa, era de punteo y de no muy grandes dimensiones. Hasta finales del Setecientos se usó en el País de Gales con el nombre, verdaderamente sintético, de crwth. *Tenemos testimonios de este instrumento, siempre ingleses, desde finales del siglo* VII *d. J. Se tocaba, probablemente, apoyándolo en las rodillas; venía armado con cuatro cuerdas y otras dos de resonancia.*

Entre los instrumentos de cuerda la viola ocupa un lugar de absoluta preeminencia, al menos durante gran parte del Renacimiento. Durante los siglos XVI *y* XVII *fueron los componentes de la familia de las violas (soprano, contralto, tenor y bajo) los que dominaron el terreno, teniendo prácticamente relegado a la sombra al violín que, por largo tiempo, fue tenido por descendiente y no por contemporáneo de la viola. La viola tenía habitualmente seis cuerdas y su familia abarca a la viola soprano (la del sonido más agudo) y*

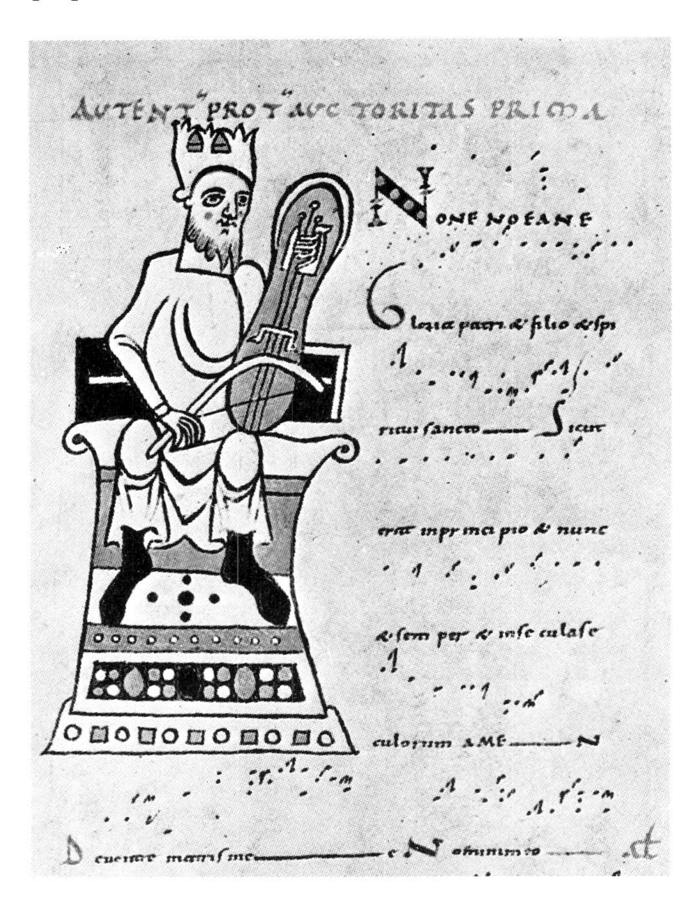

La rota «chrout» o «crwth», es quizá el más antiguo instrumento de cuerda, está representado a la izquierda **según una página miniada del siglo** XI.
En la página contigua: **«Alegoría de la Música», hoja miniada de la obra «De institutione musica», de Boecio. Podemos ver, en el centro, un órgano portátil; siguiendo la marcha de las agujas del reloj y comenzando por arriba, a la derecha, figuran un laúd, castañuelas, trompetas, tamboriles, una bombarda y una cornamusa, una pandereta y una viola.**

Un tañedor de caramillo.

a la archiviola baja. Su sonido es claro y dulce, un tanto débil y no tan rico y timbrado como el del violín. Se tocaba apoyándola sobre las rodillas y colocándola entre ellas, según las dimensiones.

El violín pertenecía al grupo de las violas, pero su sonido se fijaba una octava más grave que el de la viola baja. Fácil de tocar, se convierte en la base sobre la cual se apoya después el "concierto grosso" a comienzos del Setecientos. Su evolución en el tiempo ha sido grande. Sujeto a sustanciales modificaciones llegó a ser, en la práctica, el actual contrabajo. Aunque es difícil reconocer en este último al antiguo y nobilísimo instrumento.

A partir del siglo XVI *fueron no pocos los instrumentos de cuerda, además de los de la grande, fundamental familia de las violas. No obstante, ninguno influyó de modo determinante sobre la música instrumental en su desarrollo futuro. Tenemos, por ejemplo, el grupo de las "liras", con la "lira de brazo", tan representada como instrumento angélico en las pinturas renacentistas. Tenía un cuerpo ancho y llano, constaba de tres a cinco cuerdas y se tocaba apretada al pecho. Existía también el bajo de la lira, con once e incluso dieciséis cuerdas. En Roma, en la primera mitad del siglo* XVII, *se podía escuchar aún la llamada «lira* 'da gamba'».

Otros instrumentos de cuerda, sobre todo medievales, fueron el rabel y la zanfona. Hallamos el primero en las pinturas de los siglos XIV *y* XV. *Tenía una caja en forma de media pera, tres cuerdas y un fondo llano. Desaparece como instrumento profesional en el siglo* XVI, *pero permanece durante largo tiempo en los medios aldeanos. No por azar el rústico músico shakesperiano de* Romeo y Julieta *fue llamado Hugh Rebeck (el rabel se denomina* rebeck *en inglés). La zanfona, como el rabel, se puede ver también en manos de los ángeles de las pinturas renacentistas. Se hacían vibrar las cuerdas mediante una rueda que se giraba por debajo del instrumento. Se la llamaba también "viola de*

Tañedores de pífano y de laúd, detalle de un fresco de Simone Martini.

Detalle del fresco de Gaudenzio Ferrari que decora la cúpula de Santa María de los Milagros, en Saronno (Lombardía). Podemos ver en él flautas dulces, un dulcimer, liras, una viola «da gamba», una viola, un laúd, un órgano positivo, una pandereta y un tamboril.

ciego" porque a menudo la tocaban los mendigos en la calle. En el Medioevo se le llamó organistrum *y después,* chifonia, *del vocablo greco-latino* symphonia, *hasta dar la corrupción actual de "zanfona". En el Cuatrocientos se la denominó también* viella, *de donde derivó el término "viola".*

El violín aparece a comienzos del siglo XVI. El pequeño geigen de Martín Agrícola (1529), la "violetta de arco sin trastes" y la "violetta de brazo y de arco" de Lanfranco (1533) son los primeros testimonios del violín. En el mismo año Philibert Jambe de Fer escribe que "se llaman violas las usadas por gentilhombres, mercaderes y otras personas de mérito con las que pasan su tiempo. El violín es el que comúnmente se emplea para la danza". Las cuerdas eran cuatro (como ahora) y la afinación, según los textos más antiguos, es casi siempre como la moderna. Existía, también en este caso, una familia de violines (soprano, tenor, bajo). La viola que actualmente se emplea en la orquesta corresponde al violín contralto del siglo XVI. Existía también, entre otros, un "violino piccolo" ('pequeño') —que Monteverdi usó en su Orfeo *como "violino piccolo alla franzese"— y que era una espe-*

Tañedores de cromorno en un grabado de Heinrich Aldegrever (1551).

cie de "sopranino" o violín de tesitura más aguda que el violín soprano. Pero quedaba otro más agudo aún, el llamado pochette *(por lo que, dado el vocablo francés, cabría denominarlo "violín de bolsillo"), usado especialmente por los maestros de baile para acompañar los ritmos: podía tener también tres cuerdas. Se le guardaba en el gran bolsillo de la* velade, *la amplia y revolante sobrevesta. Se empleó hasta muy avanzado el siglo* XVIII.

Otro instrumento celebérrimo y nobilísimo, muy perfeccionado ya incluso antes del siglo XVI *(como la viola, por otra parte) es el laúd. Armado con seis cuerdas, se afinaba como la viola. A comienzos del siglo* XVI *aparece otra cuerda, más baja: este tipo de laúd gozó de especial predicamento en Inglaterra. Todas las cuerdas eran dobles. Como puede observarse en millares de reproducciones pictóricas, el mástil se doblaba hacia atrás. Bajo las cuerdas, entre el mástil y el lugar en que dichas cuerdas se pulsaban, figura la "roseta",*

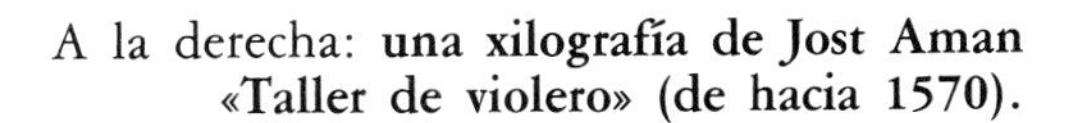

A la derecha: **una xilografía de Jost Aman «Taller de violero» (de hacia 1570).**

labrada con finísimos calados en la madera, a menudo con dibujos preciosísimos. Se escribió, para este instrumento, una enorme cantidad de música, que ahora recupera su auge. A lo largo del siglo XVII *el laúd fue sufriendo modificaciones: se llegó a la tiorba, un laúd con cuerdas agregadas y cuerpo mayor, y la "chitarrone", con cuerpo de verdadero laúd y mástil prolongado para alojar las cuerdas de sonido grave.*

La cítara tuvo una honrosa vida en el Medioevo, llegando a ser protagonista de la música durante largo tiempo. Tenía una caja casi circular, de fondo llano, con cuatro cuerdas dobles de metal, que se pulsaban. Fue llamada de distintos modos: cithren, citharen, cítola, sitrón, sistro, cister, zitter, *etc., si bien algunos de los nombres que acabamos de mencionar se aplicaron también a otros instrumentos, análogos o distintos. En Italia, por ejemplo, habitualmente la cítara tuvo cuatro cuerdas, pero también las hubo de cinco y de seis. Podríamos decir, en resumen, que de la cítara primitiva se derivaron otros muchos instrumentos y que, con la flauta de pico o recta y la lira, fue protagonista de la música de la antigua Grecia.*

Instrumento familiar para el oyente actual es el arpa, de origen antiquísimo, que ha llegado hasta nosotros sin grandes cambios en sus partes esenciales. Antes del siglo XVI *se usaba un modelo muy complejo, con ochenta cuerdas. A menudo, sin embargo, se empleaba un arpa más sencilla y más pequeña, con veinticinco o treinta cuerdas, que se apoyaba sobre las rodillas. En el siglo* XVII *estuvo muy en boga el "arpa irlandesa" con cuerdas de metal. Con el arpa se podían interpretar muchas composiciones destinadas al laúd y, más tarde, a la espineta.*

Pasemos a los instrumentos de teclado. El órgano fue el principal en la iglesia. Hubo dos órganos de forma reducida que gozaron de larga vida: el "positivo" y el "portátil" o "regalía". El positivo era una especie de "órgano de salón", con cinco o seis registros; se le denominaba positivo porque se podía "posar" y, en consecuencia, transportar o cambiar de sitio. Muchas composiciones para viola del Seiscientos van acompañadas de órgano positivo. El "portátil" o "regalía" era una especie de órgano positivo con tubos de latón. Dentro del instrumento figuraban dos fuelles para el

aire. Se tocaba en las capillas, en los salones reales, en las casas acomodadas, colocándolo sobre un mueble o sobre una mesa, aunque no faltaron modelos que se colgaban del cuello del ejecutante mediante correas. Existió otro que, después de usarse, se doblaba o cerraba como una gran Biblia, de ahí que recibiera el nombre de bibleregal.

Otros instrumentos de teclado fueron el clavicordio y el virginal; en ellos las cuerdas se percutían, como ocurre hoy con el piano. En general, las cuerdas del clavicordio eran dobles. Instrumento muy elegante y ligero, se tocaba colocándolo encima de una mesa. Su diferencia con el virginal y con las primeras espinetas consiste en el hecho de que estos últimos instrumentos son de cuerdas sencillas. El Quinientos fue el siglo de oro de todos ellos. Luego apareció el clavicémbalo o

Tañedores de flauta dulce, ilustración que figura en el frontispicio del «Fontegara» (1535) de Canassi del Fontępo, libro de música destinado a la enseñanza de dicho instrumento.

clavecín, de mecanismo más complejo, que producía el sonido al ser rasgadas sus cuerdas y no percutidas. Se fue perfeccionando durante los siglos XVII y XVIII, que conocieron su historia triunfal, aunque en el siglo XVI ya era un instrumento famoso.

Tenemos después una enorme variedad en el sector de los instrumentos de viento. Su historia es extremadamente variada y compleja. Se pueden individualizar en el caramillo, el cromorno y el cornetín aquellos que a través de continuas modificaciones y, sobre todo, gracias a la invención del tubo curvado, nos condujeron hasta los fundamentales instrumentos modernos.

El caramillo (cuya etimología deberíamos buscar en el latín calamellus *o cñaa), equivale al italiano* cennamella, *al francés* chalumeau, *al inglés* shawm *o al alemán* Schalmei *("salmó", escribiría Vivaldi, como buen véneto): todos ellos eran instrumentos con estrangul, es decir, que sonaban por medio de una lengüeta vibrante. El "salmó" vivaldiano tiene un sonido muy próximo al del oboe. La familia de los* chalumeau *o de los caramillos fue bastante numerosa, si bien la llegada definitiva del oboe, más o menos en su forma actual, excluyó al caramillo (aunque nunca completamente) del número de los instrumentos empleados. Hoy todavía se usa en Cataluña, donde es muy apreciado por su calidad sonora.*

Un instrumento importante es el cromorno, con toda su familia; Krummhorn *o cuerno torcido lo llaman los alemanes. En castellano recibe también el nombre de* orlo. *La novedad del cromorno reside en su tubo en forma de "j". Durante 150 años la familia de estos instrumentos, numerosísimos desde el más grave al más agudo, estuvo muy en boga, si bien no se conoce música escrita para ella. Todavía se tocaba en el siglo XVII: los instrumentistas de cromorno formaban parte de la* Grande Ecurie *de la corte de Luis XIV. Su sonido es dulce y velado. Se les llamó también "litui"* (lituus *era la trompeta militar romana), si bien los "litui" empleados por Bach en su* Cantata núm. 118 *no eran propiamente cromornos, sino cuernos de caza. Después del tubo en "j" viene el tubo curvo, inventado alrededor de 1530 y aplicado por primera vez por el abate Afranio de los Albonesi al construir su* phagotus *que, a pesar de su nombre, no era una anticipación del moderno fagot por la semejanza de su forma. Los estudiosos deducen que el* phagotus *del siglo XVI había, en cambio, influido en la formación del futuro clarinete, que no aparece hasta el siglo XVIII.*

El fagot, en tanto que instrumento más próximo al moderno homónimo, llegará a través de una serie de modificaciones sobre instrumentos de tubo curvo. En forma menos perfeccionada que las actuales ya se conocía y empleaba a finales del siglo XVI. En el XVII comenzó a usarse en la orquesta. No es posible saber cómo se ha llegado a la tan conocida forma en "u". Pronto existió una familia entera de este instrumento, que recibió nombres como los de fagott, dolcain, curtal, *probablemente según sus dimensiones.*

Con el paso del tiempo —es decir, mientras se avanzaba hacia el Setecientos— la enorme plétora de los instrumentos iba siempre menguando. El posterior advenimiento de la orquesta estableció un nuevo filtro que los redujo aún más. Permanecieron, pues, los verdaderamente caracterizados por una destacada personalidad sonora.

La flauta, por ejemplo, permanecerá para siempre, sobre todo por evidentes razones de importancia del sonido. Durante siglos la "flauta travesera" ha sido un protagonista de la música, junto a su hermana más sencilla, de voz más modesta aunque dulce y acariciadora, la flauta recta, de pico o dulce. Naturalmente, las modificaciones estructurales han sido numerosas hasta alcanzar la forma moderna, sin contar el paso de la madera al metal. La modesta, simpática flauta de pico posee una abundante familia y tiene una literatura musical de gran riqueza. Una antigua flauta, de embocadura de chiflo, muy usada para el acompañamiento de bailes rústicos al aire libre, era el galoubet *(asociado siempre al tamboril), en tanto que como tipo particular de flauta recta tenemos el* flageolet, *popular durante el siglo* XVI *en Francia y en Inglaterra. Tras la primera mitad del siglo* XVII *la flauta recta se construyó dividiéndola en secciones que podían ensamblarse en el momento de usarlas, comodidad muy apreciada ya que permitía un fácil transporte.*

Entre los instrumentos de viento forma, sin duda, un grupo de gran importancia el constituido por las trompetas. En el siglo XV *se hacía una clara distinción entre la* trompette des ménéstrels ('trompeta de los ministriles') *y la* trompette de guerre. *La primera era una verdadera y auténtica "trompeta de varas"; la segunda se desarrolló con el tiempo, manteniendo inmutables sus características esenciales, replegada en la forma y de longitud variable. De la trompeta de los ministriles nace la familia de los trombones (más o menos en la forma moderna: se les ve en la orquesta manejadas por los instrumentistas que con la mano derecha acortan o alargan las "varas", para formar los distintos sonidos); de la trompeta de guerra surge toda la familia de las trompetas, hasta mediados del siglo* XVI. *La función, por así decirlo, social de la trompeta bélica y real fue mantenida a lo largo de los siglos hasta nuestros tiempos. Los trompetistas, ya en la guerra, ya al servicio del rey, de los príncipes, de los obispos y de los papas, figuraban entre los instrumentistas mejor pagados de todos los tiempos. Eran la expresión sonora de la realeza, de la potencia, del fasto, de la riqueza. Las trompetas formaron una verdadera familia, ocupando todo el espacio sonoro, desde los sonidos más graves hasta los más agudos.*

«Concierto de mesa», de Abraham Bosse, que nos muestra cuán difundida estaba durante el Renacimiento la costumbre de interpretar música en el propio hogar.

A finales del siglo XVI *este instrumento, sin dejar de ser bélico o real, entró en el teatro, en la iglesia, en los salones del rey y de los príncipes, no precisamente para dar toques de asaltos o de ceremonias, sino para participar en los grandes acontecimientos profanos y sagrados de la época. Así vemos las triunfantes trompetas en las fanfarrias introductorias del melodrama* Orfeo, *de Claudio Monteverdi, en los comienzos del siglo* XVII. *El italiano Girolamo Fantini (1602-?), de Spoleto, que desarrolló su actividad en Dresde, se afirmó como el primer virtuoso internacional de trompeta y publicó un libro en 1638, en Franckfurt, que hizo época. El instrumento se desarrolló sobre todo a partir del siglo* XVII. *Bach usó en muchas ocasiones la trompeta y a veces una trompeta aguda (por ejemplo, en su segundo* Concierto de Brandeburgo*), la trompeta francesa. En Italia se empleó también otra trompeta más aguda aún, a la que llamaron trompeta "piccola" (o pequeña) y "trombetta".*

Como la trompeta, la trompa, caracterizada por su conocida forma curva, entró en la orquesta a finales del siglo XVI. *El largo tubo retorcido (actualmente, si se le desarrollase alcanzaría casi cuatro metros) tuvo una evolución técnica notable hasta llegar al siglo* XVIII, *en el que ya fue de uso normal. Las "trompas de caza" o "cuernos de caza" usados por Bach provenían de Francia, país que los había inventado en la segunda mitad del siglo* XVII.

Con el trombón ocurre lo mismo que con la trompeta: se llega a formar una verdadera familia de instrumentos, que van del soprano al bajo profundo. Durante la Edad Media sostenían, en canciones, frottolas y madrigales instrumentados, la parte del "tenor". A menudo se empleó para redoblar las voces (tenemos magníficos ejemplos de ello en composiciones de los Gabrieli, en el Orfeo *de Monteverdi y en Bach). Su sonido es majestuoso y tiene una variedad de colorido verdaderamente extraordinaria.*

Un instrumento (también él poseedor de una bien nutrida familia) que hoy vuelve a ser tocado en los conjuntos de música antigua es el "cornetín", citado anteriormente. Era curvo, según la línea natural del cuerno del animal, y hecho de madera. Para darle la curvatura necesaria se le construía a menudo en dos trozos, recubiertos después con fuertes tiras de cuero.

Los hubo también construidos con marfil. El timbre es bellísimo y ahora, si de vez en cuando escuchamos algún concierto interpretado con instrumentos de la época, lamentamos que se haya perdido un sonido similar. Marin Mersenne (1588-1648), teórico francés, amigo de Descartes, matemático y músico y entusiasta de este instrumento, ha escrito: "Se asemeja al esplendor de un rayo de sol que aparece en la sombra o en las tinieblas, cuando se le escucha entre las voces en las catedrales o en las capillas". Pero si era fatigoso tocarlo, difícil era tocarlo afinadamente. Se difundió también un cornetín recto, que no tuvo, en verdad, la fama de su hermano curvo. El cornetín curvo más grave tenía forma de "s" y medía casi dos metros y medio, por lo que se le llamaba también "serpentón". Tenía seis agujeros y los sonidos de sus registros bajo y medio eran bellísimos. Su técnica constructiva se desarrolló con el tiempo, llegando incluso hasta el siglo XIX, *aunque ya fuera raro su empleo. El cornetín que acabamos de describir, al que también se le ha denominado "cornetto", "cornet", etc., con las variantes "torto", "a bouquin", etc., no guarda relación alguna con el cornetín metálico más moderno, especie de clarín a veces provisto de pistones.*

Hemos visto la flauta, tan popular, asociada al tamboril a la hora de interpretar danzas rústicas ya en patios y corrales, ya en lugares sagrados, desde comienzos de la Edad Media. En el siglo XV *los suizos consagraron la aparición del gran "tambor militar", que se mantenía verticalmente y se golpeaba sobre su membrana superior. El diámetro del instrumento varió durante el siglo* XVI; *fueron también los suizos los que juntaron flauta y tambor o pífano y tambor, ejemplo seguido por varios ejércitos. Se usaba no solo en la guerra, sino también en ceremonias públicas, en funerales solemnes, coronaciones. Parece también que la gran caja o "redoblante" de nuestros días fue usada desde la Edad Media, a juzgar por algunas reproducciones pictóricas, pero probablemente se empleó ya mucho antes en Oriente. Tuvieron también gran difusión dos tambores semiesféricos cubiertos por una membrana, llamados "nacarios". En italiano los denominan "nacchere", igual vocablo que el que emplean para designar las castañuelas, de origen antiquísimo y tan usadas en países de habla hispana. Los nacarios procedían del Próximo Oriente y se dice que los cruzados se sintieron aterrorizados por el terrible*

Detalle de «El Parnaso», de Andrea Mantegna, representando a Orfeo. La ópera homónima de Monteverdi fue la primera pieza maestra del melodrama.

efecto que estos tambores dobles producían al ser golpeados. Podría ser que los "timpani" o timbales provinieran de esta pareja bélica. Los usaron quizá por vez primera los húngaros. Desde el siglo XVI los tratadistas los presentan por parejas. Durante largo tiempo fueron instrumentos militares. A mediados del siglo XVI, Enrique VIII pidió dos a Viena para tocar a caballo "a la manera húngara" y, al parecer, causaron efectos sorprendentes en la batalla.

Las campanas dispuestas en orden de tamaño y tocadas con martillos de madera tuvieron un gran auge durante el siglo XV, para desaparecer su uso en los siglos sucesivos. En Europa, especialmente en Francia y en los Países Bajos, se afirmó el carillón, *instrumento mecánico accionado manualmente y siempre en vías de perfección a partir del siglo XVII. En Inglaterra, en cambio, se inclinaron hacia el concierto de campanas, que tenía centenares de cultivadores, a menudo reunidos en asociaciones. En 1668 se imprimió una obra curiosa: la* Tintinalogía, *de Fabián Stedman. Puede darse el caso de que obtuvieran también resultados artísticamente buenos, pero un testigo ha escrito en 1598, más bien perplejo: "Los londinenses aman inmensamente los grandes rumores que pueblan el aire, como el retumbar del cañón, los tambores y los tañidos de las campanas, de suerte que en Londres muchos, cuando están borrachos, acostumbran a acudir juntos a un campanario y tocar las campanas durante horas".*

Para cerrar este extremo, un tanto ruidoso, del panorama de los instrumentos, no podemos olvidar los platillos, antiquísimos, que han llegado hasta nuestros días casi sin modificaciones. Existió una variedad de platillos o címbalos "de taza" que gozaron de discreta fortuna durante el siglo XVII; de forma diminuta, se usaban, más o menos, como las actuales castañuelas. El triángulo (llamado címbalo hace siglos) tenía también unos pequeños anillos libres sobre la barrita inferior. El último que nos queda por mencionar es el tamborino, llamado a veces tamboril provenzal o tamboril vasco por su región, que no ha variado a lo largo de los siglos, alegre camarada de la gran compañía de instrumentos destinada a ver cómo clareaban sus filas: y hoy convertida en el gran pelotón de la orquesta moderna.

El nacimiento del melodrama

El nacimiento del melodrama (un espectáculo cuya acción teatral se realiza con música y canto) tiene una fecha muy precisa: el 6 de octubre de 1600. El lugar, Florencia, durante las fiestas para los esponsales de María de Médicis con Enrique IV de Francia. En aquella ocasión se representó la primera «ópera en música», *Eurídice,* con texto de Ottavio Rinuccini (1562-1621) y música de Jacopo Peri (1561-1633). Es el primer melodrama del que se han conservado el libreto literario y la partitura musical. Tenemos constancia de que otras representaciones de Peri precedieron a su *Eurídice,* pero no queda rastro de ellas. Probablemente fueron dadas algunas «fábulas musicales» —siempre en Florencia y en la corte de los Médicis— en 1590: *El Sátiro* y *La desesperación de Fileno,* texto de Laura Guidiccioni y música de Emilio de Cavaliere. Se representó también la *Dafne,* texto de Rinuccini y música de Peri, cuatro años antes en el palacio de Jacopo Corsi en Florencia. Al año siguiente se dio *Il gioco della cieca,* ('El juego de la gallina ciega'), texto de la citada Guidiccioni y música de De Cavaliere, en la corte medicea. Pero de todo ello nada se ha conservado. Por ello la *Eurídice* de Peri sigue siendo la primera ópera en música.

¿Cómo se llega a esta forma de arte? En ese tiempo pareció como un renacer de la antigua forma griega —la tragedia—, que reunía en sí, admirablemente, todos los elementos del teatro: la poesía, la música, la danza. En la «carta» que Rinuccini pone como prefacio a la edición de su *Eurídice* escribe entre otras cosas: «Ha sido opinión de muchos que los antiguos griegos y romanos cantaban sobre la escena la tragedia entera; pero tan noble manera de recitar, si no renovada, sí en lo que yo alcance a saber, había sido intentada por alguno.» La ópera en música nace en un ambiente extremadamente favorable para esta artística concepción: en el palacio del conde Giovanni Bardi de Vernio, en el que convivían artistas y humanistas que se agrupaban bajo el nombre de «Camerata florentina», surge una especie de Academia que desde 1592 discutió y actuó alrededor de varios motivos del arte (y no sólo de música), hasta el año en que el papa Clemente VIII llamó a Roma al conde Giovanni. La Camerata se instaló entonces en el palacio Corsi. El teórico del grupo fue Vincenzo Galilei (lutista y estudioso), padre de Galileo el científico. Todos deseaban llegar a una participación de la música sometida al texto poético-dramático, en el espíritu (así lo pensaban ellos) de la antigua Grecia. De la Camerata surgió el «manifiesto» sobre las relaciones entre palabra y música, entre música y drama, motivando un debate que, en el curso de los siglos futuros, influyó en esta forma de arte.

Los gérmenes fecundos de las futuras realizaciones florentinas se pueden hallar, antes que en *Eurídice,* en aquella fusión entre música y palabra que ha sido característica de toda civilización. Ciertamente el culto de la antigua tragedia griega condujo a la ópera florentina, pero ya en la Edad Media existían formas de espectáculo, verdaderas óperas, que se anticipaban a aquella florentina de comienzos del siglo XVII. *El juego de Robin y Marion* de Adam de la Halle, representado en 1282 en la cor-

La primera página del prólogo de la «Eurídice», de Peri.

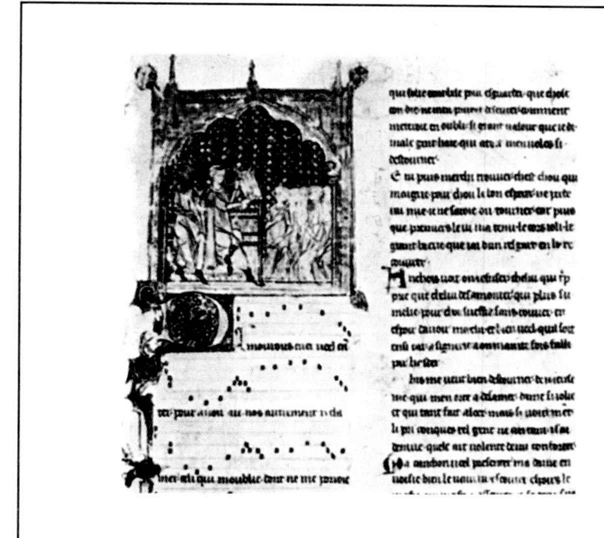

L' ORFEO
FAVOLA
IN MVSICA
DA CLAVDIO MONTEVERDE
MAESTRO DI CAPELLA
DELLA SERENISS. REPVBLICA.
RAPPRESENTATA IN MANTOVA
L'Anno 1607. Et nouamente Ristampata.

IN VENETIA MDCXV.
Appresso Ricciardo Amadino.

Arriba, a la izquierda: **una página del manuscrito del «Juego de Robin y Marion» de Adam de la Halle, una «ópera-oratorio» medieval;** a la derecha: **el frontispicio del «Orfeo», de Monteverdi.**

te de Nápoles, sin duda es un antecedente en el tiempo del melodrama futuro. Las fiestas teatrales (civiles y religiosas) colocaron también las premisas para el nacimiento de la ópera: las pasiones, los misterios, los ballets, los intermedios, las pastorales. Todo ello se hallaba muy difundido entre el pueblo y la corte y se desarrollaba en la plaza, en el atrio de las iglesias, en los palacios de los príncipes y de los ricos. La «fiesta» fue, en sustancia, una especie de primitiva «ópera en música». Vinieron luego los teóricos y los prácticos de la Camerata florentina de los Bardi a dar forma concreta y clara orientación estética a esta nueva e interesante manifestación musical.

En el mismo año en que *Eurídice* se daba en Florencia, tuvo lugar en Roma la *Representación del Alma y del Cuerpo* de Emilio de Cavaliere, especie de ópera de argumento sacro, pero más próxima al espíritu popular. Pero sea con la obra de Peri, sea con la de Cavaliere, nos hallamos en plena «ópera en música», en el sentido de que música y texto se superponían en un todo único, sin alternancias, ya que todo venía «dicho» y «cantado» al mismo tiempo.

Pero la ópera no tenía todavía el impulso decisivo para alcanzar un verdadero desarrollo. Corresponde a Claudio Monteverdi (1567-1643) el mérito de que el melodrama entrara verdaderamente en la historia musical. Lo consiguió en 1607 con *Orfeo,* dado el 24 de febrero en la corte de los Gonzaga, de Mantua, con libreto de Alessandro Striggio (1535-1590). Asistió a la *Eurídice* de Peri el duque Vincenzo Gonzaga, venido de Mantua. ¿Se llevó en aquella ocasión a Florencia con su séquito al compositor Monteverdi? ¿O a su regreso, entusiasmado con la representación florentina, sugirió a Monteverdi que compusiera una obra análoga? Sabemos que Monteverdi interviene también en algunas reuniones de la Camerata florentina; no obstante, su presencia en el «estreno» de la *Eurídice* de Peri parece insegura.

Sea como fuere, *Orfeo* subió a escena con enorme éxito y a su vista conviene decir que la distancia artística entre la ópera monteverdiana y la florentina es grande. Aunque el tema sea análogo, la sustancia es muy distinta. Rinuccini lo centra todo en el dolor de Orfeo; Striggio, en cambio, conserva el mito en su forma original y lo conduce hasta sus últimas consecuencias —asesinato de Orfeo y des-

A la izquierda: **un busto de Jean-Baptiste Lully (el afrancesado Giovanbattista Lulli).**

garro de su cuerpo por las Bacantes— con un sentido teatral infinitamente superior. En el *Orfeo* de Monteverdi se hallan ya los elementos que pertenecerán a la ópera de los siglos futuros: la separación, entre recitativo y aria, la forma estrófica y los ritorrelos, la inserción de danzas, las intervenciones corales, la introducción simple y puramente orquestal.

Un hecho importantísimo para el desarrollo de la ópera del Seiscientos fue la inauguración del primer teatro en Venecia en 1637: el San Casiano, verdadero teatro público con entradas de pago. Fue un acontecimiento fundamental en el desarrollo de este arte. Con clara evidencia el teatro impone una dilatación que no figuraba en las reglas, en las normas de los teóricos de la Camerata florentina. La ópera se convierte gradualmente, pero con firmeza, en un acto grandioso, fastuoso. El público se habituó rápidamente a este espectáculo, que le emocionaba a través de tres elementos que serán, por largo tiempo, los fundamentos del teatro: la complejidad de los asuntos y de las tramas; la realización escénica que alcanzará límites de asombrosa complejidad; el virtuosismo de los cantantes. Los temas eran, en su mayoría, mitológicos e históricos, pero no faltaban algunos cómicos, populacheros, dramáticos y aristocráticos.

El teatro se difunde por todas partes como una mancha de aceite. Desde mediados, aproximadamente, del siglo XVII hasta todo el siglo XIX, y también después, la ópera fue el espectáculo de todos, pueblo y nobleza, pobres y ricos, unidos por una misma pasión que, a menudo, se transformó en fanatismo. La ópera, surgida de Italia, se difundió por Europa con enorme fortuna, desde Portugal a Inglaterra, y por el norte hasta Rusia. Un italiano, Giovanbattista Lulli (1632-1687) llevó la ópera a Francia (donde se convirtió en Lully), y la adaptó con éxito al nuevo ambiente.

Con el tiempo todavía se modificarán las estructuras de la ópera. En el Setecientos la estructura escénica se hace más esencial. El espectáculo se convirtió en una serie de recitativos y de arias, con algún pequeño coro. Los temas de los libretos (las bases literarias fueron fijadas y matizadas por hombres como Apostol Zeno [1668-1750] y Metastasio [1698-1782]) se extrajeron principalmente de la historia y en ellos se resaltaban los valores de la virtud, de la clemencia, del perdón, del amor por la patria, del sacrificio, de la renuncia, del amor. El virtuosismo de los cantantes fue llevado a lo extremo e incluso, a lo grotesco. El cantante se convirtió rápidamente en el verdadero dominador de la ópera, ante el cual se inclinaban casi siempre libretistas y compositores que, si en el Seiscientos, tras Monteverdi, se llamaban Cavalli, Cesti, ahora se llamarán Alessandro Scarlatti, Porpora, Haendel, Jommelli, Traetta, Piccinni, Pergolesi, Hasse.

Reaccionaron, ante la degeneración de la moda operística, un literato y un compositor: Raniero de Calzabigi (1714-1795) y Cristoph W. Gluck (1714-1787), que auspiciaron el retorno a la pureza dramática. Su importante reforma —sin abatir el gran dominio de los cantantes que a menudo eran

En la página contigua: **ilustración sacada del «Primer intermedio de la velada de la liberación de Tireneo dada en la sala de comedias del Serenísimo Gran Duque de Toscana durante el carnaval de 1616 y en la que se representaba el Monte Ischia con el gigante Tifeo debajo». Estos intermedios florentinos, breves espectáculos dramático-musicales, abrieron el camino del melodrama.**

A la izquierda: **una fiesta teatral en París, en 1729. Tales espectáculos, con música y representaciones teatrales, eran de un gusto fastuoso.**
A la derecha: **mujeres en el palco de un teatro.**

castrados para «mejorar» la calidad de las voces— consistió en una mayor presencia dramática de la música. Los nombres de esta ópera «seria» serán Cimarosa, Paisiello, Salieri, Gazzaniga, Mozart.

Pero no todo consistía en «ópera seria». El Setecientos fue también el siglo de la «ópera bufa», netamente separada de la otra, en cuyas comparaciones vemos libertad de formas y de contenido, siendo como era rica en espíritu popular. La ópera bufa gozó de enorme fortuna en todas partes y produjo una ingente masa de material para llegar, al fin, a obras maestras como *El matrimonio secreto,* de Cimarosa, o el *Don Juan,* de Mozart.

Venecia, que había dado al mundo el primer teatro público, desempeñó un papel fundamental en el desarrollo de la ópera. Entre el final del siglo XVII y el comienzo del XVIII logró, como ha escrito Domenico de Paoli, «recoger las varias características que el nuevo género de arte asumía en las diversas regiones italianas y fundirlas en un estilo no tanto nacional, como internacional, y del que podemos resaltar los orígenes propios de los compositores venidos después de Cavalli y, de un modo particular, de Cesti».

Los viajeros de la época nos han dejado interesantes testimonios de la vida teatral de aquel tiempo. John Evelyn (1645) habla de la riqueza de las escenas pintadas y construidas, del sentido de la perspectiva, de máquinas para volar en el aire, de escenarios hasta con treinta cambios. Limojon de St. Didier (1680) dice que la belleza de las voces borra cualquier imperfección, que los «hombres sin barba» (los castrados) tienen voces argentinas, que las obras son largas (con un poco de exceso), que los cambios de escena son muy buenos. Maximilien Misson (1695) encuentra pobres los trajes, mala la maquinaria, escasa la iluminación, magníficas las arias, poco numerosa la orquesta, se apiada de los castrados y dice, exagerando, que en Venecia existían entonces setenta teatros dedicados a la representación de ópera.

Si la ópera veneciana dominó el siglo XVII, será la napolitana la que asuma idéntica posición de dominio en el siglo siguiente. Sea como «ópera seria», sea como «ópera bufa», la napolitana se impone en Italia y en el mundo. Asimiló primero (con Alessandro Scarlatti, sobre todo) el estilo veneciano y gradualmente asume una fisonomía siempre más precisa y original, ampliando paso a paso su influencia en el mundo musical de la época. La orquesta mantenida siempre en una condición de dependencia, poco numerosa, sustancialmente formada por instrumentos de arco con escasa presencia de instrumentos de viento, se ve enriquecida. Se crean todas las bases para el ulterior gran desarrollo que la ópera obtuvo con el advenimiento del Romanticismo, a finales del siglo XVIII y en el siglo XIX.

El melodrama italiano se difunde muy pronto, como ya hemos dicho, por los diversos países de Europa, por Austria, Alemania y Francia donde los italianos fueron llamados por el cardenal Mazarino, predecesores de todo cuanto haría, con la impronta de su genio, Lully. La influencia italiana se dejó sentir en Inglaterra en la segunda mitad del siglo XVII, pero los ingleses, dejando a un lado la labor teatral de Purcell no compondrán, por el momento, verdaderas óperas: deberán esperar la llegada del

Christoph W. Gluck (en un retrato de Joseph Sifrede Duplessis) efectuó la conocida «reforma» en vistas a proporcionar una mayor calidad dramática a la ópera.

«sajón» Haendel, que llevó definitivamente a Inglaterra la ópera italiana.

Como muy bien ha dicho Andrea Della Corte, resumiendo el significado de la ópera que se desarrolló en el Setecientos, este desarrollo «se halla en el paso del recitativo seco al recitativo acompañado, en la ligazón del recitativo con el aria y de fragmentos semejantes en los 'conjuntos' y en los 'finales'; en la expresividad conquistada paso a paso de los medios orquestales, superando el esquema del bajo de acompañamiento; en la profundización en los problemas del arte, en definitiva, en la intensificada expresión dramática. Artistas geniales concurrieron en el florecimiento de la ópera italiana, que dominó toda Europa. Algunos de ellos, a los que podríamos llamar tradicionalistas, continuaron durante todo el siglo cuidando la unidad y la intimidad del drama, y se ocuparon solamente de las arias, de la vocalidad; otros, progresistas, trataron de elevar todos los elementos y la práctica teatral, poniéndolos al servicio del drama. Distinción esta, entre tradicionalistas y progresistas, que incluso en la actualidad, no se puede determinar con precisión.

Después viene Rossini. Y la historia de la música, en cuanto a la ópera se refiere, toma una novísima ruta.

Música protestante y católica

Después del Concilio de Trento (1563) los mundos protestantes y católicos eran, también en música, afines y contrastados; con frecuencia, opuestos. Reforma y Contrarreforma habían producido un doble filón; la música católica se separa netamente de la evangélica aunque, evidentemente, la común matriz cristiana las hacía tantas veces complementarias, con influencias recíprocas. Fue particularmente evidente la diferencia entre «música espiritual» y «música sacra»: la primera, independiente de los ritos, la segunda, que tenía una profunda tradición, con tendencia a convertirse en el verdadero ornamento del ritual de la liturgia. Así el oratorio, de origen italiano, se había desarrollado sobre todo fuera de Italia; convirtióse en un verdadero «melodrama del espíritu» refiriéndose, a menudo, a los modos de la tragedia griega; a su éxito habían contribuido poetas como Apostolo Zeno y Metastasio. Los textos de los oratorios se cantaban en latín, y con más frecuencia, en el idioma del país.

Si el oratorio desempeñó un gran papel en la cultura musical católica, constituyó también parte fundamental de la evangélica. Dresde, Lübeck, Hamburgo fueron los grandes centros de estas *historiae.* En tierra alemana la «música de noche», que el gran Buxtehude había sacado de los «conciertos de noche» fundados a mediados del siglo XVII, se convirtieron en verdaderas celebraciones litúrgicas. Sustraídas de la iniciativa mercantil (en sus orígenes fueron manifestaciones frecuentadas por los mercaderes en días no festivos), se convirtieron en un momento importante de la práctica sagrada festiva. Así la «cantata» que en Italia tuvo un enorme desarrollo en su aspecto mundano y profano, en tierra alemana y en su forma sacra pasa a ser el momento fundamental de la música evangélica, en sus primeras pero importantes manifestaciones. La palabra «cantata» hace pensar automáticamente en Bach; pero él solo condujo esta forma hasta la perfección, reuniendo en un todo único arias, recitativos, corales y coros. En los siglos XVII y XVIII numerosos autores produjeron en Alemania enorme cantidad de cantatas que, si de una parte atestiguan la fecundidad compositiva de sus autores, de la otra muestran que la demanda por parte de la iglesia protestante era apremiante.

Alrededor de Bach, y en su tiempo, compositores como Telemann, Krieger, Graupner escribieron millares de cantatas: Telemann cerca de 1.500, Krieger más de 2.000, Graupner otras 1.400. El advenimiento en Alemania de la corriente protestante «pietista» que intentaba recuperar el sentimiento religioso individual a través de una participación mística al servicio divino, había conducido a una sistematización del material musical de las cantatas más estrechamente ligado al rito sagrado; las cantatas, compuestas en general de dos arias separadas por un recitativo, se organizaban en ciclos «anuales», como lo hicieron Juan Sebastián Bach y Telemann.

Retrato de Georg Philipp Telemann, uno de los músicos alemanes más famosos e influyentes en los tiempos de Bach.

La religiosidad protestante se fundaba, pues, sobre las cantatas y sobre los oratorios. Como es sabido, hubo un momento importante también en las pasiones, que en la época de Bach y de Haendel alcanzan una extraordinaria cima. En la cultura católica la pasión se funde, en la práctica, con el oratorio, si bien no pocos autores como Alessandro Scarlatti, Perti, Caldara, Ariosti, Jommelli, escriben verdaderas pasiones muy distintas de los oratorios.

Sin embargo, los dos géneros no pueden, en la práctica, distinguirse uno de otro. Pronto se pasó a considerar el relato de la Pasión de Cristo en su momento esencial, o sea, en el de la muerte. Así nació un nuevo género, el «sepulcro», que tuvo cierto desarrollo, por parte italiana, sobre todo en Viena y a través de autores como Antonio Draghi, Marc'Antonio y Pietro Andrea Ziani, Antonio Bertali, Antonio Caldara; también compusieron «sepulcros» algunos autores extranjeros. Otro género que tuvo menos desarrollo fue el del «lamento» (de María, de Juan, de Magdalena).

Hay un terreno en el que católicos y protestantes se hallan bastante próximos: el del oratorio y de la pasión, y también en los dos géneros de oratorio-pasión y de pasión-oratorio: el primero provisto de un verdadero «libreto», casi como un melodrama; el segundo basado en textos evangélicos. Los intereses de ambos se separaron en la cantata: en ella la cultura evangélica halló su máxima expresión, en tanto que en el mundo católico la misa ocupó dicho puesto fundamental, aunque esta última forma no fue descuidada por los compositores de confesión luterana (el ejemplo de Bach es concluyente). La misa en música siguió, en general, dos caminos: uno considerado «napolitano», constituido por una serie de arias, dúos, tercetos, concertantes, coros, y ligado estrechamente al rito; el otro de «estilo antiguo». Este último continuó su largo periplo «romano», más riguroso, menos ligado a los momentos formales mundanos o, de algún modo, profanos.

Toda la cultura musical sagrada del mundo occidental giró, durante siglos, alrededor de los dos grandes países de la música: Italia y Alemania. No se trató, en verdad, de un enfrentamiento, sino de un fenómeno de complemento, de una perfección de relaciones, de un desarrollo que en un país y en otro alumbra diversos géneros. Si, por ejemplo, la cantata tuvo un desarrollo amplio en Italia con Giacomo Carissimi (1605-1674), en Alemania, simultáneamente, ocupó a uno de los más grandes compositores que aquella tierra tuvo antes que Bach, Heinrich Schütz (1585-1672).

La actividad de Schütz se produce exactamente un siglo antes que la de Bach y Haendel. Tras haber recibido una sólida preparación humanística y musical en Kassel y en Marburg, pronto establece contacto con la cultura musical italiana, precisamente en Venecia, donde vivió cuatro años con Giovanni Gabrieli. Jamás separó el hecho cultural humansístico (fue también un óptimo jurista) del musical; asimiló la cultura de su tiempo en todos los sentidos, convirtiéndose muy pronto en uno de los más grandes compositores de su época, junto con Monteverdi. Como hombre sufrió una dura suerte. Además de vivir en un momento trágico para su tierra, devastada por la guerra de los

Giacomo Carissimi (a la izquierda) **desarrolló (junto con Stradella) la música sacra italiana, que alcanzó su esplendor con los oratorios de Alessandro Scarlatti.**

A la derecha: **retrato de Heinrich Schütz, considerado el «padre» de la música sacra alemana. Recogió y sintetizó la tradición luterana, basada en los corales, favoreciendo el culto popular de su país. Esta labor de síntesis dio como fruto todas las formas de música sacra desarrolladas por sus herederos Bach y Buxtehude: motetes, salmos, cantos espirituales, cantatas y oratorios.**
Debajo: **Heinrich Schütz, con cantores en la Schlosskirche de Dresde.**

Treinta Años, perdió a su mujer cuando era joven todavía y, al poco tiempo, a sus dos hijas y a un hermano. Por añadidura, las condiciones políticas y su situación personal le constriñeron a vagar de ciudad en ciudad en la vana búsqueda de una ocupación estable. Su vida fue difícil y dolorosa, pero todo ello afinó sus cualidades morales y artísticas y contribuyó a convertirle en uno de los artistas más meditabundos y humanos de la historia de la música. Como ha dicho Hans J. Moser, Schütz fue una de las más activas personalidades de toda la cristiandad evangélica de su tiempo, gran servidor de los pietistas, un cantor del pueblo y un representante de la cultura religiosa y musical de su patria oprimida.

Henricus Sagittarius (como se hacía llamar Schütz latinizando su nombre alemán) es un personaje todavía poco conocido; considerado siempre como un predecesor de los «grandes» Bach y Haendel, fue el máximo genio del primer barroco protestante, similar por temperamento y por carácter al italiano Monteverdi, su segundo maestro, después de Giovanni Gabrieli. Schütz absorbió con genial comprensión e intuición las enseñanzas de los dos italianos, que lo liberaron de cualquier esclavitud técnica y formal orientándole, con discreción y comedimiento, por el camino de la experimentación. Vivió largo tiempo en su laboriosa soledad, trabajando duramente hasta los ochenta y seis años, sin perder su característica de «combatiente de la música», su innata impetuosidad, su arrebato, su potencia, su mesurada y genial audacia en unir los estilos y los modos, aunque no fuesen estrictamente sagrados.

La inmensa producción de Schütz comprende también tres Pasiones: según San Lucas, según San Juan, según San Mateo; cada una caracterizada de una manera musical que refleja bastante bien el carácter de los tres evangelistas: el narrativo para Lucas, el apasionado fervor para Juan, la circunspecta seriedad para Mateo. Las tres pasiones fueron escritas entre 1653 y 1666. Todas son para cinco solistas (soprano, contralto, dos tenores y un bajo) y coro.

En el campo de la música de oratorios y pasiones Schütz escribió también dos oratorios, uno para la Pascua y otro para Navidad en tres versiones, y las *Siete palabras de Nuestro Señor.* Los dos oratorios y las *Palabras* son solamente para coros, instrumentos y órgano. El oratorio de Pascua es para dos coros; el de Navidad es más rico en las partes instrumentales. Los solistas del de Pascua son nueve: tres sopranos, dos contraltos, dos tenores, un barítono y un bajo. Los solos y coros del de Navidad son a seis voces, en tanto que para las *Palabras* son a cinco voces.

Schütz se halla cerca de Bach por el modo con que expresa el fondo religioso de su música. Próximo también por el olvido en que cae después de la muerte: alguna que otra obra del alemán continuó siendo ejecutada aquí y allá, pero sólo en el siglo XIX asistimos a la «resurrección» de Schütz gracias a compositores como Liszt y Brahms y a filósofos como Nietzsche. Todavía hoy el gran compositor de Turingia no tiene un puesto definido en la historia de la música; sin embargo, actualmente comienza a conocerse su obra y apreciarse su indiscutible valor.

Por lo demás, incluso en todo cuanto guarda relación con la música sacra y espiritual italiana, sólo en estos últimos tiempos compositores como Alessandro Stradella, Alessandro Scarlatti y Giovanni Battista Pergolesi han hallado un justo relieve, sobre todo en la ejecución de sus obras. Si las pasiones y los salmos de Heinrich Schütz son cumbres de la música «sacra» alemana del siglo XVII, las composiciones de Stradella, Scarlatti y Pergolesi, cabalgando entre el Seiscientos y el «siglo melodioso», el Setecientos, son lo mejor de lo sagrado italiano. Si con Schütz la Turingia confirma su destino musical, son Roma y Nápoles las ciudades en las que se desenvuelve la vida de Stradella, de Scarlatti y de Pergolesi.

Stradella, compositor romano, aunque puede que su origen haya sido emiliano o lombardo, no fue olvidado como Schütz o Bach. Su dramático fin (murió asesinado en 1682) hizo florecer, durante siglos, relatos y noticias fantásticas; se escribieron romances y, como es sabido, una obra lírica sobre su vida.

Fue conocido durante decenios y decenios como autor de una *Plegaria* que, en realidad, era un apócrifo. Pero de su música, de su verdadera talla de artista, poco o nada se supo hasta comienzos del Novecientos. Sólo en los años sesenta se ha escrito una verdadera biografía, pero nos hallamos todavía muy lejos de haber clarificado la figura de Stradella, al que, durante largo tiempo, se le adscribió sin más a la escuela veneciana o emiliana.

Stradella escribió mucha música profana: obras teatrales y acciones escénicas, prólogos e intermedios, cantatas para una o varias voces e instrumentos, cantatas y serenatas para una o más voces con bajo continuo, arias, cancioncillas, madrigales. Murió a los 38 años tras haber pasado por una vida

Pintura que representa a Lutero predicando en una iglesia y es un trasunto del espíritu religioso que inspiró a Heinrich Schütz.

llena de aventuras, y resulta milagroso que pudiese dejar tanta cosecha de composiciones. Sus seis oratorios, *Santa Edita reina de Inglaterra, Susana, San Juan Crisóstomo, Ester, San Juan Bautista, Santa Pelagia,* sus magníficos veintitrés motetes (muchas veces sobre textos en latín del propio Stradella) y las cinco admirables cantatas espirituales representan la obra sacra de un hombre vivo, abierto a todas las experiencias, a todas las solicitudes, y destinado con Giacomo Carissimi (1605-1674) a abrir el camino, sobre todo en el oratorio, a la música religiosa de Alessandro Scarlatti.

Dos de sus cantatas espirituales fueron escritas para la Navidad en 1665, dos para las *Almas del Purgatorio;* la quinta es un diálogo para la toma de hábitos de Angélica Lanzi (en religión sor María Cristina). Los títulos de las dos navideñas son: *Ah, ah troppo e ver che sempre* ('Ah, ah, demasiado cierto es que siempre') y *Si apra al sorriso ogni labbro* ('Todos los labios se abren a la sonrisa'). Las dos cantatas del *Purgatorio: Crudo mar di fiamme orribili* ('Mar cruel de horribles llamas') y *Esule dalle sfere* ('Emigrados de las esferas'). La cantata para sor Ma-

Stradella trabajó sobre todo en Roma (sobre estas líneas, **la Plaza Navona en un grabado de la época).**

ría Cristina está en texto latino: *Pugna, certamen, militia est vita humana* ('La vida humana es lucha, combate, milicia'). Un título significativo que refleja la vida de Stradella: una aventura perenne sostenida por una profunda religiosidad; una aparente contradicción entre exterior e interior.

El conjunto de las cinco cantatas es variado y diverso. En la primera de Navidad los solistas son seis: tres sopranos, un contralto, un tenor y un bajo; además, está el coro, el concertino y un concierto «grosso» de violas, laúd y arpa doble. En la otra el conjunto es bastante más sencillo: los solistas son un soprano, un contralto, un bajo con violines y bajo continuo. Todavía es más simple el conjunto para la primera cantata del purgatorio: un bajo, violín y bajo continuo; para la segunda la estructura es más compleja: dos sopranos, un contralto, un tenor, un bajo, coro, violines y bajo continuo. El diálogo para sor María Cristina tiene un conjunto formado por soprano, contralto, tenor, bajo, concertino, concierto «grosso» y continuo.

Pasar de una fortísima personalidad como la de Stradella a otra, no menos evidente, como la de Alessandro Scarlatti, es relativamente fácil. No puede negarse la posibilidad de que el primero influyera sobre el otro, nacido en Palermo en 1660 y muerto en Nápoles en 1725. También la fama de Scarlatti, como ocurriera con Schütz y Stradella, se pierde en el tiempo o nos llega deformada. Sobre la escasa fortuna póstuma de Alessandro influyó también la fama del hijo Domenico que ensombreció la del padre. Un genio cubrió al otro y por mucho tiempo sólo el gran clavecinista que fue, además, compositor completo, gozó de los honores del mundo. Nada pudo la masiva cantidad de composiciones geniales de Alessandro, que ahora estamos descubriendo de nuevo, contra las gratísimas sonatas de Domenico. Las 65 obras teatrales de Alessandro, ahora olvidadas en su mayor parte (salvo algún aria), sus elaboraciones, sus «pastiches», las serenatas, formaron un *corpus* de vastísimas proporciones, sin contar la parte sacra: 35 oratorios, 17 misas, 112 motetes; la parte profana: 8 madrigales, 70 cantatas para instrumentos y bajo continuo, 20 cantatas a dos voces y continuo, 600 cantatas a una voz y continuo, y la parte instrumental, comprendida la música para órgano y clavecín. Además Alessandro Scarlatti dedicó una parte de su actividad a obras teóricas y pedagógicas.

El palermitano encontró en la ópera y en la cantata de cámara su modo idóneo de componer música. La cantidad de producción en estos campos indica, además de su renombre, la gran demanda de música que literalmente llovía sobre Alessandro Scarlatti.

Sin embargo, su situación social, su ubicación en el ambiente romano impusieron al gran compositor numerosos encargos también en el campo de la música sacra, en su mayor parte oratorios y trozos litúrgicos (misas y motetes, sobre todo). Los musicólogos han dividido los motetes de Scarlatti en dos partes, según el estilo: moderno, o sea, el personal y vivo del compositor; y antiguo, como decía el propio Scarlatti, en el «estilo macizo a lo Palestrina». Digamos que Scarlatti no formó un estilo, por así llamarlo, «religioso», sino que permaneció fiel, en la mayor parte de las ocasiones, a «su» estilo vocal de siempre. Procuró dar un giro más severo a algunas composiciones, más tradicional en la línea de la música religiosa y sagrada, pero este aspecto fue sólo contingente y únicamente resultaba, en parte, «palestriniano». El contrapunto es severo, según el estilo del tiempo y de los teóricos del momento.

Muchas composiciones le fueron encargadas desde Florencia (por los duques de Toscana), ciudad en la que Scarlatti siempre confió, ya que le proporcionó frecuente trabajo. De ahí nacieron los *Himnos* y los *Improperios* para la *Misa Presantificadora del Viernes Santo* (1708), las *Lamentaciones para la Semana Santa,* del mismo año, y veintisiete *Responsorios para la Semana Santa.* Los motetes fueron escritos para las más diversas formaciones vocales, desde las más simples a las más complejas: para una voz, dos violines y continuo, hasta llegar a conjuntos de vastas proporciones (las ocho voces del *O magnum misterium* de 1707 o del *Tu es Petrus,* este último con acompañamiento de órgano, al igual que el *Volo Pater ut ubi ego sum.* Su *Stabat Mater* (para soprano, contralto, dos violines y continuo) sirvió de ejemplo y esquema a Pergolesi.

Como ha dicho Malcolm Boyd, el «atractivo de Scarlatti para los estudiosos de la música y — añadimos nosotros, también para el oyente moderno, atento y preparado— se halla en el puente que su música tiende entre la Italia del siglo XVII y el estilo cosmopolita de los compositores vieneses del siglo XVIII». Y añade: «Scarlatti será recordado no tanto por su importancia histórica, cuanto por la belleza intrínseca y única de sus mejores obras. En este sentido permanecerá como un punto fundamental de la música de todos los tiempos.»

Giovanni Battista Pergolesi alcanza una fama en proporción inversa a la brevedad de su vida y al

Un retrato de Alessandro Scarlatti, conocido tanto por sus producciones profanas (óperas), como por sus obras sacras (oratorios, misas, motetes). Con Stradella, es uno de los mayores compositores de música sacra católica.

Caricatura de Giovanni Battista Pergolesi (realizada por Pier Leone Ghezzi), autor de las célebres óperas «La serva padrona» ''La criada dueña'') y «Lo Frate'nnamorato» ''El fraile enamorado'').

pequeño número de obras de su producción musical. Muerto en 1736, cuando contaba veintiséis años, entró pronto en la leyenda, sobre todo por los méritos, de su «intermedio» *La serva padrona* ('La criada dueña'). Esta ópera, nacida junto con el *Prigioner superbo* ('El prisionero soberbio'), gozó pronto de un gran éxito y especialmente tras su estreno parisino en 1782, 19 años después de su ejecución en el teatro napolitano de San Bartolomé, contribuyó a desencadenar la famosa *querelle des bouffons* ('querella de los bufones') de París, en la que los partidarios de la ópera italiana se oponían a los de la ópera francesa en una polémica que tuvo momentos agudos y vivacísimos.

Si el célebre intermedio, que figura entre las obras teatrales más representadas del mundo, y otras pocas obras suyas contribuyeron bastante a la evolución de la ópera bufa, Pergolesi tiene un peso no inferior en la música sacra, particularmente con el *Stabat Mater* para soprano, contralto, cuerda y continuo, con el mismo esquema que el de Alessandro Scarlatti. Escribió el *Stabat Mater* hacia el final de su breve vida en el convento de los padres capuchinos de Pozzuoli, en el que Pergolesi murió, consumido por la tisis. La obra le había sido encargada por los Caballeros de San Luis del Palacio «bajo el título de la Virgen de los Dolores».

Esta composición, escrita *in limite mortis,* es de las que hacen historia, que se graban para siempre en la memoria y en el corazón de los hombres. Obra maestra absoluta, lograda con medios totalmente sumarios, ha inducido a no pocos compositores a «revisarla» y a ampliarla: entre otros, a Giovanni Paisiello, que añade instrumentos de viento y Antonio Salieri (dos voces). El mismo Bach hizo de ella una «parodia», transformándola en el *Motete a dos voces, 3 instrumentos y continuo,* con texto alemán. Bach conservó intacto el esquema de la composición de Pergolesi, sin embargo, el resultado fue una obra de un gusto totalmente distinto.

Se había avanzado un gran trecho desde los tiempos de Schütz, pasando por el alma inquieta y genial de Stradella y el espíritu inspirado de Alessandro Scarlatti, para llegar al joven genio de Pergolesi, a este hombre de cuerpo desafortunado, de muy feo rostro, rígida su pierna izquierda, fatigosa la respiración y con la tisis que le devoraba. No nos fiemos del retrato que nos ha dejado G. A. Vaccaro, en el que su imagen está idealizada, como si se tratara del protagonista de una leyenda. El dibujo que le hiciera Pier Leone Ghezzi, el mismo retratista de Antonio Vivaldi, nos lo refleja en sus verdaderas líneas esenciales. Así nos lo imaginamos, encerrado, los últimos días, en aquel convento de Pozzuoli, buscando desesperadamente un buen clima y un aire saludable, para mitigar los sufrimientos de su incurable enfermedad. Entretanto, encorvado sobre la mesa, escribe las notas esenciales del dolor del mundo y de su propio dolor. Y, no obstante, el mismo genio había hecho nacer la risa con *La serva padrona* y la sonrisa, no sin ciertas vetas de melancolía en su bellísima ópera *Lo Frate' nnamorato* ('El fraile enamorado').

Si salvados algunos momentos, la música estre-

En la página contigua: **Fresco de Andrea Pozzo «Gloria de San Ignacio», en la iglesia de San Ignacio de Roma, que expresa el espíritu de la religiosidad barroca católica.**

chamente religiosa de Pergolesi (las misas sobre todo) no atestiguan su genio, parece cierto que el culto mariano, la imagen de la Virgen, había sembrado en él momentos mágicos de inspiración. Tal ocurre en el *Stabat Mater* y en las dos *Salve Regina,* particularmente en la segunda en do menor para soprano, cuerdas y órgano, que Pergolesi transcribió en fa menor para contralto. En esta música la pureza del estilo, la gran riqueza de invención musical son elevadas a un gran nivel artístico. Resulta singular que sus motetes, sobre textos italianos del tiempo y no sobre antiguos textos latinos, no responda a aquellas características de intenso lirismo al que nos han acostumbrado las obras maestras pergolesianas; en ellas, como también en parte de las misas, Pergolesi no logra establecer la ligazón con la «palabra» y no crea reflejos, encuentros musicales.

Quedan para siempre su intensa melancolía, su cantar de una manera que viene del corazón, su expresión de un dolor profundo pero no desesperado. Estos sentimientos son típicos de Pergolesi, aunque su ánimo se inclinara naturalmente al juego, a la sonrisa. La vida y los hombres le fueron adversos y, a veces, enemigos, como cuando en Roma le insultaron groseramente durante la ejecución y representación de las *Olimpiade* en el teatro de Tor di Nona.

En Pergolesi jamás se encuentra lo potente, lo fuerte, lo inmenso. Su sensibilidad es finísima y su escribir trémulo. Y, no obstante, su música nunca es «pequeña». Puede decirse que está hecha «a la medida del hombre». Nunca nos conduce a un enfrentamiento con la inmensidad del mundo o de su destino; nos induce a replegarnos en nosotros mismos, a meditar sobre nuestra suerte, a sonreír de nuestra vida en común. Pergolesi pasa con extrema facilidad, pero también con extrema sencillez y candor, del sollozo a la sonrisa, a la chanza y también a la burla. Con poquísimos trazos de su pluma musical logra recoger e interpretar la esencia del alma humana.

El clavecín, de gira por Europa

Jean-Philippe Rameau, conocido sobre todo por el «Tratado de la armonía reducida a sus principios naturales», que lo consagró como el «rey» de la teoría musical.
Era también un gran compositor, especialmente en obras «descriptivas» para clavecín.

La palabra «clavecín» hace acudir a nuestra memoria imágenes de saloncillos con damas empolvadas, petimetres con coleta, grupos de gentilhombres rodeando un elegante instrumento historiado: el conjunto de la refinada escena queda un tanto melindroso, muy del Setecientos, según lo han transmitido cuadros, dibujos y grabados esparcidos por todo el mundo. En realidad la historia de este precioso instrumento, que en nuestros días goza nuevamente de amplia fama y al que se le ha restituido la gloria de su inmensa literatura, comienza siglos antes del Setecientos.

El primer testimonio de un instrumento de teclado lo hallamos en 1360 en la corte de Eduardo III de Inglaterra, cuando el rey regaló a su prisionero Juan II el Bueno, de Francia, un ejemplar construido en tierra inglesa por el francés Jehan Perrot. El primer nombre con que se le conoció en Italia parece ser el de «sacchiera» (que podría traducirse por 'damero' o 'tablero escaqueado'), quizá por referencia a la alternancia de teclas blancas y negras, aunque se dan también otras explicaciones para este nombre de origen.

Muchos fueron los instrumentos que, al largo correr de los años, vieron pinzadas sus cuerdas, que emitían un sonido argentino y brillante. La «espineta» es, corrientemente, de pequeñas dimensiones, con un solo teclado y una sola cuerda para cada tecla, sin ningún mecanismo acoplado para modificar el sonido. El «spinettino» fue un instrumento típicamente italiano, mucho más agudo y brillante que la espineta, pero en todo similar a ella. También el «virginal» era de pequeñas proporciones, con teclado formado por teclas pequeñas (adaptadas a los dedos de los jovencitos y, quizá por ello, recibió el nombre de «virginal»). Se construyó en deliciosos y elegantísimos modelos, con espejos, almohadillas, cajoncillos. Durante el siglo XV se difundió por Italia el *clavicytherium*, que tenía caja vertical pero teclado en posición normal. No podemos olvidar el «clavecín plegable» o «de viaje», dividido en tres partes unidas con bisagras, construido entre finales del siglo XVII y comienzos del XVIII, bastante similar a las cajas, muy empleadas, que contenían las pelucas; parece ser de invención italiana o francesa. Finalmente, con sus varias formas y diseños, tenemos el clavicémbalo o clavecín, de uno o dos teclados, con un mecanismo más o menos complejo, dotado de registros que permitían modificar el sonido de las cuerdas pinzadas o (a imitación del laúd, por ejemplo) ya para aumentar la sonoridad, ya para atenuarla.

Los ejemplares que han llegado hasta nosotros, a menudo decorados con paisajes o figuras, atestiguan una función que fue fundamental en la música europea. El ejemplar más antiguo conocido hoy en

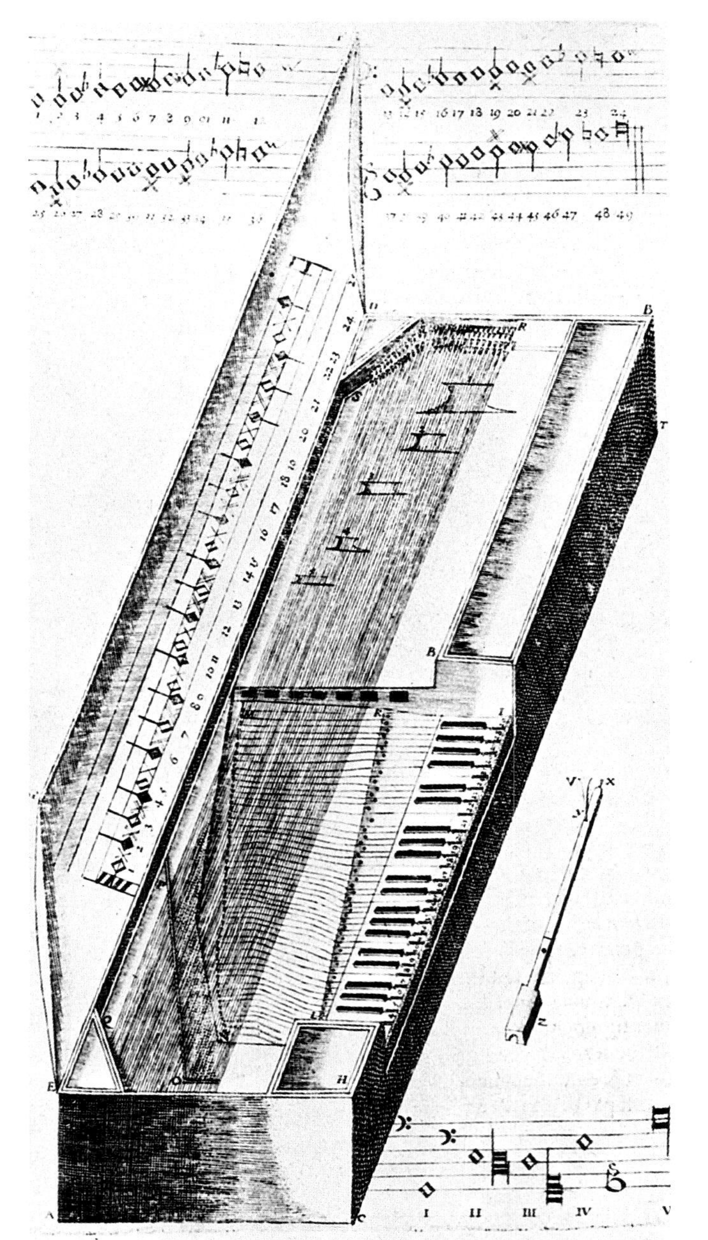

A la izquierda: **un clavicordio según un grabado de Marin Mersenne que figura en el «Tercer Libro de la Armonía Universal» (1636-1637). Este instrumento fue el precedesor del piano.** Arriba: **una tapa de espineta, pintada por Martin van Valkenborch, representa eficazmente el lugar que ocupaba la música en la vida aristocrática y popular del XVII.**

día es un clavecín de 1521, construido en Roma por Hieronymus Bononiensis. Roma era un gran centro en el arte de fabricar claves, como lo fue Venecia. Los nombres de los fabricantes llegaron a ser famosos en todas partes y los instrumentos venían «firmados» como si se tratara de cuadros o de preciosas esculturas. Un texto que figura en el interior de un bellísimo instrumento de 1560, de Vito Trasuntino, dice «alegro al mismo tiempo los ojos y el corazón», lema que resume muy bien el espíritu del Renacimiento italiano. En el siglo XVI Italia fue la patria de los grandes constructores de

clavecines; los Países Bajos dominaron el campo durante el siglo siguiente. Pero también Alemania e Inglaterra alumbraron figuras de eminentes fabricantes, creando una tradición todavía viva en nuestros días.

Antes de pasar a considerar la literatura musical clavecinista no podemos omitir la mención de un instrumento que, distinto del clavecín por su estructura (las cuerdas se percuten), va unido a él por historia técnica y musical: nos referimos al clavicordio, que puede considerarse como el predecesor del piano moderno. También este instrumento tiene una historia que comienza más o menos antes del siglo XIV. El ejemplar existente más antiguo data de 1543 y se debe a Domenico de Pesaro. También el clavicordio ha encontrado hoy ocasión para su renacimiento, de forma que ha vuelto a fabricarse este delicioso instrumento. No obstante, fue el clavecín el que dominó el terreno hasta comienzos del Ochocientos: un instrumento de gentiles resonancias gracias a su caja armónica, en forma de «ala de pájaro», con la tabla armónica de abeto y un agujero de resonancia llamado «roseta», de marfil o de metal.

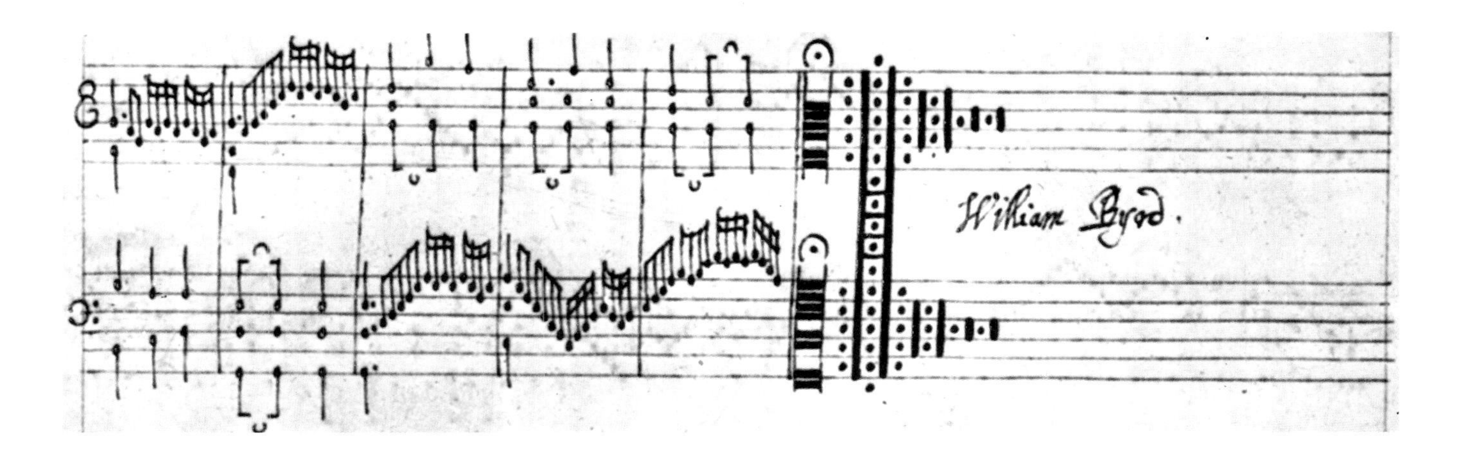

Autógrafo de William Byrd estampado en el «Fitzwilliam Virginal Book», la compilación más importante de música renacentista para clavecín.

Y ahora tomemos ya en consideración la música para clavecín. La música es común a todos los primeros instrumentos de teclado; no hay diferencias entre órgano o virginal, clavicordio, espineta o clavecín: se escribía música para «teclado», simplemente. Puede darse el caso de que, en el Renacimiento, los compositores supiesen individualizar y separar las composiciones para uno u otro instrumento, pero jamás indicaban a cuál de ellos iba destinada la citada música. El concepto expresado por Baltasar Castiglione en su *Cortesano* al decir que sobre aquellos instrumentos «se podían hacer muchas cosas con facilidad» refleja fielmente la situación. Por ello la «prehistoria» de la literatura para clavecín se ocupa de todos los instrumentos de teclado ya que, en aquel tiempo, nadie se habría escandalizado viendo cómo un fragmento de Cavazzoni, por ejemplo, destinado al órgano se interpretaba también al clave. La diferenciación de la música con un destino preciso tardaría en llegar y, en realidad, no existía siquiera en tiempos de nombres tan ilustres como los de los dos Gabrieli o el de Merulo.

Las cosas comenzaron a clarificarse un tanto cuando, en el Quinientos, aparecieron los primeros libros relativos a la danza: en 1551 se imprimió en Venecia la *Tablatura nueva de varias clases de bailes para tocar con arpicordios, clavicémbalos, espinetas y monocordios* y, siempre en Venecia y a finales de siglo (1592) salió a la luz pública el *Primer libro de tablatura de bailes de arpicordio,* de Giovanni Maria Radino. Era claro, en este punto y al menos para estos bailes, el destino instrumental. Hace falta llegar al final del Quinientos para hallar una precisa valoración del instrumento, cuyas mejoras técnicas, continuas, permitían siempre una mejor diferenciación en los cotejos de las composiciones, por ejemplo, para órgano.

El acontecimiento decisivo, que iluminaría el instrumento en gran manera, fue el florecimiento musical de Inglaterra hacia finales del siglo XVI, florecimiento que todavía hoy tiene algo de milagroso. Fue un crecimiento de compositores geniales que dieron a la imprenta una admirable serie de compendios, culminada en el fundamental *Fitzwilliam Virginal Book,* compilado en 1560 y 1620. Se trata de una colección que, con todo merecimiento, puede considerarse como uno de los más grandes monumentos —por no decir el más grande— de la música del Renacimiento. Los nombres de estos grandes compositores son William Byrd (1543-1623), Giles Farnaby (1560-1620), Peter Philips (1561-1628), gran transcriptor de obras polifónicas y de intensa actividad en Italia, John Bull (1562-1628), virtuoso del teclado, además de Orlando Gibbons, Thomas Tallis, Thomas Tomkins, Ferdinand Richardson y John Mundy. Fue un momento extraordinario de Inglaterra, que tuvo gran influencia en toda Europa: en efecto, estos compositores no se quedaron en el ámbito de su tierra, sino que se repartieron por toda Europa, especialmente por Italia y por los Países Bajos.

Retrato de François Couperin «El Grande»; en Francia el clavecín se identifica con este gran compositor.

También pasó por Francia la ola clavecinista y dio frutos totalmente originales. Si en Inglaterra, en los Países Bajos y en Italia existió siempre la relación entre el órgano y el clavecín, en Francia fue el laúd el que afianzó a su hermano, el instrumento de teclado. Está claro que la música así nacida tendría otro color, diversas dimensiones estructurales, una elegancia distinta, diferente carácter formal. Esta música influyó no poco sobre un gran compositor italiano como Bernardo Pasquini, del que nos ha quedado, entre otras cosas, la deliciosa y genial *Tocata con la mofa del cuclillo.*

Inglaterra, que había figurado en cabeza del grande, del casi milagroso desarrollo de la música para clave, dio síntomas, en la segunda mitad del siglo XVII, de una decadencia ocasionada probablemente no tanto por razones estrictamente musicales, sino por causas políticas. Es sabido, en efecto, que los puritanos, que ocuparon el poder entre 1649 y 1660, sentían una fuerte antipatía hacia la música. Pero en este momento de penoso descanso trabajaron también maestros como Matthew Locke, Jeremiah Clark y William Croft. Y también como John Blow (1649-1708), que prepara el advenimiento del genio musical de Henry Purcell (1659-1695) a quien transmite, además de su técnica y su magisterio, la influencia (italiana por la parte vocal, francesa por la instrumental) que Purcell compendia y con la que elaboró su gran personalidad.

Purcell también dejó la huella de su genio en la música para clave. En general, sus composiciones son breves, a veces brevísimas, quizá simples transcripciones. Se han conservado, expresamente escritas para clavecín, dos colecciones impresas en Inglaterra, una en 1689 y otra en 1696, esta última un año antes de la muerte prematura del gran compositor, desaparecido cuando sólo contaba 36 años. En la primera colección figuran minuetos, marchas, un rigodón (danza muy viva de origen provenzal), una suite, trozos que se orientan hacia el folklore escocés e irlandés. En la segunda, que lleva el título de *Una escogida colección de lecciones para clavicémbalo o espineta,* figuran ocho suites, una marcha, dos *trumpet tunes* ('melodías para trompeta', ya que se trata de imitaciones de este último instrumento), una chacona, una giga y un aria. Son de particular interés algunas composiciones aparecidas en una compilación de varios autores. De entre ellas conmueve especialmente el descriptivismo, de clara inspiración francesa, patente en *The Queen's dolour* ('El dolor de la reina'), en tanto que las suites, que Purcell determina en la forma a tres partes (alemanda-courante-sarabanda), vienen rodeadas de una serie de danzas características, de mucho colorido, diversa en cada suite. El clavecín de Purcell se completa, en cuanto a literatura, con un cierto número de transcripciones de trozos de música escénica y de odas. Ciertamente, si se compara la producción clavecinista y la organística de Purcell con la destinada a las voces, resulta pequeña, por no decir mínima. Pero, deliciosamente sintética, extrae de las sugerencias francesas e italianas toda la fantasía y el colorido que han caracterizado la música de aquellos países.

En Francia el clavecín se identifica con los Couperin, una dinastía de clavecinistas que tendrá, en el siglo siguiente, en el Setecientos, uno de los «reyes» del instrumento, el gran François. A finales del Seiscientos los tres Couperin: Louis, François y Charles (este último padre de Francois Couperin) prosiguieron la labor de desarrollo del arte del clavecín, especialmente Louis, el más genial de los tres, conocido por sus preludios *sans mesure* (sin división en compases), composiciones libres confiadas a la fantasía y a la improvisación del clavecinista. También comienza a ganar terreno en ese tiempo la producción alemana, que había tenido en Jacob Froberger (1616-1667) su hombre destacado, el difusor del estilo de Frescobaldi, de quien fue alumno durante cinco años. Si Purcell había estabilizado la suite en la forma alemanda-courante-sarabanda, Froberger la estableció en la de alemanda-courante-sarabanda-giga. Es famosa su suite *Lamento por la dolorosa pérdida de Fernando IV,* toda ella impregnada de un refinado gusto y de una elevada sensibilidad.

En el tupido número de autores no extraordinarios debemos recordar, entre otros, a Johann Pachelbel (1653-1706) que aportó al clavecín el reflejo de su gran arte organístico. También en Alemania, como en Inglaterra, fue muy grande la influencia francesa y la italiana.

Hacia finales del siglo XVII nos hallamos con una interesante figura de «italiano en el extranjero», hoy en vías de una positiva revaloración. Se trata de Alessandro Poglietti (1683?); muy activo en Viena, sin renunciar a las sugerencias de las formas antiguas, sobre todo las del órgano, aporta al clavecín un arte refinado y genial, como lo demuestran las composiciones sobre *Rebeliones en Hungría* o aquella magistral titulada *El Ruiseñor.* Su nombre aparece en una compilación de comienzos del siglo XVII, junto a los de los grandes Bernardo Pasquini y Johann Kaspar von Kerll (1627-1693), compositor alemán que recibió una completa educación italiana, alumno de Valentini, de Carissimi y de Frescobaldi y, a su vez, maestro de Fux, Pachelbel y Steffani y muy apreciado y querido por Bach y Haendel.

En Alemania el clavecín se desarrolla sobre todo en el sur, en tanto que en el norte no halla un ambiente musical favorable. Conviene citar un solo nombre, el de Georg Böhm (1661-1733), alumno de Buxtehude y gran organista, que ejerció también una importante influencia sobre Bach. Böhm nos ha dejado doce suites para clavecín definidas como «auténticas joyas de arte refinado». También en este caso es evidente la influencia francesa, que llega a Böhm a través de la refinada corte de Celles, aquella corte que más tarde gravitaría también sobre la formación y la cultura de Bach.

Con estos nombres y estas composiciones, que han alcanzado ya un nivel cosmopolita por gusto y por cultura, se vislumbra el nuevo siglo, el Setecientos, que será el siglo del clavecín. Establezcamos, sin esperar más, una importante premisa. El Setecientos en Italia se llama, sobre todo, de teatro en música. La música instrumental en este siglo debe adaptarse a papeles secundarios. El público se vuelca hacia el teatro y la indiferencia por la música instrumental es casi total. ¿Qué pueden hacer los artistas a los que el teatro no atrae, o atrae muy poco, sino alejarse de Italia? Por lo demás, la música instrumental en Italia se refiere, en la práctica, solamente al «violín», que figura también en el teatro. La música para clavecín puro carece de público, apenas cuenta con aficionados, pero tiene grandes compositores, por fortuna.

Durante una veintena de años no se hará música para clave en Italia, salvo raras excepciones. El violín gozará de gran influencia sobre muchos autores, que transferirán al clave aquel estilo instrumental en proporciones más o menos evidentes, como Pasquini, Benedetto Marcello y Francesco Pollarolo (1653-1722), que por ser organista de San Marcos de Venecia, nos ha legado magníficas obras para clavecín que acusan a veces la influencia de su arte organístico. Alessandro Scarlatti, en Roma y durante los últimos años de su vida, se dedicó a la música instrumental y, hacia 1715, escribió bellísimas tocatas, fugas, variaciones: último relumbrón de aquel gran arte que provenía del Seiscientos y que, con Scarlatti, anunciaba la gran libertad expresiva de Bach. También es importante la figura de Domenico Zipoli (1688-1726), fraile, alumno de

Un retrato de Domenico Scarlatti, fecundo autor de no menos de 555 sonatas para clavecín.

Scarlatti y de Pasquini, organista y clavecinista, de vida aventurera. En 1761 dio a la imprenta una sola obra, la *Obra primera,* que lleva el título de *Sonatas de tablatura para órgano y clave,* cuya primera parte es de carácter sagrado y la segunda profano. Zipoli madura la experiencia frescobaldiana a través de la inventiva de Pasquini, dando a su música originalidad y espontaneidad.

Si Venecia mantiene todas sus esencias en el teatro y en la música instrumental para instrumentos de arco, si Roma tiene su Scarlatti, también la Toscana posee un compositor importante perteneciente a la escuela de Pasquini: se trata de Azzolino Bernardino Della Ciaja (1671-1755), sienés, clérigo de los caballeros de San Esteban, en cuyas galeras militó durante bastante años, haciéndose sacerdote en edad tardía. Organero y organista, ha dejado importantes «sonatas para el clavecín», consideradas como un anticipo de aquel desarrollo que conducirá a la sonata pianística.

En tanto que artistas menores trabajan en la Italia del sur, en Francia, antes que las composiciones del gran François Couperin, se escuchan melodías de músicos que recogen los últimos ecos de la tradición.

En Alemania, después de Böhm y antes de Bach, las *Sonatas bíblicas* de Johann Kuhnau (1660-1722) superan el descriptivismo para alcanzar substanciales significados. Pero ha llegado ya el momento de los genios que nacen casi contemporáneos entre 1683 y 1685: Jean-Philippe Rameau (1683-1764), Juan Sebastián Bach (1685-1750), Domenico Scarlatti (1685-1757), Georg Friedrich Haendel (1685-1759), en tanto que François Couperin, «el Grande» (1668-1733) es un poco mayor que todos ellos.

Los cinco «grandes» ocupan, si cabe decirlo así, todo el ámbito musical disponible, y en particular el instrumental, cada uno de ellos con características diversas e irrepetibles. El fenómeno más singular quizá sea el de Domenico Scarlatti, que vive su afición al clave casi como si sólo existiese aquel instrumento, dedicándose por entero a la construcción de un monumento técnico-expresivo que influirá en los siglos sucesivos en un mundo completamente distinto al de Bach, Couperin, Rameau y Haendel. Los cinco están muy presentes en un universo musical en el que el juego de las partes, el contrapunto, vive su momento mágico al lado de la novedad armónica. Para Scarlatti el hecho contrapuntístico no tiene la importancia que le da, por ejemplo, Bach, pero en el italiano (como en Couperin) hallamos ya un inicio de «impresionismo» en su manera de asir la realidad interna y del tiempo, para ofrecer impresiones, colores, juegos tímbricos y armónicos. Cierto que Scarlatti es también autor de otras composiciones que no son para el clavecín, pero su producción instrumental es tal que oscurece todo lo demás: 555 sonatas constituyen un testamento musical para los descendientes, para la inmortalidad. Casi todas en un solo movimiento, estos prodigios de técnica y de expresión —sin contar la genial vitalidad— tienen su origen en el mundo de la danza, a veces un mundo español, ya que en España vivió y trabajó Scarlatti. Gabriele D'Annunzio definió la música de Scarlatti con estas brillantes palabras de metáfora: «cascadas de perlas lanzadas a lo largo de una escalera de piedra».

Nada sabemos sobre las fechas de composición de estas obras maestras. No nos han llegado autógrafos: sólo copias perfectas. Domenico denominó «ejercicios» a estas sonatas, tal como aparece escrito en una edición londinense de 1738. Pero en vida de Scarlatti, se imprimieron muy pocas, poco más de 50 sonatas en siete volúmenes hasta 1756. Son el producto de un virtuoso como jamás se había producido para este instrumento. También Haendel tendría que reconocer en una famosa «competición» la superioridad en clave de Domenico Scarlatti, el sexto hijo de aquel Alessandro Scarlatti que en Roma se le había revelado como un verdadero maestro. En la mencionada competición prevalece, en cambio, el arte del compositor sajón en el órgano.

Resulta difícil intentar distinguir la influencia de sus contemporáneos en Domenico Scarlatti, por lo original de su discurso. Todavía hoy, cuando la técnica pianística ha alcanzado cumbres elevadísimas, la sonata scarlattiana plantea problemas nada desdeñables de ejecución: el virtuosismo no se repite nunca, el comienzo de la sonata es de una simplicidad que desarma, para llegar, tras un crescendo dinámico impresionante, a una riqueza que maravilla y sorprende. Hallamos, en las sonatas, rigor y libertad, tan pronto una severidad casi bachiana como una desenfrenada fantasía. En no pocas ocasiones —como ocurre en la música de Bach— utiliza el instrumento con acordes no clavecinistas, que anuncian al piano moderno, así como la sonata anuncia mundos musicales que tendrían lugar en un próximo futuro.

Si con Scarlatti se puede (quizá se deba) hablar de milagro, con iguales términos cabe expresarse al hablar del francés François Couperin, llamado el Grande, explorador del mundo del clavecín, compositor, teórico de la enseñanza. Ligado a su tierra, profundiza sus raíces en la tradición francesa. Humildemente, en los prefacios a sus obras, editadas en los años 1713, 1717, 1722 y 1730, Couperin se empeña en precisar que no hacía más que profundizar en la obra de sus predecesores. Como en el caso de Scarlatti, también en Couperin la parte de producción que no atañe al clavecín asume proporciones menores, aparte la del órgano con sus dos misas. La grandiosa obra de Couperin está formada por sus veintisiete *Ordenes,* composiciones en las que la literatura y la vida parisina se funden en un mundo, hoy finalmente recuperado, tras un eclipse parecido al que sufrió Bach, para la justa consideración de los críticos.

Couperin llama *ordre* (orden) a la serie de sus composiciones para distinguirlas de las suites. Desfila ante nosotros un panorama de extraordinaria variedad. También él, como Scarlatti, tiene a veces el rigor contrapuntístico de Bach, pero igualmente el don de una vivaz fantasía. El juego de los colores está llevado a tal desarrollo que Couperin aparece justamente como un anticipador del impresionismo, por lo que no debemos maravillarnos ante el hecho de que muchos compositores modernos lo consideren como un genio que había «visto» más allá del tiempo. Hombres como Ravel, Milhaud, Strauss, Cortot, Bartok, Stravinski han homenajeado, de diversos modos, al gran francés: en el gusto por las descripciones, en el sentido de la sátira, en el humorismo, en la naturaleza, en los colores; era un hombre que sabía, de manera irrepetible, unir una ciencia musical extremadamente aseada y rigurosa, a una intensa carga poética interior.

Jean-Philippe Rameau pertenece a otro género. Es un clásico. Debussy, hablando de él, ha escrito entre otras cosas: «Tenemos una pura tradición francesa en la obra de Rameau, hecha de delicada y fascinante ternura, de acentos justos, de rigurosa declamación en el recitativo.» El compositor de Dijon fue hombre de vastísimos intereses y tuvo en vida más fama de teórico que de compositor; sólo a los cuarenta años logró afirmarse en París como compositor, cabalgando sobre la ola de aquel *Tratado sobre el arte reducido a sus principios naturales* que lo consagró rey indiscutible de los teóricos musicales.

Las obras suyas que desempeñaron una función determinante en el desarrollo de la teoría musical fueron numerosas. Se ha escrito que la teoría musical ha sido pensada y estudiada en su conjunto dos veces en tres mil años: por Pitágoras y por Ra-

(sigue en la página 112)

En la página contigua: **la sala de música del Museo Romántico de Madrid, ciudad en la que transcurrió la última parte de la vida de Domenico Scarlatti.**

Las formas musicales en el Renacimiento

Una gran cantidad de formas se agolpa en el policromo mundo de la música, formas que pasan de un siglo a otro, de un período a otro, de una a otra transformación. Muy a menudo el mismo nombre no indica, en períodos diferentes, la misma forma. Por ejemplo, nosotros, hombres de hoy, al escuchar la palabra "sinfonía" pensamos, inconscientemente, en Beethoven, en Mozart, en Haydn, en Schumann. Pero ¿qué significado tuvo la misma palabra para los compositores del siglo XVII*? ¿Cuál ha sido la suerte del vocablo "concierto" a lo largo de los siglos? Entre muchísimas formas, elijamos algunas que, por su importancia y por la variedad de su evolución en varios períodos, sobresalen del conjunto de manera que nos acompañan a menudo durante el largo camino de la historia de la música.*

Un gran compositor de madrigales fue O. di Lasso (a la derecha, un madrigal suyo, autógrafo). Un italiano, digno de fama, que compuso muchos madrigales fue Marcantonio Ingegneri; debajo del fragmento de Orlando di Lasso podemos ver el frontispicio y la dedicatoria de su «Quinto libro de madrigales a cinco voces».

Todavía ahora hablamos de "madrigal", en un renovado interés por la antigua música, sobre todo la del Renacimiento. Se trata de una forma que tuvo una enorme importancia en los primeros siglos de la gran civilización de la Baja Edad Media y durante todo el Renacimiento. Podríamos decir que se trata de uno de los primeros ejemplos de música polifónica profana, de tema amoroso-pastoril. Los primeros madrigales son, en su mayoría, a dos voces, raramente a tres, aunque probablemente se interpretaban muy a menudo por una sola voz, acompañada de instrumentos. Esta forma se desarrolló antes del Renacimiento.

Hacia finales del siglo XV y comienzos del XVI la palabra "madrigal" sirvió para indicar formas similares a la "frottola" (composición a cuatro voces, cantada enteramente, o cantada por una sola voz con instrumentos) que se desarrollaron magníficamente sobre textos a menudo de elevado contenido. La composición llegó a ser bastante compleja y fue llevada a la perfección por autores como De Rore, Palestrina, Marenzio, Gesualdo de Venosa y Monteverdi. Con Monteverdi, precisamente, se llegó al madrigal para dos o más voces con acompañamiento. Poco después el madrigal pasaba a ser "dialogal", "representativo" (sin llegar jamás al teatro).

Una forma que hallamos ya en los albores de la gran música y que algunos compositores, todavía hoy, la emplean para indicar singulares obras, es el "ricercare". También este término aparece en los primeros años del siglo XVI. Se aplica a composiciones instru-

---

En la página precedente: **nobles venecianos del siglo XVII ejecutan un concierto doméstico con laúd, virginal y viola «da gamba». Durante los siglos XVI y XVII.**

ALLI MOLTO ILLVSTRI SIGNORI MIEI OSSERVANDISSIMI
LI SIGNORI ACADEMICI FILARMONICI.

E al solo rispetto della mia diuotione, & de i miei oblighi con le Signorie Vostre io hauessi hauuto riguardo, vna certamente delle prime cose, ch'io hauessi fatto mai, sarebbe stata questa, laquale hora è, se non vltima, almeno tardissima, cioè il dedicar loro qualche fatica mia; & con questo mezzo, forse debole, ma però altro conueniente, & à me non improprio, non tanto dichiarare l'affetto mio verso le Signorie vostre, quanto dar qualche gratitudine à gli effetti loro verso di me. Ma non mi è parso mai di conceder tanta libertà à questo mio compiacimento, ancor che legitimo, che non habbi riserbato à me sempre il pensare, che le cose buone vogliono esser fatte bene; altramente, che non riescono tali: Et però sono andato aspettando di venire à quest'atto fin'à tanto, che ho creduto di poterlo fare; non già bene del tutto, come sarebbe conuenuto al merito loro, & come io haurei desiderato; ma ò con piu maturità, ò con manco imperfettione, che non haurei fatto in altro tempo per lo passato: con la qual ragione hauerà da difendermi chiunque per auentura hauesse alle volte preso marauiglia nel vedermi così trascurato con Persone, con le quali io hò oblighi, & interessi così principali, & così noti, come hò con loro: poiche; oltre al rispetto della commune Patria; la quale per se honoratissima, tanto piu m'obliga alle Signorie vostre, quanto ella è piu honorata, & piu riguardeuole per cagione della virtù loro; & oltre à quella protettione, & honore, che da cotesta sempre nobilissima Academia sono vsciti di continuo così generosamente verso la Musica, & i Professori di quella; io particolarmente sono stato da esse, & in vniersale, & in priuato fauorito, & beneficato in ogni tempo per modo tale, che posso dire, che nelle loro volontà, & operationi verso di me io hò trouato mescolati sempre questi due sensi di Padroni, & di Padri con vna perpetua carità. Hor io protesto, che con la presente mia attione altro non pretendo, che mostrar loro nel miglior modo, che mi è possibile, affetto, deuotione, & gratitudine: & le giuro, che se ciò consegno, pongo per benissimo speso tutto il tempo, che io hò consumato fin qui per poter pagare questo debito con moneta men cattiua: Et perciò le supplico, che nel riceuere queste mie compositioni, quali si siano, elle vogliano sopra ogni cosa considerare questa mia intentione, questa gradire, & col testimonio di questa rendersi certe di non poter hauer mai Seruitore ne piu obligato di me, ne piu desideroso di seruirle: Et baciandole con riuerenza le mani, prego loro dal Signore ogni piu vera prosperità.

Di Cremona in dì 27. Nouembre 1587.

Delle SS. VV. Molto Illustri

Obligatissimo Seruitore

Marc'Antonio Ingegneri.

mentales muy libres, cuyas líneas se desanudan desarrollándose por imitación. Se trata de la "ricerca" o búsqueda ya de las posibilidades del instrumento en cuestión, ya de las posibilidades de desarrollo de la idea musical que figuraba en la base de la composición. Tenemos, por un lado, el ricercare-tocata con carácter de improvisación y de preludio; por otro, el ricercare-motete que explota plenamente el concepto de imitación, utilizando el tema en más partes. Fueron protagonista del ricercare, en sus varios géneros, el laúd, el órgano y conjuntos instrumentales. En el período bachiano el ricercare desembocó en la fuga, que fue su inmediata, rigurosa heredera.

La fuga, sobre todo en relación con las composiciones organísticas, iba a menudo unida a un preludio, formando un todo inseparable que tuvo sus máximos exponentes en el gran arte organístico alemán de los siglos XVII *y* XVIII. *El preludio-fuga es, pues, un conjunto de dos trozos, el primero de los cuales es libre, a menudo hasta los confines de la "fantasía", con elementos de "tocata" (trozos de composiciones libres aptas para utilizar plenamente los recursos del instrumento). La fuga es una forma musical compleja por su estructura contrapuntística, que elabora con rigor y con reglas complicadas un tema inicial. Bach llevó la fuga a su máximo esplendor.*

Hablando del ricercare habíamos aludido también a la improvisación. La "tocata" es un ejemplo extraordinario de lo dicho. Se trata de una composición que tiene todas las características de la improvisación, destinada a un instrumento de teclado (órgano, clavecín, clavicordio, etc.). En el siglo XVI, *con los Gabrieli, inicia una evolución que la conducirá hasta formas siempre más imponentes. Participaron y contribuyeron en su desarrollo, de manera determinante, compositores como Merulo, Frescobaldi, Pasquini, Alessandro Scarlatti, hasta llegar a Juan Sebastián Bach.*

Si "improvisación" significa divagar en alas de la fantasía "tocando" el teclado del órgano, del clavecín o del piano, ocurre a menudo que el compositor realice en su desarrollo aquello que figura en el corazón mismo de la música, es decir, el arte de variar, de cambiar una idea original, de transformarla, en cierto sentido, sin perderla jamás de vista. Esta forma, que figura entre las más fascinantes, se propagó durante siglos y dura todavía: durará probablemente siempre, toda vez que "variar" es el alma de la música. La variación es un procedimiento fundamental del lenguaje musical y se inserta en el arte compositivo de todos los músicos, desde Frescobaldi hasta Bach y Haendel, desde Beethoven hasta los románticos. El "tema con variaciones" es una composición que consiste en la exposición de un tema seguida de variaciones sobre el mismo. Haendel nos ha dejado un clásico ejemplo con su aria con variaciones sobre el tema de El herrero armonioso *de la* Suite núm. 5 en mi mayor.

El Herrero *haendeliano es el último tiempo de una suite, una composición instrumental (en este caso para clavecín) formada por varios movimientos, sacados de bailes populares, puestos uno junto a otro según sus características dinámicas, alternando en general uno lento con uno rápido. La suite, de antiguo origen, influyó grandemente en la evolución del lenguaje instrumental (de uno o más instrumentos o de una orquesta entera). Los primeros ejemplos de suite proceden del siglo* XVI. *A mediados del* XVII *la suite se hallaba en el momento más riguroso de su forma, constituida por cuatro danzas (alemanda, courante, zarabanda y giga), con la inserción de otros tipos de baile. Posteriormente el grupo de las danzas iría precedido de un preludio. Después decae esta forma, al irse afirmando la de la sonata.*

En el siglo XVI *la palabra "sonata" indicaba una composición instrumental, por oposición a una cantada. En su evolución la sonata fue la forma que organizó su propia estructura, separándose de cualquier tradición, alrededor de un pensamiento musical completamente desvinculado del hecho vocal o de la sugestión de un texto. Debe el primer impulso dado a su desarrollo a Giovanni Gabrieli, ya avanzado el siglo* XVI. *Después, en el* XVII, *autores como Marini, Salomone, Rossi, Merulo, sobre todo en la Italia del norte, llevaron adelante el discurso, haciendo que la sonata pasara del campo de la polifonía al de la homofonía. Se consolidó la "sonata en trío", en general para dos partes y el bajo continuo que llevaba a cabo la armonía. Pronto se establece una distinción entre sonata de cámara (subdividida en tiempos sacados de la suite, de ahí que resultara un conjunto de danzas) y sonata de iglesia, en cuatro movimientos (adagio, allegro, adagio, allegro). Surgieron compositores como Corelli, Vitali, Vivaldi, Albinoni, Geminiani, Tartini, hasta el Barroco tardío. La sonata floreció en toda Europa y su desarrollo llegó hasta los tiempos modernos, consolidándose de forma muy notable; en los varios instrumentos empleados (uno o más), tuvo cultivadores geniales como Haydn, Mozart y Beethoven, que la elevaron a niveles altísimos.*

Hasta aquí se ha hablado mucho de los instrumentos y poco de las voces incluso de la voz. Son numero-

Frontispicio del primer libro de la «Tablatura» para órgano de Girolamo Cavazzoni, impreso en 1543; fue una obra fundamental para el desarrollo de la música organística.

sas las formas musicales en las que las voces ocupan una posición dominante, ya como partes solistas, ya como partes corales. Con la llegada de la monodia (Monteverdi fue uno de sus primeros geniales defensores) el desarrollo de las formas musicales vocales fue continuo. Si el teatro musical tuvo, por su lado, un desarrollo extraordinario hasta llegar a nuestros días, por otra parte se consolidaron las formas vocales en plena autonomía. Entre ellas, en extremo interesante, figura el desarrollo de la ''cantata'', que nace (o emerge definitivamente) a comienzos del siglo XVII. Se trata de una creación italiana. Agotado el impulso del madrigal a varias voces (que a menudo alternaba con una forma análoga instrumental, ya que las voces del madrigal podían ser sustituidas por instrumentos), la cantata afirmó su exclusiva destinación vocal. Crece con Giacomo Carissimi hasta difundirse no sólo por toda Italia, sino también por Europa, especialmente por Alemania e Inglaterra. Era un conjunto, en torno a un texto homogéneo, de estilo recitativo (unido al recitado) y de estilo arioso (unido a la melodía). El estilo ''arioso'' (airoso, cabría decir) dio origen al ''aria''. Fuera de Italia, sobre todo, la cantata (las más de las veces convertida en sagrada) tuvo incluso más vastos desarrollos: con recitativos, ariosos, arias, dúos, coros, corales, etc. La cantata sacra protestante se hizo de uso común con Buxtehude, Telemann y Bach.

Próxima a la cantata sacra (de la que pocos ejemplos se dieron en Italia) se hallan el oratorio y las pasiones. El primero es una forma musical dramática con narraciones, personajes, diálogo, no destinada a la representación, que podía estar escrito en lengua vulgar o en latín. También de origen claramente italiano, mejor romano, el oratorio tuvo cultivadores entre los máximos compositores de los siglos XVIII y XIX.

A la izquierda: **caricatura de Francesco Carlo Gasparini, uno de los autores más fecundos y famosos de su tiempo, con quien se perfeccionó al clavecín Domenico Scarlatti.**

meau. Esto da la medida del hombre, en lo que a este aspecto se refiere. Pero fue también un gran compositor y su actividad como tal abarcó distintos campos, desde el teatral (unas treinta óperas) hasta el sagrado, desde el canto profano hasta la música de cámara y al clavecín.

Rameau no tiene una vasta producción como la de Couperin o de Scarlatti. Fue el gran sucesor de Couperin y, como éste, un pintor de la música. Hizo derivar todas sus composiciones de la danza, de una sugerencia descriptiva, de una canción. Si se le compara con Couperin, escribe de manera sólida, a menudo potente, rica y de un gran virtuosismo, arrolladora, como el Bach del «solo» para clave del quinto *Concierto de Brandeburgo;* pero junto a la fuerza y a la rigurosa consistencia sonora Rameau supo hallar también una aérea ligereza que recuerda a Scarlatti, con un conjunto siempre inmerso, como en Couperin, en las más profundas raíces del alma francesa.

El contraltar clavecinista de Couperin, Rameau y Scarlatti está formado por dos de los últimos «cinco grandes»: Bach y Haendel. Hablar del primero es casi superfluo, tan conocida es hoy su obra hasta en los aspectos clavecinistas, que tanto espacio ocupó en su vida de compositor. Bach se sitúa en la cumbre de aquella labor de síntesis que fue el Setecientos y sobre el cantor de Leipzig convergen todas las tendencias del medio siglo que le precedió. Aparte el monumental *Clave bien temperado,* el mundo mundano de las *Suites francesas* y de las *Suites inglesas* basta para conceder la gloria a un compositor. En el *Concierto italiano* Bach rinde homenaje al concierto barroco y en otras composiciones, como la *Fantasía cromática y fuga* o las *Variaciones Goldberg,* condujo al instrumento casi más allá de sus límites.

Como Bach, pero en otra proporción, Haendel es un punto de convergencia, y de llegada, aunque carezca de la visión panorámica, cósmica por así decirlo, que caracteriza la obra de Bach o la de Scarlatti. Todo el Setecientos, y todo el mundo de este siglo, converge en las suites haendelianas con extrema naturalidad. Haendel tiene un estilo inimitable: intérprete admirable en el clavecín, nos ha dejado tres colecciones de composiciones para dicho instrumento, «lecciones», como él las llamó. La primera es, sin duda, la más importante; en las otras dos Haendel se preocupó, sobre todo, de sus tareas de profesor. En la primera colección figura la *Quinta suite* en mi mayor, con variaciones en el aria que parece inspirada por el canto de un herrero y por el sonido del yunque; de ahí que se la haya titulado *El herrero armonioso.* Y, como ha ocurrido con otros trozos de Haendel, el aria de *Jerjes,* convertido en el famoso «largo», el *Alleluya* de *El Mesías,* etc., ha gozado y goza de una enorme popularidad.

Los «cinco grandes» provocaron la crisis del clavecín precisamente por llevarlo a sus últimas consecuencias. Después, los niveles alcanzados fueron decididamente inferiores. Aparecen los nombres del veneciano Giambattista Pescetti, de Domenico Alberti, de Domenico Paradisi (sus doce sonatas son deliciosas); en Alemania los hijos de Bach, Wilhelm Friedemann y Karl Philipp Emmanuel prosiguieron con la obra clavecinista, especialmente el segundo que ha dejado un fundamental tratado sobre el instrumento, sobre su técnica y sobre las realizaciones de los adornos. Las sonatas de Karl Philipp Emmanuel Bach son muy interesantes y, en ciertos aspectos, se anticipan a las modernas, igual puede decirse del otro hijo de Bach, Johann Christian, llamado «el milanés».

En Francia, después de Couperin y Rameau, operan solamente compositores menores. Hallamos todavía los nombres italianos de Giovanni Mario Rutini y de Mattia Vento: ya en el séptimo libro de sonatas de este último (1772) puede leerse «para clave y piano-forte», o sea, el actual piano. Muzio Clementi (1752-1832), aunque inicialmente sigue la carrera del clave, pronto será el gran pro-

L'ARMONICO
PRATICO
AL CIMBALO.

Regole, Oſſervazioni, ed Avvertimenti per ben ſuonare il Baſſo, e accompagnare ſopra il Cimbalo, Spinetta, ed Organo

DI
FRANCESCO GASPARINI
LUCCHESE,

Maeſtro di Coro del Pio Oſpedale della Pietà in Venezia, ed Accademico Filarmonico.

SECONDA IMPRESSIONE.

IN VENEZIA, MDCCXV.

Appreſſo Antonio Bortoli.

CON LICENZA DE' SUPERIORI, E PRIVILEGIO.

A la izquierda y abajo: **frontispicio y dos páginas de «Armónico práctico al cémbalo» de Gasparini, guía fundamental para la realización del bajo continuo.**

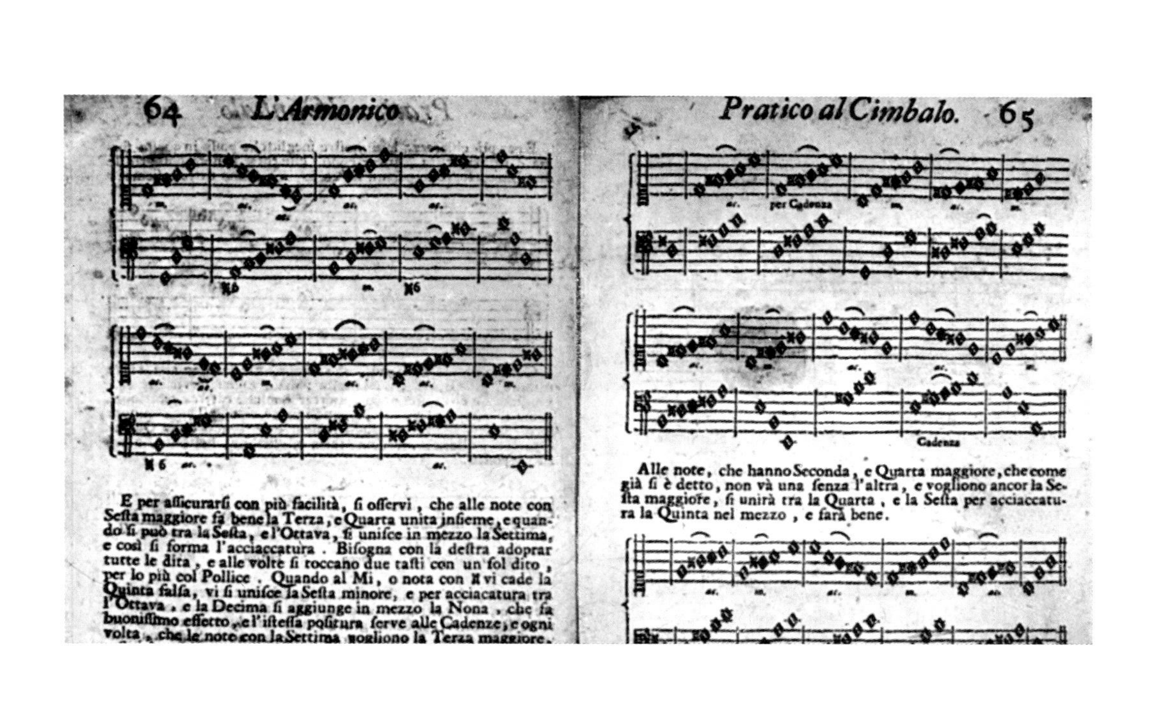

64 *L'Armonico*

E per aſſicurarſi con più facilità, ſi oſſervi, che alle note con Seſta maggiore ſà bene la Terza, e Quarta unita inſieme, e quando ſi può tra la Seſta, e l'Ottava, ſi uniſce in mezzo la Settima, e così ſi forma l'acciaccatura. Biſogna con la deſtra adoprar tutte le dita, e alle volte ſi toccano due taſti con un ſol dito, per lo più col Pollice. Quando al Mi, o nota con Ж vi cade la Quinta falſa, vi ſi uniſce la Seſta minore, e per acciacatura tra l'Ottava, e la Decima ſi aggiunge in mezzo la Nona, che fa buoniſſimo effetto, e l'isteſſa poſitura ſerve alle Cadenze, e ogni volta, che le note con la Settima vogliono la Terza maggiore.

Pratico al Cimbalo. 65

Alle note, che hanno Seconda, e Quarta maggiore, che come già ſi è detto, non và una ſenza l'altra, e vogliono ancor la Seſta maggiore, ſi unirà tra la Quarta, e la Seſta per acciaccatura la Quinta nel mezzo, e farà bene.

Retrato de J. S. Bach.

feta del piano. En Alemania el grupo de los últimos clavecinistas es numerosísimo y la literatura de este instrumento se amplía enormemente. El hecho tiene gran importancia, pero sólo por preparar y condicionar la obra de genios como Haydn y Mozart.

Después, cuando el «viejo» Karl Philipp Emmanuel Bach compone un concierto doble para clavecín, fortepiano y orquesta, escribe, quizá sin saberlo, el epitafio final para los dos instrumentos; se convierte en un concierto de adiós entre ambos, el instrumento de cuerdas «pinzadas» y el instrumento de cuerdas percutidas, obsoleto el primero ante las mayores posibilidades ofrecidas por el piano.

No obstante, el clavecín ha encontrado una nueva vida en los tiempos contemporáneos. Se descubren antiguos instrumentos que se vuelven a utilizar, o se producen otros nuevos. Una musicología más documentada y consciente ha devuelto el instrumento a «su» música. Igualmente se ha renovado el interés hacia el clave por parte de los compositores modernos, que lo incluyen en sus obras nuevas: Falla, Poulenc, Martin, Martinu, Leibowitz, Ibert, Malipiero, Petrassi. Pero el clave —y con él la música del pasado para él escrita— se ha visto grandemente favorecido, sobre todo por la aportación de grandes intérpretes, como Wanda Landowska, Ralph Kirkpatrick, Gustav Leonhart, Rafael Puyana y tantos otros. Este es el verdadero peso que el reencontrado clavecín hace gravitar en nuestra moderna cultura musical.

Jorge Federico Haendel

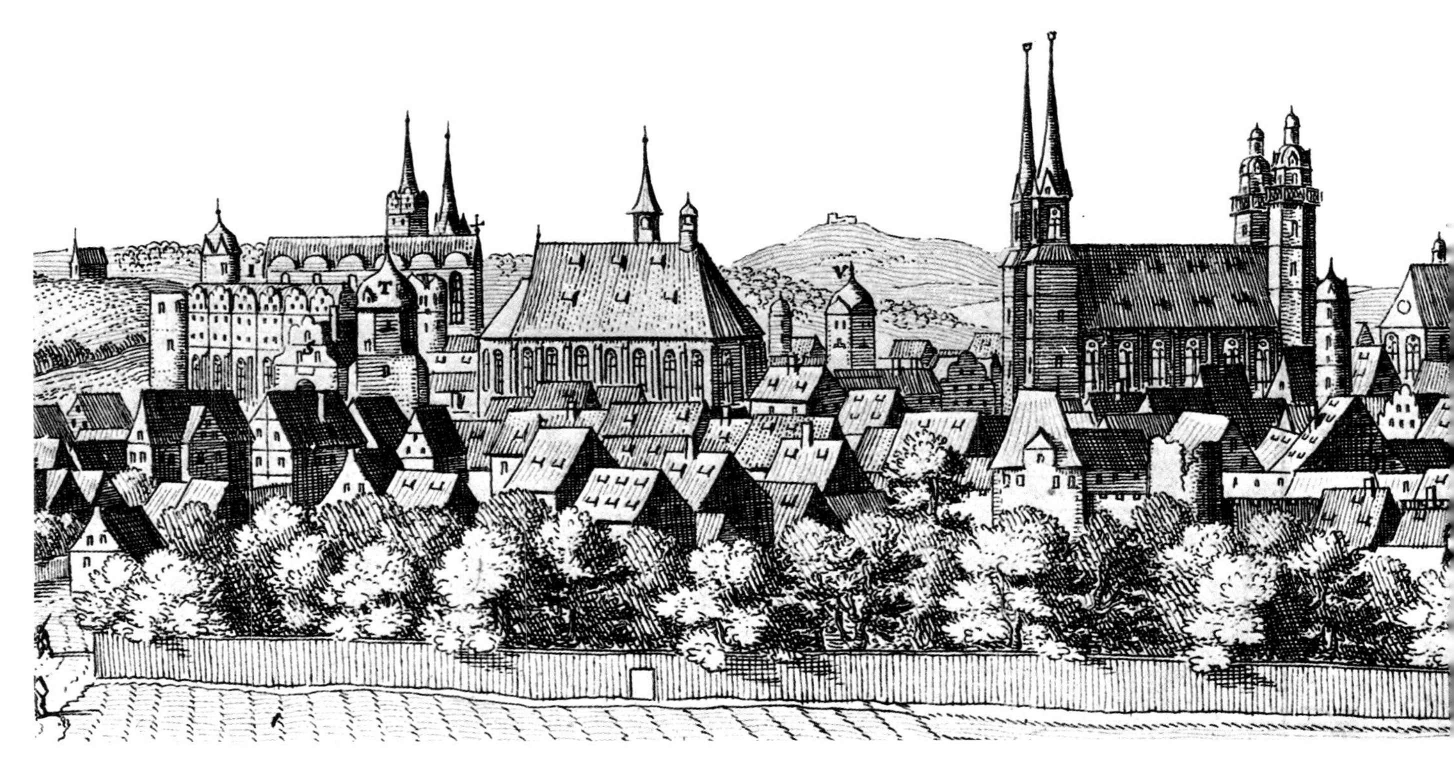

Jorge Federico Haendel, uno de los más grandes compositores del período barroco, nació en Halle, Sajonia, en 1685. Su padre Georg, cirujano, tenía entonces sesenta años y se hallaba en su segundo matrimonio. A diferencia de Bach, no hay ni un solo trazo de ascendencia musical en la familia del padre o de la madre de Haendel. Parece haber sido una tía materna la que favoreció las aspiraciones musicales del pequeño Jorge, que a los ocho años acudió a la escuela de música de Friederich Wilhelm Zachau (o Zachow) quien, durante tres años, le enseñó todo cuanto sabía. Pero el padre, que a toda costa quería que fuese jurista, le hizo cursar estudios en el instituto.

Huérfano a los doce años, Haendel, probablemente en memoria de su padre al que amaba profundamente, se inscribe en la Universidad de Halle. Entretanto Zachau, organista en la Liebfrauenkirche, había considerado cumplido su encargo de profesor y, con toda probabilidad, Haendel continuó sólo los estudios musicales, mientras frecuentaba el primer curso universitario. El hecho de que ya en 1702, a los 17 años, fuese asistente organista y, poco más tarde, titular de la catedral, demuestra los progresos realizados.

En la página precedente: **pintura del Canaletto que representa un concierto en la rotonda de Ranelagh, en Londres, sede de actividades concertísticas en tiempos de Haendel.**

Al año siguiente, Haendel realizó uno de aquellos gestos que caracterizarían toda su vida: dejó Halle de improviso y se marchó a Hamburgo, a la sazón, ciudad muy viva cultural y musicalmente, uno de los más importantes centros operísticos de Alemania.

Haendel, cuando tenía dieciocho años, no se preocupó dejando un puesto de organista para aceptar otro, bastante más modesto, de violinista en la orquesta local: lo importante era hallarse en Hamburgo, ciudad en la que de verdad se hacía música. En ella, desde 1678, prosperaba el único teatro público alemán, el teatro del Günsemarkt (el mercado de los gansos), dirigido por Reinhard Keiser (1674-1739), compositor antojadizo cuyos empeños teatrales se inspiraban en los modelos italianos y en los de Lully. Aunque hoy esté casi olvidado, Keiser escribió música fresca y melodiosa, rica de color, bien instrumentada y muy expresiva. De esta forma Haendel, junto a Keiser, aprendió todos los trucos del teatro de ópera, fascinado por un mundo del que sería protagonista durante toda su vida.

En este primer período fue muy importante su confraternidad y amistad con Johann Mattheson (1681-1764), extraordinaria figura de compositor: niño prodigio, a los nueve años tocaba el clavecín, cantaba y componía; fue después diplomático, cantante (tenor), clavecinista, empresario teatral, compositor, publicista cultísimo (publicó la primera gaceta musical alemana, la *Crítica Música*), teórico y crítico. Se convirtió en amigo de Haendel, que se trasladó con él a Lübeck para escuchar a Dietrich

Buxtehude con la esperanza de convertirse en su sucesor: lo que no ocurrió porque el nuevo organista, según era costumbre, tenía que casarse con la hija del predecesor, y Haendel no quiso saber nada de la cuestión. La amistad entre Haendel y Mattheson fue una mezcla de encuentro y colisión. Este último, aun admitiendo la superioridad del sajón en el contrapunto y en la composición, no quería abdicar de su propia superioridad cultural. Pretendía ser una especie de maestro en sus relaciones con Haendel y, cuando éste lo substituyó al clave en el teatro del Gänsemarkt, consideró el hecho como una ofensa personal. Estalló una disputa, se cruzaron palabras gruesas y se llegó al duelo, que concluyó sin derramamiento de sangre y con la reconciliación fraternal entre los dos compositores.

En 1704 Haendel entró con pleno derecho y con éxito en el mundo de la música con el oratorio *La Pasión según San Juan.* Un año después escribió la ópera *Almira,* seguida inmediatamente de *Nero,* la primera sobre un texto mixto de alemán e italiano y la segunda (hoy perdida) en alemán. El éxito en el campo teatral animó los celos de Keiser, que veía a su joven rival enfrentarse con él en sus dos más queridos géneros: el oratorio y la ópera. En vista del éxito, el teatro encargó a Haendel otra ópera, *Florindo y Dafne.* Con una de sus consabidas genialidades, Haendel ni siquiera esperó la puesta en escena y en 1706 dejó Hamburgo para irse a Italia, invitado por Gian Gastone de Médicis, apasionado por la buena música hasta llegar casi al fanatismo.

Según el primer biógrafo del compositor, John Mainwaring, Médicis, mientras permanecía en

Arriba: **panorámica de Halle, ciudad natal de Haendel, en el siglo XVII (grabado de la «Topografía Saxoniae Inferioris»).**
Abajo: **un retrato juvenil de Haendel.**

Johann Mattheson, amigo de Haendel, compositor, crítico, teórico musical y una de las figuras más geniales de la música alemana.

Hamburgo, le había mostrado a Haendel muchas obras de compositores italianos. El joven no demostró gran entusiasmo, de lo que se derivó una polémica a lo largo de la cual el príncipe afirmó que en Italia la música se ejercía con sumo cuidado; la respuesta de Haendel fue que los resultados de tanta laboriosidad no eran muy excelentes.

Haendel, de cualquier modo, se dio cuenta de que sólo en Italia habría podido penetrar en el espíritu de la ópera italiana. Por ello aceptó la invitación de Gian Gastone de Médicis, si bien, desprovisto de medios, tuvo que esperar dos años antes de poder partir. Trabajó duramente casi un año dando lecciones particulares (el teatro le había enseñado lo suficiente, al menos así lo pensaba él), ahorrando poco a poco y de esta forma una cantidad suficiente para mantener a su madre, que seguía en Halle, y permitirle a él un cómodo y confortable viaje.

No era el primer alemán que, joven aún, se dirigía hacia el país del sol, hacia el lugar en el que se podía recibir, en cierto sentido oficialmente, el distintivo y el título de compositor. Aparte de Bach, que nunca se movió de los confines de su nación, aunque hizo acudir a su casa a los italianos a través del incansable estudio de sus obras, no pocos han sido los compositores que descendieron del norte hacia Italia. Autores como Hans Leo Hassler (1564-1612) y Heinrich Schütz (1585-1672) habían acudido a Venecia a la escuela de los dos Gabrieli, el primero con Andrea y el segundo con Giovanni. Después, hacia finales del Seiscientos, al formarse una más sentida conciencia musical alemana, los viajes de aprendizaje disminuyeron, aunque el prestigio que el ambiente italiano ejercía sobre los alemanes permaneciera intacto.

En 1706 Haendel pasó a Venecia. Después, como era previsible, se estableció en Florencia, donde los dos polos de la música, sagrada y teatral, se centraban, el primero en Cósimo III y el segundo en su hijo Fernando, verdadero mecenas, amigo de compositores como Giacomo Antonio Perti (1661-1756) y Alessandro Scarlatti (1660-1725). Fernando de Médicis se había hecho construir un teatro en su villa de Patrolino, en la que vivía rodeado de artistas de todos los géneros. Cósimo III, en cambio, prefería la música sacra. Al parecer en la misma Florencia Haendel obtuvo el encargo de componer una ópera, el *Rodrigo,* parcialmente perdida. A todos les pareció que recibía un favor extraordinario, considerada la edad del «sajón», como ya mucha gente llamaba a Haendel.

Al igual que ocurriera en Hamburgo, Haendel dejó Florencia antes de la representación del *Rodrigo* y se fue a Roma, ciudad a la que le habían enviado los mismos Médicis. Allí era cardenal un hermano de Cósimo III, Giovanni Francesco Maria, personaje influyente que podía ayudar al compositor alemán.

En el *Diario* de Valesio se puede leer: «Ha llegado a esta ciudad un sajón, excelente intérprete del clavecín y compositor de música, que ha hecho gala de sus virtudes al tocar el órgano en la iglesia de San Juan, ante el estupor de todo el mundo.» Era el 14 de enero de 1707. Así comenzó la estancia en Roma de Jorge Federico Haendel, para el que se abrieron las puertas de los más importantes palacios de la ciudad, las de los cardenales Pietro Ottoboni, Benedetto Pamphili y Carlo Colonna. Ottoboni era gran mecenas y vicecanciller de la Iglesia. Benedetto Pamphili, literato y poeta. A él había dedicado Arcangelo Corelli su *Obra segunda* en 1685. Había sido autor de algunos textos para cantatas de Alessandro Stradella. Fue considerado entonces como un gesto de particular benevolencia el permiso concedido al joven sajón para que utilizara textos de Pamphili para cantatas o para el oratorio alegórico *El triunfo del tiempo y del desengaño.* Al parecer el oratorio se ejecutó en mayo de 1707 en la casa de Ottoboni, bajo la dirección de Arcangelo Corelli. El texto del oratorio se imprimió en Roma en 1707 con el título de *El triunfo del tiempo sobre la belleza contrita.*

Haendel, en Roma, no escribió óperas para el teatro. En efecto, la ciudad había cerrado todos sus teatros en señal de acción de gracias por haber sido milagrosamente salvada del desastroso terremoto que, en 1703, había destruido las casas de la campiña circundante. Los romanos renunciaron inmediatamente al carnaval y a toda clase de diversiones por un período de cinco años. Triunfaban, pues, la música sacra y el oratorio, cuyo nivel artístico crecía admirablemente. La lista de las composiciones de Haendel escritas en Roma lo demuestra: se trata de un rico catálogo de salmos y de cantatas, por una parte y, por la otra, de música vocal no teatral, serenatas y cantatas, dúos y tercetos que se interpretaba en los salones de los palacios de los cardenales y de los príncipes.

Haendel se encontraba más a sus anchas en Roma que en Venecia o en Florencia. La ciudad era en aquel tiempo la meca de la música y en ella se alojaban compositores como Bernardo Pasquini, Arcangelo Corelli y Alessandro Scarlatti. Un informador de los Médicis, Annibale Merlini, en septiembre de 1707 escribe a Fernando diciendo haber escuchado a un muchacho de doce años tocar bastante bien el archilaúd y que «el famoso sajón, que lo ha oído en casa Ottoboni y en casa Colonna, tocó con él una y otra vez». Haendel se hallaba ya en la cresta de la ola, a pesar de la presencia de tantos compositores consagrados. Y trabajó intensamente; razón por la que se han conservado muchos autógrafos y copias de este período.

A comienzos de 1708 Haendel figuraba en el «libro de pagos» del marqués Francesco Maria Ruspoli, que albergó al compositor por algún tiempo. En el registro de la casa, con fecha 18 de marzo, se contabilizan 80 bayocos, una moneda del antiguo estado Pontificio, invertidos «por transportes y fletes de una cama y cobertores de tela para Monsú Endel». En el día de Pascua del ya citado *Diario* de Valesio viene escrito: «Esta noche el marqués Ruspoli dio en el palacio Bonelli de los Santos Apóstoles un bellísimo oratorio en música; habiendo construido en el salón un bien ornamen-

ORATORIO
PER
LA RISURRETTIONE
DI NOSTRO SIGNOR
GIESU' CRISTO
POESIA DEL SIG. CARLO SIGISMONDO CAPECE,
MVSICA
DEL SIG. GIORGIO FEDERICO HENDEL.
Dedicato all'Eminentifs. e Reverendifs. Signore
CARD. GUALTERIO,
E Cantato nella Sala dell'Accademia del Signor
MARCHESE RUSPOLI
L'ANNO MDCCVIII.
'N ROMA, Per Antonio de' Rossi alla Piazza di Ceri. 1708.
CON LICENZA DE' SVPERIORI.

Frontispicio del oratorio haendeliano «Resurrección de Nuestro Señor Jesucristo», de 1708.

tado teatro para el auditorio, acudieron muchos nobles y algunos prelados.» Se trataba del oratorio *La Resurrección de Nuestro Señor Jesucristo,* con texto de Carlo Sigismondo Capece y música de Jorge Federico Haendel.

La ejecución estuvo muy cuidada, con la participación de una orquesta particularmente numerosa, 40 componentes, dirigida por Arcangelo Corelli. Este oratorio es interesante también desde el punto de vista del texto porque el relato evangélico se desarrolla a manera de melodrama, con diálogos entre el Angel, Lucifer, Magdalena, Cleofás y Juan. El coro tiene una pequeña participación en la conclusión de la primera y de la segunda sección. Pero está clara la soberanía del canto, fluyente, rico, luminoso y alegre: en efecto, son muchos los compositores que indican en este oratorio italiano de Haendel uno de los momentos más felices de su juventud musical.

La estancia en Roma del sajón había alcanzado su fin. Tras la Pascua, a la llegada del verano, comenzó a difundirse el temor de que Roma pudiese verse asediada por un ejército en pie de guerra para la sucesión de España. Aunque Nápoles fuese ciudad poco segura, allí se dirigieron muchos compositores, entre ellos estaban los dos Scarlatti, Corelli y Haendel.

Entre 1706 y 1710 los nombres de los dos Scarlatti y de Corelli se entremezclan con el de Haendel. Las relaciones con Corelli se iniciaron bajo una estrella no muy benigna. La música de Haendel no era nada fácil de interpretar. En una biografía suya se habla del lance con Corelli, ocurrido en 1707, cuando se trató de ejecutar *El triunfo del tiempo.* Haendel asistía al ensayo. Advirtió que Corelli no seguía sus recomendaciones y tuvo un arrebato; se levantó de la silla, tomó el violín de sus manos y demostró cómo tenía que tocarse la música. Corelli no se lo tomó a mal y objetó con mucha calma: «Pero querido sajón, esta música está en el estilo francés, del que nada entiendo.» Sin embargo, examinando el *Triunfo* y la *Resurrección,* se deduce que Haendel no subestimó la personalidad de Corelli, ya que en ambas composiciones del sajón se advierte la presencia del italiano: por ejemplo, en una aria de la Magdalena el tema es corelliano, el de la célebre gavota de la *Obra quinta.* Un homenaje de Haendel al «director», del exaltado joven al sosegado maestro.

Totalmente distintas, en cambio, fueron las relaciones entre el alemán y Alessandro Scarlatti, discípulo uno y maestro el otro. Haendel y Scarlatti vivieron, al menos durante tres años, en el mismo lugar y la influencia del compositor siciliano es evidente, tanto en el plano técnico como en el puramente estilístico.

En lo que se refiere a Domenico Scarlatti, coetáneo de Haendel, conocida es la anécdota de las competiciones en que intentaron emularse al clave y al órgano. Si en la primera la palma fue para el italiano, la victoria al órgano fue siempre para el sajón: insuperables ambos en sus respectivos instrumentos.

Tras esta breve digresión sobre las relaciones entre estos músicos, volvamos a la narración de la vida de Haendel. En la ciudad napolitana tuvo una acogida igual o quizá superior a la romana. Hubo una verdadera rivalidad para hospedarlo y para solicitarle composiciones. Y en esta ocasión no todas eran de carácter sagrado. Se trata, en su mayor parte, de serenatas y cantatas para voces e instrumentos como la dada en junio de 1708, *Acis, Galatea y Polifemo,* para soprano, bajo, contralto y orquesta, o como el terceto *Si tú no dejas amor* para dos sopranos y bajo, dado a primeros de julio del mismo año.

La estancia en Nápoles de Haendel no está muy bien documentada. Se cree que regresó a Roma en 1709, y sabemos que este año encontró a Agostino Steffani (1654-1728), por aquella época maestro de capilla en Hannover. Compositor y diplomático, músico insigne y hombre de vasta cultura, su puesto en la historia musical de su tiempo está en curso de una seria revalorización. La impresión que Steffani sacó de su conocimiento de Haendel fue extremadamente positiva y le ofreció sustituirle en la corte de Hannover. Un regreso, pues, a la «vida seria» de la música, alejada de las «tentaciones» napolitanas que, al parecer, no habían sido pocas y no todas ellas rechazadas. Una rica dama, española o portuguesa, puso a su disposición palacio, criados y carrozas; una cantante, una tal Victoria, figura entre las conquistas napolitanas de Haendel, que la encontró más adelante en Florencia y en Venecia, donde la hizo cantar en su *Agripina.* Y, al parecer, también la había hecho cantar (si de la misma se trata) en la *Resurrección* dada en Roma para la Pascua de 1708, de forma que en el *Diario* de Valesio hallamos que motivó una reprensión papal hacia el marqués Ruspoli «por haber hecho cantar en el

Giovanni Bononcini, gran rival de Haendel en Londres.

oratorio a una cantante». Los biógrafos de Haendel han tenido que trabajar de firme para reconstruir las líneas de su vida privada; la «cantante» en cuestión era quizá Margherita Durastanti. En 1703 el papa Clemente XI había confirmado el «no» del papa Inocencio XI a que las mujeres participasen en las ejecuciones musicales públicas. Si la «cantante» era la Durastanti, como resulta probable, Haendel no se olvidó de ella; cuando en Londres, en 1720, se convierte en «empresario» de la ópera italiana la llamó a Inglaterra. Pero habían pasado doce años: la antigua amada se había casado y había engordado mucho, al extremo de suscitar comentarios, a veces pesados, por parte del público.

Pero volvamos a Roma, donde el encuentro con Steffani, que regresaba de Alemania tras cumplir una de las numerosas misiones diplomáticas que le confiaba el Vaticano, resultaría sumamente importante para Haendel. De Roma, pasando una breve temporada en Florencia, Haendel llegó a Venecia en el otoño de 1708. Su jefe era otro purpurado, el veneciano virrey de Nápoles, Vincenzo Grimani, que le preparó el libreto de la ópera *Agripina* y le facilitó el acceso al teatro veneciano de San Juan Crisóstomo, propiedad de la familia Grimani, en el que se había representado, con escaso éxito, *Mitrídates,* una ópera de Alessandro Scarlatti. El día de San Esteban, el 26 de diciembre de 1709, se estrenó la *Agripina* de Haendel: constituyó un estruendoso éxito, como no se había dado otro igual en mucho tiempo.

Los gritos constantes de «¡viva el sajón!» retumbaron en el teatro durante 27 noches consecutivas. A los veinticuatro años Haendel se consagraba, tras los éxitos de Florencia, Roma y Nápoles, como uno de los mayores compositores de aquella época en Europa.

Ningún otro compositor, ni siquiera Lotti o Gasparini, había obtenido jamás similar triunfo en Venecia. El libreto también había favorecido a Haendel, puesto que Grimani había transformado la sangrienta historia en una especie de intrigante y «sensacionalista» relato, una trama de conjuras y de engaños análoga a las que se desarrollaban en las cortes del tiempo: un rey sin autoridad y una reina madre que quiere llevar al trono a su hijo, recurriendo a todos los engaños posibles para alcanzar su propósito. Sin duda la trama era un «hecho del día» y Haendel lo subrayó empleando una música de efecto inmediato que alternaba lo solemne y lo vivo con sabias dosis de emociones surgidas por la música.

Haendel había asimilado bien la lección vocal e instrumental de los dos Scarlatti, de Corelli, de Pasquini y, sin duda, se había relacionado con músicos como Stradella, Carissimi, Bononcini. Se ha escrito con razón que aquella noche de diciembre en el adornado teatro de San Juan Crisóstomo se decidió verdaderamente el destino de Haendel quien, al poco tiempo, se había convertido en el máximo protector de la ópera italiana, transformándola en un hecho internacional.

Antes de abandonar Italia en pos de Haendel e iniciar con él un viaje, casi siempre triunfal, a través de Europa, mencionaremos un episodio «italiano» digno de ser contado, entresacado de su mayor y más importante biografía, la escrita por Mainwaring en 1760.

Haendel era de religión protestante pero, al llegar a Italia, se introdujo en un ambiente católico

A la derecha: **Haendel al clavecín, durante un entretenimiento musical en la corte inglesa (pintura de la época).**

que lo había acogido muy bien, ya que todo el mundo se dio cuenta del valor del joven compositor. En aquel tiempo Roma tenía la costumbre de imponer una especie de cuarentena a los huéspedes no católicos. Para Haendel las cosas anduvieron de muy distinta forma. Sin embargo algunos eclesiásticos pensaron que sería buena cosa que un hombre de tal calidad se convirtiera al catolicismo y, también, por considerar poco conveniente tratar con tantos miramientos a un protestante. La biografía nos muestra un Haendel firme y decidido. Los argumentos teológicos y aquellos relativos a su carrera no tuvieron éxito y contestó que reformado había nacido y reformado quería morir. La tentativa, dice el biógrafo, fue poco secundada; la mayoría continuó apreciando a Haendel por lo que valía y no por la religión que profesaba. Por lo demás Corelli, el compositor del cardenal Ottoboni, había servido a Dios y a la religión sólo con la música instrumental, sin escribir jamás para el culto. Haendel, después, en su vida de compositor, demostró ampliamente ser un músico religiosamente universal, tanto como para auspiciar, a través de no pocos momentos de sus oratorios bíblicos, la unión de los cristianos.

Haendel fue un protestante extraño y resultaría interesante, si el espacio lo consintiera, examinar las composiciones del período italiano dedicadas al culto de la Virgen, especialmente *Mujer que en el cielo* para soprano, coro mixto, instrumentos de cuerda y órgano que en el manuscrito lleva la indicación *Terremoto en el día de la Purificación de la Beatísima Virgen,* recordando siempre aquel día que había inquietado a los romanos. Algunas composiciones marianas se han perdido, desgraciadamente, pero su *Salve Regina* para soprano, cuerda y órgano es digna de las obras análogas de Alessandro Scarlatti y de Pergolesi. También campea un profundo sentido de la religión en la cantata *El llanto de María* para voz sola, cuerdas y bajo continuo, verdadera diminuta «pasión» mariana «para ser cantada ante el Santo Sepulcro», como viene escrito en la didascalia del título.

La casa de Haendel en Londres.

Tras este período en Roma, Haendel dejó Italia (a la que volvió al menos otra vez, en 1729) e hizo una breve peregrinación europea que le condujo primero a la corte de Hannover donde estaba encargado del puesto de maestro de capilla. Después pasó a Düsseldorf y finalmente, por dos veces, a Londres, antes de establecerse allí en 1715. La primera visita londinense aconteció a finales de 1710. Inglaterra vivía entonces en el recuerdo del gran Purcell.

No había grandes compositores y estaban abiertas las puertas, sobre todo para los italianos. La carta de presentación de Haendel en Londres fue el *Rinaldo* (su tercera ópera italiana), dado en el Queen's Theatre el 24 de febrero de 1711. Alcanzó un éxito parecido al obtenido con *Agripina* en Venecia. El público se le entregó totalmente. Algunas voces inglesas, incluso ilustres, se elevaron, como era costumbre, para satirizar al joven sajón que venía a darles la réplica. Las ejecuciones del *Rinaldo* continuaron durante algunos años y, además del triunfo personal que significaron para Haendel, son interesantísimas porque las «coloraturas» que el compositor improvisaba en el clavecín o que modulaban los cantantes dan una idea precisa del modo de improvisar en la ópera de la época. Tales coloraturas se hallan en la edición realizada bajo los cuidados de William Babell, el clavecinista de Haendel.

Tras un breve viaje a Hannover, Haendel acudió de nuevo a Londres en 1712; en aquel año y en el sucesivo dio otras dos óperas, *Il pastor fido* ('El pastor fiel') y *Teseo.* No pierde la ocasión de hacerse notar ante la reina Ana, para la que escribe una *Oda* de cumpleaños y el *Utrecht Te Deum* en memoria de la feliz conclusión para Inglaterra de la guerra de sucesión española. Ana murió en 1714 y Jorge I se convierte en rey de Inglaterra (suceso no demasiado afortunado para Haendel) quien, siendo ya Elector de Hannover, había tolerado mal el comportamiento del compositor hacia él y hacia su corte.

Haendel supo aprovecharse convenientemente de sus amistades londinenses, sobre todo de lord Burlington primero, y de lord Bridge, después) y al cabo de dos años ya había conquistado la gracia del rey.

En efecto, se trasladó a Alemania, por encargo real, a buscar cantantes para el Kings Theatre (teatro del rey) del que ocupaba el puesto de *master of orchestra,* incumbencia que incluía la responsabilidad artística de los espectáculos.

Así pues, el máximo empeño de Haendel fue el melodrama. Su producción operística, realizada entre 1705 y 1741, comprende 39-40 óperas (según la clasificación), desde *Nero* a *Deidamia.* Resulta interesante la cuidada estadística del musicólogo alemán del Ochocientos, Friedrich Chrysander, que ha contado las piezas vocales: 1.150 arias solistas, 74 dúos, 6 tercetos y 3 cuartetos. Como puede verse, prevalece lo solista. Por lo demés, la individualidad de los cantantes dominaba el teatro del tiempo, dado el alto nivel de virtuosismo que habían alcanzado. Eran ellos, verdaderamente, los elementos fundamentales de la ópera. Compositores y libretistas no podían dejar de tener en cuenta su aportación, porque la palabra, en la ópera italiana del siglo XVIII, era la que sugería la impostación musical. Los compositores, por lo tanto, prestaban suma atención a la distribución de las arias, basada en la capacidad del cantante y en su papel en la obra. Por ejemplo, en la ópera *Agripina* Haendel concede siete arias a Agripina y Popea, cinco a Claudio Nerón y a Otón, dos a Palas Atenea y Narciso, una a Lesbo y Juno. En el famoso *Jerjes* (donde hallamos la celebérrima aria *Ombra mai fu* ['Nunca hubo sombra'] hoy conocidísima como el «largo» de Haendel) hay siete arias para Jerjes y Romilda, seis para Atalanta, Arsameno y Amastro, cuatro para Elviro y dos para Ariodante. De todo ello nace una perfecta simetría.

Sería oportuno, al llegar a este punto, detenerse un momento en la vida londinense de Haendel. Fue introducido en los círculos de la alta sociedad londinense, lo que tuvo para él una importancia decisiva por cuanto la vida musical de aquella época se desarrollaba mayormente en ambientes privados de la aristocracia; y los conciertos más importantes se organizaban solamente mediante suscripción.

Otro factor que favoreció a Haendel fue la presencia de un rey protestante (Jorge I). En la Inglaterra de la época el protestantismo significaba liberalismo y progreso incluido el campo musical. Tales condiciones sociales y culturales eran importantes

Retrato de Jorge Federico Haendel.

para Haendel y para el desarrollo de su música, especialmente la de los oratorios. La ejecución de la música era de elevadísimo nivel, la ópera italiana gozaba de enorme popularidad, y el nuevo aire protestante que se respiraba sirvió para estimular este fermento musical.

Por consiguiente, Haendel se encontró con la posibilidad de desarrollar una gran labor y marchó en pos de los organizadores de la Royal Academy of Music, deseada por los nobles y por el rey. Participaron en la fundación 62 accionistas, con 200 esterlinas cada uno: eran copropietarios del teatro, con el derecho de asistir a las representaciones. Haendel, como ya hemos dicho, fue *master of orchestra,* Paolo Rolli y Nicola Haym, secretario y libretista, Nicola Heidegger (ex empresario) el que cuidaba de las preparaciones. Haendel tenía que colaborar, en la responsabilidad artística con otros dos italianos, Attilio Ariosti (1666-1740) y Gio-

Interior del Covent Garden en tiempos de Haendel durante un espectáculo musical.

vanni Bononcini (1670-1747), el primero un bondadoso sacerdote, el segundo un brillantísimo hombre de sociedad y compositor. Haendel anduvo perfectamente de acuerdo con Ariosti, en tanto que con Bononcini se inició una rivalidad que, en los primeros momentos, perjudicó al sajón. Después Haendel, hábilmente, presentó una ópera *(Otón)*, escrita en el estilo de Bononcini e, inmediatamente después, el *Julio César*, de nuevo con su personalísimo estilo. Bononcini terminó siendo derrotado en esta pugna.

El grandísimo éxito de *Otón* y de *Julio César* marcó el comienzo de otro fenómeno importante, tanto para la fama de Haendel, como para la historia de la música. Las obras de Haendel venían publicadas por el editor John Walsh en partitura, en trozos sueltos y también en reducciones para flauta solamente.

Walsh publicó con gran oportunidad y en nuevas reediciones casi todas las obras de Haendel, lo que demuestra la enorme popularidad del sajón y la gran demanda que existía de su música impresa.

Las luchas y los infortunios teatrales de Haendel no acabaron aún con su victoria sobre Bononcini. Parecía como si los cantantes se hubiesen propuesto hacer perder el sueño a Haendel, a quien competía la responsabilidad de los contratos. En 1723 entró en escena la extraordinaria cantante Francesca Cuzzoni, soprano, desencadenando grandes entusiasmos.

Cuando habían pasado algunos años, Haendel vio que el interés del público disminuía, contrató a otra «estrella», Faustina Bordoni, contralto, futura esposa del compositor alemán Johann Adolf Hasse. La confrontación entre las dos cantantes desenca-

Sobre estas líneas: **una «algarada» en el Covent Garden durante la representación de una ópera: el empresario se había negado a reducir a la mitad el importe de las entradas.**

denó una verdadera tempestad. El público se dividió en dos bandos. Las cantantes acabaron por llegar a las manos en el mismo escenario. En la platea y en los palcos los «hinchas», nobles en su mayoría, anduvieron a la greña y se zurraron «como aprendices de tahona borrachos». La muerte del rey (1727) puso fin al escándalo y también a la Royal Academy of Music.

Entretanto se había producido el éxito arrollador de la *Beggar's Opera* ('La ópera de los mendigos'), comedia satírica mitad cantada, mitad hablada, que mezclaba músicas populares inglesas con trozos de ópera italiana. Esta labor, fresca y de gran vitalidad, ensombreció la ópera seria italiana. El público acudió en masa al espectáculo, dejando desierto el teatro de Haendel.

El ocaso que amenazaba sobre la moda italiana era inevitable, aunque se produjo gradualmente. La gestión del teatro continuó a cargo de Haendel y Heidegger solamente, con un repertorio que contenía muchas obras haendelianas. Pero él no podía dejar de darse cuenta de la ventolera nacionalista que soplaba por toda la Inglaterra musical; un examen de sus obras y del repertorio de su teatro evidencia el gradual cambio de dirección en sus gustos musicales.

Inmediatamente Haendel produjo una temporada «a la francesa». Aprovechándose de la presencia en Londres de María Sallé, considerada como la más grande cantante del momento, preparó para ella, en el Covent Garden, el espectáculo *Terpsícore* (la musa de la danza), que era una mezcla de baile, pantomima y arias. Haendel, que sabía aprovechar el talento de cantantes y bailarines, hizo que la Sa-

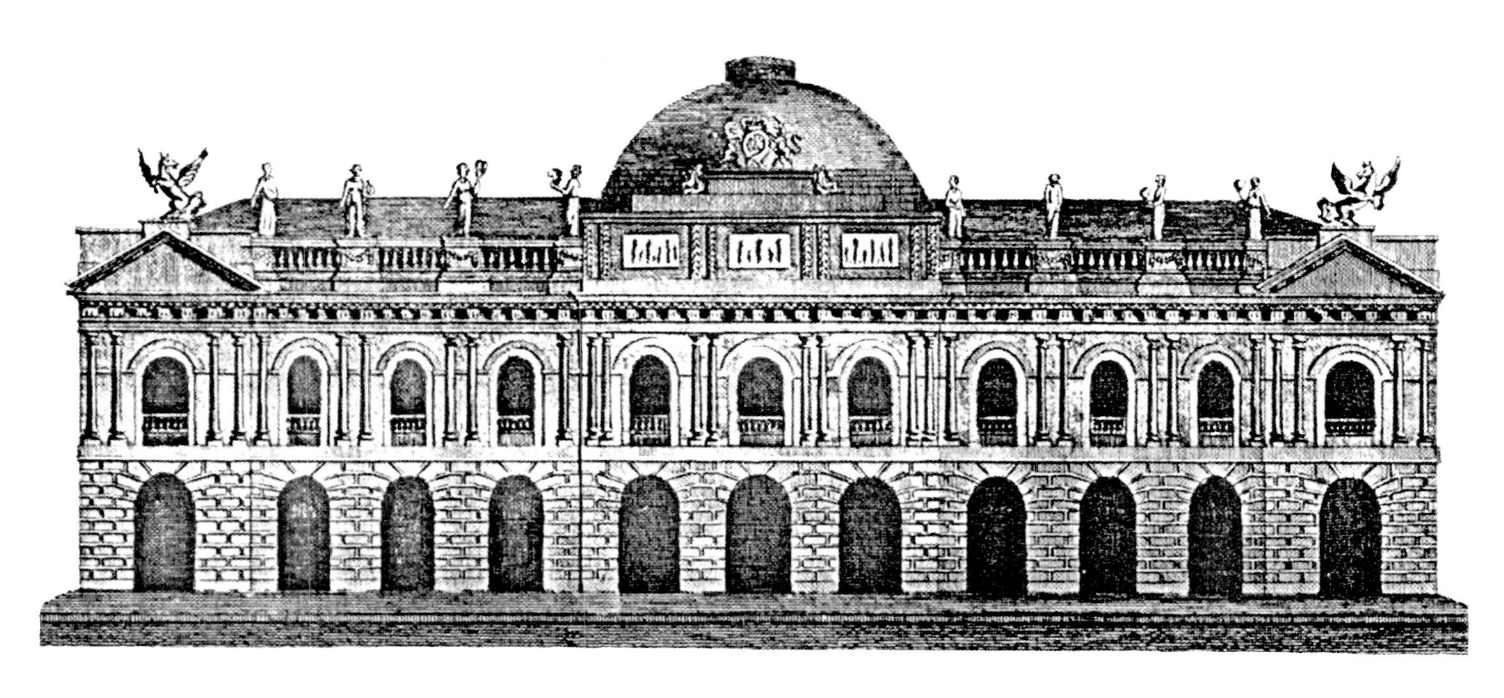

El King's Theatre, o Haymarket, en Londres, donde, a partir de 1711, Haendel hizo representar gran número de sus óperas.

llé participara en otros espectáculos suyos, tales como *Orestes, Ariodante* y *Alcina.*

En la actividad musical de Haendel se estaba iniciando, sin embargo, una nueva fase: dejando la producción operística en un segundo plano, se dedicó principalmente al oratorio, cuyos lejanos orígenes se remontaban a la experiencia romana. Tras *El triunfo del tiempo* y la *Resurrección,* Haendel dio a conocer en 1716 una *Pasión* suya (sobre texto de Barthold Heinrich Brockes, el mismo que Bach utilizó, en parte, para su *Pasión según San Juan).* Alrededor de 1720 había presentado en Cannons dos *masques: Acis y Galatea* y *Amán y Mardoqueo.* Se denominaba *masque* (o mascarada) a un entretenimiento teatral típicamente inglés, la mayor parte de las veces destinado a la corte, en el que se juntaban varios elementos: representación dramática de acciones escénicas, canto, baile de disfraces, pantomima. En general eran de tema mitológico o también semibíblico. Con la llegada de la ópera había sufrido una decadencia. Haendel, comprendiendo de qué parte soplaba el viento, reelaboró su segunda mascarada *(Amán y Mardoqueo)* transformándola, hábilmente, en *Ester,* oratorio o drama sacro en tres actos que se representó en mayo de 1732 en el King's Theatre; al año siguiente y en el mismo local estrenó *Débora.*

Mientras tanto, él navegaba en un mar de dificultades. Se le echaba en cara el ser alemán —aunque en 1727 se había naturalizado inglés— y de comportarse codiciosamente. Cuando, con motivo del estreno de *Débora,* excluyó del teatro a los abonados e hizo aumentar los precios, las sátiras le compararon al primer ministro Walpole que había impuesto la impopular ley sobre el tabaco. Una parte de la nobleza formó un frente común contra él y fundó un nuevo teatro italiano, llamando a dirigirlo al gran Nicolo Porpora (1686-1768), napolitano, que permaneció en Londres durante tres años. Curiosamente, Porpora fue el rival teatral, en la ópera italiana, de un hombre como Haendel que había sido en Inglaterra el mayor exponente de dicha ópera italiana.

Las ejecuciones del teatro de Porpora, espléndidamente preparadas y perfectamente cantadas, gozaron de un grandísimo éxito, al extremo de que no pocos cantantes se pasaron del teatro de Haendel al del napolitano.

Con el paso del tiempo la disposición de Haendel hacia los compromisos y hacia las decisiones diplomáticas fue cada vez menor. No soportaba la mediocridad, la imprecisión, la insuficiente adhesión a los empeños artísticos. Tenía clara conciencia del propio valor, acompañada de una impaciencia, una brusquedad en las maneras, que le procuró más de un enemigo. Pero sus irritaciones se equilibraban con su generosidad. Por ejemplo, tras su estancia en Dublín (de la que hablaremos más adelante) era costumbre en él dar a la beneficencia una buena parte de los ingresos por la ejecución de sus oratorios. Apelaba al espíritu humanitario de su público y, por ello, fue muy apreciado como benefactor.

Le gustaban los viajes, la buena mesa, los hermosos cuadros. Su corpulencia era notoria y objeto de sátira. Habiéndose convertido en persona bastante acaudalada, se compró una hermosa casa, muchas joyas y pinturas de gran valor. Muchos retratos y monumentos dedicados a Haendel habían sido encargados por él mismo. Una cruel caricatura de la época lo retrata con cara de cerdo, sentado al órgano, elegantísimo, rodeado de toda clase de bienes de la naturaleza (ostras, pollos, caza, jamones), contemplándose en un espejo.

Pocos comprendieron la evolución que se estaba realizando con la costumbre, introducida por Haendel, de intercalar en las temporadas de ópera, oratorios y conciertos de órgano (tocado por él mismo). En el citado año de *Débora* dio el oratorio *Atalía* y, en 1737, la segunda versión del *oratorio romano El triunfo del tiempo* y el oratorio-cantata *Alexander's Feast* ('Banquete de Alejandro').

Pero la crisis era inminente. El déficit de su gestión alcanza límites insostenibles. No constituía ningún consuelo la noticia de que la gestión rival se hallaba en las mismas condiciones. En 1737 cerraron los teatros, abrumados por las deudas. Haendel sufrió un derrame cerebral. Su enorme cuerpo quedó paralizado en su mitad y oscurecida su inteligencia.

En este estado se le trasladó a Aachen (la antigua Aquisgrán) para unas curas termales. Era, evidentemente, un hombre de hierro: logró recuperar la salud en breve tiempo y regresó a Londres lleno de entusiasmo. Escribió el máximo homenaje a su amiga la reina Carolina, el gran *Funeral Anthem* y dos espléndidos oratorios, *Saúl* e *Israel en Egipto,* todo ello en 1738. Se habló de un milagro ya que parecía que la trombosis no sólo no le había dañado, sino que le había mejorado. En los cuatro años sucesivos pergeña la mayor parte de admirables obras instrumentales, se convierte de nuevo en empresario de ópera, escribe la *Oda a Santa Cecilia* y compone un oratorio-cantata *(El Alegre, el Pensador, el Moderado)* sobre textos del máximo poeta John Milton y de Charles Jennens. Cerrarán su carrera operística *Himeneo* y *Daidamia,* pero sin éxito; Haendel sufrió tal contrariedad que pensó abandonar la isla que tanta fama le había dado hasta entonces.

El proyecto de abandonar Inglaterra no se llevó a cabo, mas para romper, al menos en una pequeña

Una caricatura de Haendel al órgano («El salvaje fascinante»), con cara de cerdo, que atestigua la crítica feroz a la que se vio sometido el «sajón» en Inglaterra.

parte, el contacto con este país Haendel por invitación del virrey se trasladó a Irlanda, donde permaneció durante ocho meses. Fue un período de gran importancia, porque vio el nacimiento de una de las mayores obras maestras de toda la historia de la música, *El Mesías.* Este oratorio, como ya hemos dicho, venía precedido de otras dos grandes composiciones bíblicas, el *Saúl* e *Israel en Egipto,* el primero con texto de Jennens y el segundo con textos de las Sagradas Escrituras. En ambos el estilo oscilaba entre lo tradicional eclesiástico inglés y lo operístico, con el coro en un plano absolutamente preponderante, empeñado a menudo en arrebatadoras estructuras polifónicas. Según Alberto Basso, aquellas estructuras corales son el elemento sobre el que Haendel «confió gran parte de su propia fama y en las que parecen verse reencarnadas las *turbae* protagonistas de los grandes acontecimientos bíblicos».

Todo estaba preparado, por decirlo así, para que naciera *El Mesías.* El texto, una vez más, fue de Charles Jennens, que recurrió a trozos de la Biblia y a textos del *Prayer Book* ('Libro de plegarias'), dividiendo el gran oratorio en tres partes: *el Advenimiento de Cristo, la Redención, el Cristianismo en el mundo.* No fue, pues, un puro y simple relato sacro ligado a la Biblia, como era la costumbre, sino un fresco poliforme que, de la narración contingente, pasó a examinar el futuro del Cristianismo, su desarrollo en el mundo, la evolución de la idea cristiana entre los hombres. El oratorio se divide de esta forma: 16 arias, un dúo, ocho recitativos acompañados, 21 coros, una sinfonía pastoral que comenta la noche santa de Belén y una obertura al estilo francés que inicia el oratorio. En la práctica *El Mesías* es una inmensa cantata, más próxima al estilo inglés del *anthem* ('himno') que al alemán, considerando que el recitativo seco (es decir, el recitativo acompañado sólo del clave) está presente en escasas ocasiones. En las pasiones de Bach el oyente se ve guiado por el evangelista a lo largo de todo el doloroso camino de Jesús. Haendel no recurre al narrador que «desarrolla» las vicisitudes del asunto cara a los oyentes. Para él la «historia» era conocida de todos y no había necesidad de contarla de nuevo. Por el contrario, era necesario dar, a través de la interpretación musical de las palabras, mayor peso a la validez, al significado, a la «moral» de la historia. No hay diálogo, no hay «intercambio de opiniones», ni la presencia física de personajes bíblicos; hay, en cambio, un discurso global y total sobre el significado del cristianismo. Haendel, bajo el impulso de la inspiración, escribió esta labor colosal en sólo tres semanas.

El Mesías no tenía una finalidad litúrgica; construido en forma libre de concierto, se aproximaba a las antiguas cantatas y a los oratorios navideños alemanes. Junto a arias de carácter contemplativo se hallan presentes trozos corales que representan la voz de la comunidad cristiana. El más famoso coro es el *Aleluya.* Durante la primera ejecución en Inglaterra el rey —y con él todo el público— se sintió tan conmovido por la potencia y solemnidad de este coro que se levantó espontáneamente y permaneció en pie para escucharlo entero.

Haendel se sintió satisfecho de la ejecución de Dublín, que tuvo un éxito extraordinario: satisfecho de los solistas, del coro, de la orquesta. El público irlandés, más sensible que el inglés ante el hecho religioso, acogió la obra con conmoción y entusiasmo.

Pero así también en Inglaterra *El Mesías* se con-

Debajo: **página autógrafa de «El Mesías», que es una de las piezas más populares entre las obras maestras de la historia de la música.**

A la izquierda: **detalle de una lámina de William Hogarth que satiriza los coristas durante la ejecución de un oratorio.**

virtió pronto en una obra del dominio público, entrando inmediatamente en la leyenda. Sus posibilidades vocales, orquestales y corales se ampliaron, a veces desmedidamente, contrariando las precisas indicaciones del compositor. Ya en 1784, en la abadía de Westminster, Joah Bates dirige *El Mesías* con 274 cantantes y 254 instrumentistas. En noviembre de 1812, con motivo de un concierto de los Amigos de la Música de Viena, participaron en la ejecución del *Mesías* 287 cantantes y 302 instrumentistas, entre ellos, 122 violines.

En 1742 Haendel volvió a Londres esperando que el clima en torno a él hubiese cambiado. (Por lo demás, el éxito del oratorio *Sansón,* dado en el Covent Garden, parece confirmar que los ingleses estaban de nuevo en paz con «su» Haendel.) Pero la ejecución del *Mesías* (bastante apreciada) abrió camino a una serie de polémicas sobre el hecho de que el oratorio ejecutado en un teatro era un acto incorrecto desde el punto de vista religioso. Después siguió un período de indiferencia ante las obras de Haendel. El compositor se pasó del Covent Garden al King's Theatre, pero la platea permaneció desoladamente vacía. Ni siquiera *Hércules,* un drama musical en tres actos de extraordinaria belleza, tuvo éxito. Haendel, en 1745, se vio obligado una vez más a cerrar el teatro, interrumpiendo la temporada. Escribe entonces una carta abierta a un periódico londinense pidiendo excusas a los abonados. El segundo fragmento de la carta muestra la amargura y la profunda desilusión de Haendel: «Tengo hoy el dolor de comprobar que todo cuanto he hecho para agradar ha sido en vano, a pesar del considerable acrecentamiento de mi experiencia. Ignoro cuál es la causa a la que puedo atribuir el haber perdido el favor del público, pero siempre me lamentaré de dicha pérdida.»

Los amigos formaron cuadro en torno a Haendel, permitiendo con su esfuerzo que aquel mismo año pudiese dar otro oratorio en el King's Theatre: el *Belshazar,* en tres partes. Pero la desilusión y el dolor por la difícil situación provocaron en Haendel un nuevo colapso, más grave que el sufrido en 1737. De nuevo se temió por su vida. Una vez más se recuperó con ayuda de su férrea voluntad.

Era un momento difícil para Inglaterra. Desde Escocia empujaban los partidarios de Carlos Eduardo, pretendiente al trono. Los ingleses apretaron filas alrededor de su rey; Haendel, olvidándolo todo, participó del patriotismo que inflamaba Londres, principalmente. Encargaron a Haendel el *Oratorio ocasional* para subrayar el ardiente momento histórico; esta obra fue después integrada en el *Judas Macabeo,* que puso de relieve, indirectamente y en sentido religioso, la victoria que Jorge II obtuvo en 1746 en Culloden (Escocia).

Finalmente, llegó el triunfo. Haendel pasó dos años felices, llenos de honores y éxitos. El compositor produjo en 1747 los oratorios *Alexander Balus* y *Josué* y en 1748 *Salomón* y *Susana* para un público siempre entusiasta. Siguiendo la huella de estos éxitos Haendel dio, en los años sucesivos, *Teodora* (1749), *La elección de Júpiter* (1750) y *Jefté* (1751).

Después se vio abrumado por una nueva desgracia: quedó ciego. De nuevo su voluntad excepcional, su extraordinaria vitalidad superaron la mala suerte. No se arredró. Volvió a tocar el órgano prontamente en conciertos hoy convertidos en legendarios. Siguió componiendo, dictando a sus copistas. Reelaboró todavía una vez más su querido oratorio romano *El triunfo del tiempo,* que dio en el Covent Garden en 1757. Modificó otros oratorios y escribió aditamentos para algunos.

Nunca se quedaba solo: su casa era una ininterrumpida meta de visitas, siempre llena de amigos. Un día de abril de 1759, a los setenta y cuatro años, Haendel asistió por última vez a su *Mesías,* ahora ya consagrado como obra maestra queridísima y aclamadísima. Poco después hubo de guardar cama.

Tuvo una agonía quieta y tranquila, muriendo en serenidad y sin dolor el 13 de abril. Pasada una semana fue sepultado en la abadía de Westminster. El 21 de abril un periódico publicó un epitafio al cuidado de un amigo o admirador desconocido: «Aquí reposan los restos de Jorge Federico Haendel. El más excelente músico de todos los tiempos, cuyas composiciones fueron un lenguaje del sentimiento, más que meros sonidos; y que superó el poder de las palabras en la expresión de las diversas pasiones del corazón humano.» Junto a su féretro se agolpó, cabe afirmarlo, todo Londres: una inmensa multitud que acudía a honrar al autor del *Mesías.*

La tan laboriosa vida de Jorge Federico Haendel discurre entre los dos polos de la ópera y del oratorio. Pero hay otro aspecto de su actividad de compositor que no puede ser olvidado, el de la música instrumental. Gigante de la voz humana, Haendel no es menos grande cuando escribe para los instrumentos, para la orquesta de su tiempo y, de un modo particular, para el clavecín y el órgano, que consagraron su fama.

De un lado, pues, sus obras profanas y religiosas unidas a las voces (obras teatrales, pastiches, música escénica, mascaradas, oratorios, pasiones, serenatas, odas, oratorios profanos, composiciones litúrgicas y religiosas, cantatas con instrumentos, dúos y tríos italianos con bajo continuo, cantatas con bajo continuo, arias alemanas, francesas, inglesas); del otro, las obras instrumentales (composiciones para orquesta, conciertos para órgano, música instrumental de cámara, composiciones para clavecín). La segunda parte, aunque tenga menor importancia en relación con la primera, es en extremo interesante. No pocas de sus composiciones instrumentales gozan todavía hoy de una extraordinaria difusión entre el gran público. Muchas de estas obras fueron impresas en vida de Haendel, lo que atestigua, además de la importancia que el compositor concitaba, la existencia en aquella época de un público dispuesto a comprar y a ejecutar en su hogar aquella música.

El bloque sustancial de su producción instrumental está constituido por quince sonatas para un instrumento *(op.* 1), dos compilaciones de sonatas a tres *(op. 2* y *op. 5)* la primera para dos violines, oboe o flautas y continuo, la segunda para dos violines o flautas y continuo (clavecín o violoncello); un grupo de conciertos para órgano y orquesta *(op. 4)* dos colecciones de conciertos «grossi» *(op. 3)* e infinidad de distintos conciertos para órgano, suites para clavecín, seis fugas para clavecín, las grandes suites para orquesta *(Water Music, Fireworks Music* ['Música acuática', 'Música para fuegos de artificio']), sonatas para flauta y numerosos conciertos «grossi» dados a la imprenta sin número de obra. Cabe recordar, además, la cantidad (de menor importancia) de composiciones inéditas, dejadas manuscritas en varios fondos musicales.

Con las obras para clavecín impresas en Londres en 1720 Haendel nos ha dejado uno de sus más interesantes testimonios: ocho suites, entre ellas la *Quinta en mi mayor,* la famosísima *El herrero armonioso.* Son, como reza el título *Suites de Pieces (suites* o *lessons,* sucesiones o lecciones) que comprenden no sólo los consabidos componentes de las colecciones análogas en su tiempo, sino prácticamente todas las formas clavecinistas en uso. Tenían también un evidente objetivo didáctico (particularmente señalado en el segundo volumen, impreso en Londres en 1733), considerando que Haendel era igualmente maestro de las princesitas reales, cargo que le confirió la reina Carolina, mujer de Jorge II.

No menos importante es la compilación de conciertos para órgano y orquesta, surgidos, puede decirse, junto con los oratorios. En ellos el instrumento principal, creado para la iglesia, se convierte en instrumento mundano, profano, casi rival del clave. Tenemos atestiguada por escrito la calidad de Haendel como ejecutor en el órgano. Charles Burney y Sir John Hawkins nos han descrito el modo «lleno de fuego y de dignidad» con que Haendel tocaba su instrumento preferido. Estos conciertos fueron ejecutados por el compositor y la gente acudía en masa para escucharlos.

En la música orquestal, sobre todo en lo que se refiere al concierto «grosso», Haendel ha evidenciado cuán fructífera le resultó la lección aprendida durante el viaje a Italia. La comparación con la música de Arcangelo Corelli era inevitable. Si en la música instrumental de cámara Haendel ocupa una posición de subordinado, de alumno respecto a Corelli, en el concierto «grosso» supera, sin duda, al maestro. La forma se amplía y toma cuerpo, la media expresiva se eleva, se multiplican los modos con que el compositor afronta las distintas formas. Tiene una manera muy personal de tratar los allegros. Hay una gran variedad expresiva en cada uno de los movimientos: tono solemne en las oberturas, canto líricamente intenso en los tiempos lentos, espíritu vivo en las danzas, balanceante melancolía en las sicilianas.

El concierto «grosso» de Haendel no es sólo corelliano: experimenta también los influjos de Vivaldi y de todo el mundo barroco. Se ha escrito que Haendel no vacilaba en apoderarse del pensamiento de los otros, a veces descaradamente, para hacerlo suyo; se llegó a hablar, sin más, de plagio. Cierto que en su obra las «sugerencias» son evidentes, pero si se establecen las debidas comparaciones el problema desaparece, inevitablemente: la comparación entre la obra de Haendel y la de sus «atracados» no se sostiene. Por ello en 1910 el francés Romain Rolland podía escribir: «Todo cuanto toca, Haendel lo hace suyo.»

En 1732 ó en 1733 Haendel dio a la imprenta la célebre suite orquestal *Water music* ('Música acuática'), compuesta entre 1715 y 1717, por encargo del rey Jorge I para sus paseos en barca por el Támesis. En 1743 Haendel enriqueció la colección aumentándola de 21 a 41 piezas, también para clave. Al igual que la igualmente famosa colección *Fireworks Music* ('Música para fuegos de artificio'), escrita con motivo de las fiestas para la paz de Aquisgrán en 1749 e impresa en Londres en el mismo año, la *Water Music* se impone por su vivacidad, por la triunfante alegría, por la solemnidad y la pompa verdaderamente reales. Son, claramente, composiciones para tocar al aire libre, en el río y en los parques, ya que en estos ámbitos, en esta amplitud y libertad, es donde logran exponer su mayor virtud.

El eclipse sufrido por tantos, muchos decenios en el caso de Bach, Haendel no lo experimentó jamás. Los genios que le siguieron le declararon genio: Haydn lo definió como «el maestro de todos nosotros»; Mozart lo amó profundamente (aunque violara su voluntad instrumental ampliando la orquesta del *Mesías);* Beethoven lo llamó «el mayor compositor jamás visto» (recordémosle en su lecho de muerte hojeando las páginas de las obras de Haendel); Mendelssohn, al crear sus oratorios *Pablo* y *Elías,* tenía la vista puesta en Haendel; Schumann sostenía que Haendel, con su *Israel,* había hecho una obra máxima.

La verdad es que su mayor fama en el Ochocientos, cuando menos a nivel del gran público, la debió Haendel a la música para clave y a algunas arias vocales hechas célebres clamorosamente, como aquel «largo» del *Jerjes,* protagonista y víctima a un

Ejecución del «Mesías» en la Abadía de Westminster, en recuerdo de Haendel (1784).

tiempo de su belleza, ya que acabó transformándose en un trozo puramente orquestal (transcrito hasta el infinito, comparable al *Ave María* de Gounod, sobre un preludio de Bach). El conocimiento que tuvo Italia de la música de Haendel, así como su éxito, se iniciaron en Florencia en abril de 1768, cuando se ejecutó el *Alexander's Feast,* la oda sobre un texto de John Dryden. La interpretación florentina se dio en italiano con el título de *Il convito di Alessandro* y precedió, en pocos meses, al estreno del *Mesías,* acaecido el 6 de agosto del mismo año, siempre en Florencia, ciudad en que se repitió al año siguiente, en el sucesivo y en 1772. A pesar de su éxito, *El Mesías* no se tocaría en Roma hasta la segunda mitad del siglo XIX, ya que se dio en dicha ciudad en 1878 y junto con el *Israel* por iniciativa de Domenico Mustafá con la Sociedad Musical Romana. También Francia fue lenta en acoger *El Mesías,* que se ejecutó en París, en forma íntegra, sólo en 1873. Recordemos, entre otras cosas, las incomprensiones de Berlioz y de Lalo frente a Jorge Federico Haendel.

Pero fue Inglaterra la que aclamó la producción haendeliana de la manera más clamorosa. Veinticinco años después de su muerte, Londres conmemoró de forma grandiosa al músico sajón, bajo el patrocinio del rey Jorge III. Haendel, que en sus ejecuciones londinenses jamás había empleado más de un centenar de intérpretes, se vio afrentado, casi agredido podríamos decir, por centenares de instrumentistas y coristas. Hemos tenido ocasión de dar ya algunas indicaciones al respecto. En 1784, entre el delirio de los oyentes *(El Mesías* pronto se convirtió en un fenómeno mítico, legendario) la música haendeliana se desbordó como un río en su crecida con una orquesta y un coro de 525 ejecutantes. Tres años después la masa había saltado ya a otros ochocientos en un equívoco artístico y estético que asociaba a la grandiosidad característica de esta música, el aumento desproporcionado de las fuentes sonoras. *El Mesías* recibió la hospitalidad de Westminster, pero sólo *El Mesías,* el *divine Messiah,* como decían los ingleses. Objeto de fanatismo, tuvo una difusión en el mundo anglosajón como jamás la tuvo cualquier otra música. Cruzó rápidamente el océano, entrando triunfalmente en las colonias americanas.

La sede inglesa de las ejecuciones haendelianas fue el Crystal Palace, enorme construcción adaptada a las realizaciones mastodónticas. En 1854 se superaron todos los límites: 460 instrumentistas y 2.765 cantores, en un *mammouth festival* ('festival mastodóntico') como se escribió entonces. Pero no paró aquí la cosa: la elefantiasis musical siguió aún; y en 1923 se llegó a cuatro mil ejecutantes, lo que suscitó las iras, justísimas, de George Bernard Shaw.

Sin embargo, conviene subrayar que Haendel no fue tratado, en Inglaterra, solo de este modo substancialmente superficial, alejado de cualquier verdad histórica y artística. Junto a las ediciones de las obras en Alemania, bajo el cuidado de Karl Franz Friedrich Chrysander, en Inglaterra la Haendel Society inició una seria labor, aunque con oscilante fortuna. De cualquier modo, con intervalos de algunos años, entre 1843 y la década de los veinte de nuestro siglo se llevó a cabo un óptimo trabajo tanto de ediciones como de recuperación de oratorios desconocidos u olvidados. También la parte más ardua de la herencia de Haendel, que es la ópera, fue considerada en los tiempos modernos, en el Ochocientos y a comienzos de este siglo, sobre todo en Alemania. A partir de 1943, tras la afortunada exhumación de *Agripina* por parte del musicólogo alemán Hellmut Christian Wolff, fueron numerosas las ediciones impresas de las óperas haendelianas.

En nuestros días el mito de Haendel ha tomado proporciones equilibradas y el sajón vive en su precisa hornacina. No se ha desencadenado, como en el caso de Bach, una *renaissance* estrepitosa y creciente, pero su fama se ha consolidado, quizá ha cristalizado un poco, si bien, cada vez que dicha fama aflora a la luz, nos damos cuenta de la grandeza del genio de Halle que murió, si se acepta la paradoja, en el momento justo, en el punto en que el mundo musical cambiaba, mudaba radicalmente.

Los dos pilares fundamentales de la vida de Haendel, melodrama y oratorio, al cabo de pocos años deberían haber afrontado: uno, los tormentos de la reforma de Gluck, en tanto que el otro hubiese declinado inevitablemente. La música sacra habría renunciado rápidamente a la polifonía, la sinfonía llamaba a la puerta, la música de cámara se estaba afirmando y solidificándose sobre todo en la forma príncipe del cuarteto. En resumen, el mundo de la música, muerto Haendel, estaba, gradual pero inexorablemente, cambiando. Pero nos queda su grandiosa, su amada herencia de una enorme civilidad musical.

Antonio Vivaldi

Vivaldi y su tiempo

Resulta impensable hablar de Antonio Vivaldi sin hablar de Venecia. En cierto sentido Vivaldi *es* Venecia, tal es la relación entre la ciudad de los *dux* y el *prete rosso* o cura pelirrojo, como se llamaba. Cuando resuenan claras y alegres, las notas de *Las Cuatro Estaciones* la primavera veneciana nos viene al encuentro con todos sus brillantes colores. Pero cuando hablamos de la ciudad de la *Ca d'oro* ¿cuál es la Venecia que nos figuramos? ¿Qué Venecia han imaginado los escritores y los poetas que de ella han hablado? Es siempre la Venecia del Setecientos, la ciudad suntuosa y rica en trance de perder poderío y riqueza y que había llegado al colmo de sus contradicciones: ciudad grave y frívola, honesta e inmoral, realista e idealista, profana y sagrada, líquida y petrificada, democrática y aristocrática, decadente y prestigiosa. En este gradual descendimiento hacia la decadencia total, Venecia conservaba intacta su fascinación y era la meta de quienes buscaban belleza, placer y misterio.

Los visitantes quedaban fascinados, pero a menudo regresaban a su patria portadores de una impresión de libertinaje y frivolidad, reputación merecida sólo en parte. Era el siglo dieciocho que presentaba estas contradicciones y características: Londres, Nápoles, Amsterdam y París no eran menos que Venecia en cuanto a costumbres. Tenía razón Carlo Goldoni en su *Putta onorata* ('La moza honrada'), genial comedia costumbrista, cuando decía: «Vosotros, los extranjeros, cuando estáis fuera de Venecia hablando de nuestras mujeres las metéis a todas en un mismo saco y, por la sangre de Diana, no todas son así.» Pero sí es cierto que la

En la página anterior: **un presunto retrato de Vivaldi, de autor anónimo.**
A la derecha: **plano de Venecia, obra de V. M. Coronelli, de 1693.**

PAX EVAN
TIBI GELIST
MARCE MEUS
MURANO
D I
Dedicata
All'Illustrissimo
Signor Abbate
ABBONDIO REZZONICO
Patritio Veneto
MDCLXXXIII
S. Giorgio Maggiore
Monaci Benedettini
V E N E T I A

Fragmento de una lámina de la época que representa una escena de «La moza honrada», de Goldoni, una de tantas obras del gran comediógrafo en las que nos ofrece descripcines de los venecianos.

vida discurría con gran intensidad, como en un escenario. La descripción que nos ofrece Goldoni responde de forma admirable a la impresión que podía recibir un viajero que desembarcase en la *Piazzetta* (entre la plaza de San Marcos y el Gran Canal). «Se desembarca —dice Goldoni— a través de una prodigiosa cantidad de navíos de todas clases, buques de guerra, naves mercantes, fragatas, galeras, barcas, bajeles, góndolas... Los farolillos de Venecia forman una decoración, una escena placentera. Independientemente de esta iluminación general, figura también la de las tiendas que, durante todas las estaciones del año, están abiertas hasta las diez de la noche, o aquellas que no cierran hasta media noche y muchas otras que nunca cierran del todo... Durante el verano la plaza de San Marcos y las calles vecinas están concurridas durante el día y la noche. Los cafés aparecen abarrotados por el gran mundo, con hombres y mujeres de todas clases. Se canta en las plazas y plazoletas, en las calles y en los canales. Cantan los mercaderes ofreciendo sus mercancías, cantan los gondoleros esperando los clientes. El fondo del carácter del pueblo es la alegría y el fondo del lenguaje veneciano es la gentileza.»

En el siglo XVIII Venecia está en fiestas, al menos, una mitad del año. Al carnaval —que se inicia el 26 de diciembre— sigue, con una interrupción de los 40 días de la cuaresma, la temporada de primavera y de la Ascensión, que se prolonga hasta finales de junio. Después, la de otoño dura hasta el 15 de diciembre. La ciudad gravita en torno a San Marcos y el Rialto y goza de gran colorido y vivacidad incluso en los días «muertos»; durante los períodos de fiesta vive literalmente en pleno desenfreno de voces y colores. El carnaval es un espectáculo que la ciudad se ofrece a ella misma y del que los venecianos son actores y espectadores al mismo tiempo: gentes de todos los días que se mezclan con la enorme muchedumbre de las máscaras.

Sin embargo, en este clima alegre y bullanguero se percibe una tristeza sutil. Lo observa un viajero, De Lalande: «A pesar del aspecto singular y brillante de esta ciudad, reina en ella un poco de tristeza. Se ven muchas góndolas en el canal, pero poca gente en la ciudad y nadie en las ventanas.» Impresión muy alejada de la de Goldoni, pero digna de ser tenida en cuenta. Alegría y tristeza: todavía un elemento contradictorio a la hora de desarrollarse uno de los momentos más brillantes de la historia del arte veneciano, en la pintura, en la música, en el teatro.

Son los años de la tertulia europea, de la pintora Rosalba Carriera; florecen pintores como Antonio Canal —llamado 'el Canaletto'—, Giovanni Battista Tiepolo, su cuñado Francesco Guardi, y Pietro Longhi (el Goldoni de la pintura). En el campo de la literatura dominaba el genio goldoniano, pero no es posible olvidarse de hombres como Apostolo Zeno (que, con Scipione Maffei fundó el *Giornale dei letterati* y fue un gran libretista de óperas), Gasparo y Carlo Gozzi. Todos contribuyen a dar de Venecia, la Venecia de Vivaldi, una imagen que permanecerá para siempre en nuestra memoria.

En la mente del que la ha visitado y amado antes que nosotros cristaliza la visión de la Venecia del

«El minué», de Giovanni Domenico Tiepolo, símbolo de la alegría y del espíritu festivo de la Venecia del Setecientos.

Setecientos, no la del Quinientos, con su gloria grandiosa. Una ciudad en la que un escritor como De Musset mendiga el esplendor de una noche, en la que un poeta como Paul Verlaine hace revivir sus fiestas galantes y un literato preciosista como Aloysius Bertrand percibe danzas y canciones; una ciudad con rostro de máscara, como dice lord Byron. Una Venecia descrita así por Bertrand: «Unamos nuestras manos para cantar y bailar en corro, olvidaos del inquisidor, en el esplendor mágico de esta noche risueña como el día. Cantemos y bailemos quienes sentimos la alegría, en tanto que abandonados sobre el banco de los gondoleros, los melancólicos descienden por el canal y lloran viendo llorar las estrellas. Bailemos y cantemos los que nada tenemos que perder, en tanto que tras los visillos, sobre los que se perfila el tedio de sus frentes inclinadas, nuestros patricios se juegan sobre un naipe palacios y amantes.»

Arte y literatura nos han legado un retrato inolvidable de esta Venecia. Pero la música no fue nunca a remolque de arte alguna, conservando intacta —acrecentándola incluso en ciertos aspectos— la antigua tradición veneciana que se remontaba al Quinientos, el «siglo de oro».

Tracemos un rápido panorama de nombres: Antonio Lotti, el organista de San Marcos, con alumnos como Tommaso Albinoni y Benedetto Marce-

La plaza de «Santa María Formosa», lámina de Michele Marieschi que nos muestra lo importante que era el teatro en Venecia. A veces se daba al aire libre, en descampado.

llo; Francesco Gasparini, natural de Lucca pero veneciano por adopción, y Antonio Caldara. Antonio Vivaldi creció en este clima soberbio y rico. Una Venecia que declina, económica y políticamente, atenazada por Austria y por el turco opresor; una Venecia gloriosa en arte e inteligencia, fenómeno difícilmente repetible, de altísima y espléndida cultura.

Nos hallamos en la cúspide del Barroco. He aquí una palabra, Barroco, que habremos escuchado infinidad de veces y que habremos leído en los programas de millares de conciertos. Ha sido siempre un término ambiguo y convendría aclarar su significado antes de hablar de la música de Vivaldi. Históricamente, el término se implanta en el arco que va del Seiscientos al Setecientos, ocupando parte de ambas centurias. Es una palabra con su propia historia que aparece, por vez primera, en un viejo diccionario de finales del siglo XVII con el significado de «irregular, extravagante, desigual». Basta pensar en la armoniosa belleza de la música barroca para advertir de golpe la contradicción con tales significados. Treinta años después, «barroco» se aplica también a la pintura, y en los comienzos del siglo XVIII se dice que un diseño es barroco cuando «las reglas de la proporción no son respetadas y todo viene representado según el capricho del artista». «Barroco» es, posteriormente, todo cuanto se aleja de aquellas normas bien determinadas y definidas como «clásicas».

Nos hallamos todavía muy lejos de haber clarificado la evolución completa de estas palabras en sus

La iglesia de Santa María de la Salud, símbolo de la Venecia barroca. La arquitectura y la música barroca son hijas del mismo espíritu: riqueza de motivos y de contrastes y un empleo dinámico del espacio que, en la música, se convierte en bloques sonoros y rítmicos.

más varios y complejos significados. En general, ha engendrado una idea peyorativa unida a significados de desorden, de desobediencia hacia las normas consagradas: el Barroco sería, pues, como una especie de senectud del Renacimiento. Hasta aquí, las cosas parecerían claras, pero la idea de que el término no indicaba un fenómeno de decadencia, sino tan sólo de evolución, comenzó a adquirir forma y fue bastante menos negativa.

En música el primer Barroco introduce y desarrolla el contraste entre bloques sonoros, tanto de voces como de instrumentos. Será Venecia, precisamente (con su gran escuela) la que romperá la tradición renacentista del bloque formado por melodías superpuestas introduciendo el concepto de lo «expresivo», haciendo que arremetan, uno contra otro, los timbres de las voces, y los instrumentos, con todos sus fabulosos contrastes. Tras los siglos XVI y XVII los Gabrieli, utilizando los dos coros opuestos de San Marcos, introdujeron los llamados «cori battenti» (literalmente, 'coros batientes'), en los que intervenían alternativa o simultáneamente, las voces y los instrumentos de viento junto al órgano.

Vivaldi, al nacer, se encontró con esta música, que se apoyaba sobre la voz «bassa» como en un sólido fundamento, formando el gran mundo sonoro del «concertato», del cantar y tocar conjuntamente, lo que realizaba, íntimamente ordenada, una fascinante variedad en la unidad de la composición. Los dos elementos del placer estético, inteligencia y sensibilidad, asumían el aspecto unitario de la música, la variedad y el contraste de los timbres, el diverso peso sonoro de los elementos instrumentales y vocales. Quizás sea esto lo que ha dado origen al concepto de lo «irregular», lo «extravagante», lo «desigual», cuando se trataba, simplemente, de libertad de expresión y construcción: se afirman las técnicas de la variación, anulando la repetición, acaso monótona, de la misma frase musical. Poco a poco, las construcciones sonoras se van haciendo más complejas.

Lo dicho coincide con una época dominada por el racionalismo y por la lógica. La música no puede sustraerse a las condiciones de su tiempo. Y Venecia, su escuela y sus músicos debían ser elementos fundamentales de este desarrollo, de esta formación. Se trata, en realidad, de un proceso clarificador en la libertad de la expresión, en la variedad de la invención.

A Venecia llega la experiencia de las otras escue-

Caricatura de Vivaldi, realizada por P. L. Ghezzi (1723). Es, tal vez, el retrato que mejor representa el carácter del cura pelirrojo: de salud delicada, pero muy vivaz y activo, místico y, al mismo tiempo, capaz de cuidar de sus quehaceres prácticos, impulsivo y obstinado; hombre de profundos contrastes.

Juego de cartas en el saloncillo de un teatro. A pesar de su decadencia —o tal vez a causa de ella— Venecia seguía teniendo una vida intensísima, hecha también de placeres y corrupciones.

las italianas y europeas; de Venecia irradia una nueva experiencia. Todo se combina y se integra, formando un gusto musical que será, en primer lugar, «italiano», para hacerse después internacional. Será el gusto musical del Barroco, de Juan Sebastían Bach, de Georg Friedrich Haendel y, naturalmente, de Antonio Vivaldi.

En medio de esta civilización o cultura actúa el autor de *Las Cuatro Estaciones,* uno de los momentos más altos del Barroco musical. Conviene que nosostros, modernos, nos demos cuenta de esta presencia, de esta fuerza. Conviene que intentemos especificar la «razón» de la obra vivaldiana y el porqué de su inmediata, fulminante influencia sobre toda la música europea. Se ha escrito con justicia: «Si se deseara buscar una verdad, históricamente apreciada, en el fondo del arte vivaldiano, creo que deberíamos dirigirnos, para encontrarla, no a la forma, o sea al lenguaje concertístico de Vivaldi, sino al espíritu que anima y estimula cada una de sus formas: formas infinitas, infinitas criaturas que viven bajo un mismo cielo, respiran un mismo aire y se nutren de una misma sustancia: cielo, aire, sustento de dimensiones tan vastas, de tan inagotables y benéficos recursos ofrecen consuelo y vida, a cualquiera que acuda con fe y con firmeza.» Y resulta interesante anotar que un artista supremo como Bach, en no pocos aspectos más universal y poderoso que el veneciano, no tuvo aquella influencia que ejerció el «cura pelirrojo», quien actuó sobre la Europa musical con una inmediatez que era casi natural, lógica e inevitable.

Al llegar a este punto, es lícito preguntar qué lugar ocupa Vivaldi en la historia de la música. Viene inmediatamente después de compositores como Arcangelo Corelli (1653-1713) y Giuseppe Torelli (1658-1709), en momentos fundamentales para el desarrollo del Barroco que se fraguaba en la música instrumental. Hablando de estos protagonistas, de semejante transformación musical, premisa para la música de Vivali, se pronuncian siempre las palabras «concerto grosso», «concerto solistico», «concerto di gruppo». Conviene explicarlo para poder comprender mejor la producción vivaldiana.

Corelli es el genio del «concerto grosso»; Torelli el hombre del «concerto solistico» (no se trata ahora de investigar si fue el de Fusignano o el de Verona quien inventó, o no, estos dos géneros musicales). Se entiende por «concerto grosso» una forma que prevé dos grupos instrumenta-

A la derecha: **interior de la Basílica de San Marcos, donde se empleaban las dos tribunas opuestas de los coros (los «cori battenti»), para alternar voces e instrumentos.**
Abajo: **«El concierto», pintura del XVIII, de la escuela véneta. Se nota en ella el aire informal del salón: gente que charla, niños que juegan.**

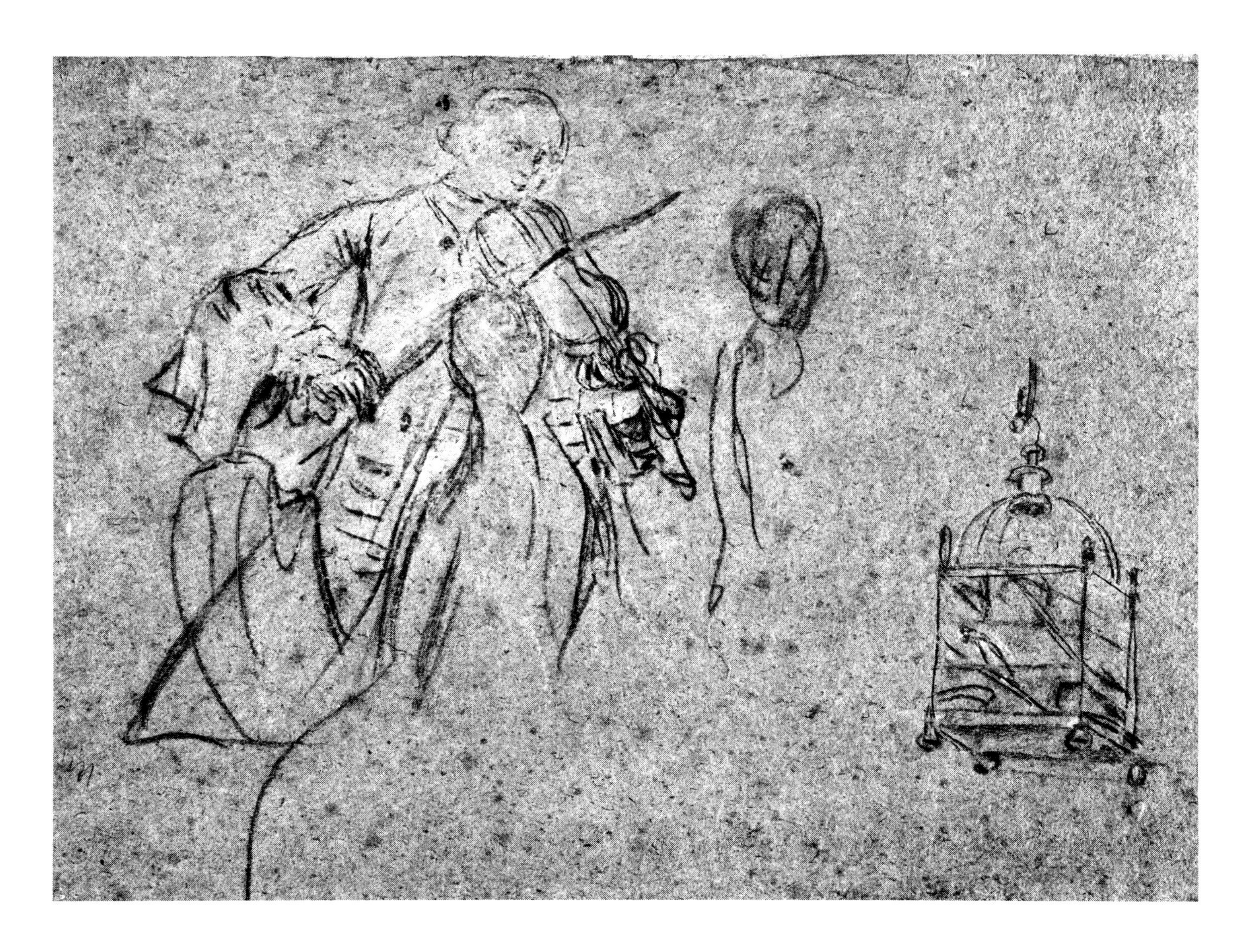

El «Violinista», de Pietro Longhi, es otro testimonio de la importancia de la música en la vida cotidiana de Venecia.

les distintos: por una parte, el «concerto grosso» propiamente llamado que comprende los instrumentos de la orquesta en su conjunto; por otra, el «concertino», grupo más reducido y formado, como máximo, por dos violines, un violoncelo y clavicémbalo u órgano, reforzado por un instrumento de cuerdas más bajo. Ambas estructuras, mayor y menor, se alternan en el desarrollo del discurso musical, que es casi un coloquio entre las dos. Se crean alternaciones de masas sonoras, fuertes y débiles, más o menos incisivas: el resultado no es una antítesis o choque, sino más bien una especie de pregunta y respuesta entre los dos bloques instrumentales. Debemos distinguir además el «concerto grosso» *de iglesia* y el *de cámara*. El primero, estructurado en cuatro tiempos, se inicia siempre con un tiempo lento; el segundo, también en cuatro tiempos, con frecuentes movimientos de danza, lo hace con un tiempo allegro.

¿Qué es, en cambio, el «concerto solistico»? Es una forma análoga a la precedente, con la diferencia —bien substancial, por cierto— de que el «concertino» se reduce a un único instrumento solista: en sus comienzos, el instrumento principal de

En este fresco veneciano están eficazmente representados los febriles preparativos para un concierto.

estos conciertos era el violín. El resto nos lo dice el propio Torelli en el hermoso prefacio a su espléndida obra sexta *(Concerti musicali)* cuando, dirigiéndose al lector, afirma: «Te advierto que si en algún concierto hallares escrito "solo" deberá ser tocado por un solo violín; para el resto haz duplicar las partes, tres o cuatro por instrumento, y así descubrirás mi intención.» El veronés propone un esquema formal distinto del tradicional en el concierto: tres tiempos, con un «lento» entre dos «allegri». Pero lo dicho no supone la única presencia del violín como solista. Fue el primero, y siguió siendo, el instrumento solista más empleado, pero muy pronto participaron en la orquesta como «soli» otros instrumentos, tales como oboes, trompas, fagots, etc. Precisamente Vivaldi ensayó en sus conciertos diversos instrumentos solistas.

Por último, el «concerto di gruppo» desarrollaba un discurso musical sin hacer que prevaleciera bloque alguno, alcanzando una estructura más homogénea y compacta: en la práctica, ofrecía a las décadas siguientes la posibilidad de alumbrar el nacimiento de la sinfonía. Gracias a la huella marcada por Corelli y Torelli los «concerti grosso», *de solis-*

de muerte de manos de la comadrona Madama Margarita, de Verona», siendo padrino «el señor Antonio, hijo del difunto Gerolemo Veccello tendero con la insignia de Dose in Contrà».

Es cierto que Vivaldi fue un músico precoz. Nos ha quedado el testimonio de que su padre, violinista en San Marcos pero empleado también en la orquesta del teatro de San Juan Crisóstomo, se hacía substituir en la iglesia por el muchacho, que apenas contaba diez años, admitido en la capilla de San Marcos con el cargo de violinista supernumerario. Tuvo, con seguridad, un maestro o varios maestros. ¿Pero quién o quiénes? Su padre le enseñó los primeros rudimentos de la música y puso en sus manos el primer instrumento. Se había dado

A la izquierda: **retrato de Vivaldi en un grabado hecho en 1725 por François Morellan de La Cave.**
Abajo: **retrato de Benedetto Marcello.**

tas, de grupo, dominaron el Setecientos instrumental. Vivaldi, en vida aún de Corelli y Torelli, se adhiere sobre todo al concierto solístico. Dominó este campo, muy bien cultivado también por otros nombres de prestigio, «dilettanti» como gustaban ser llamados (Vivaldi fue un profesional en el sentido más amplio del término): Tommaso Albinoni (1671-1750), Alessandro Marcello (1684-1750), Benedetto Marcello (1686-1739), Francesco Antonio Bonporti (1672-1748), venecianos todos excepto el último, que era de Trento.

Cura, violinista, profesor y compositor

En este mundo veneciano, en esta sociedad, en esta «historia» musical nace Antonio Lucio Vivaldi el 4 de marzo de 1678, hijo del «Sigr. Gio. Batta qd. Augustin Vivaldi sonador et della Sigra Camilla figliola del qd. Camillo Calicchio sua consorte» («señor Juan Bautista hijo del difunto Augustin Vivaldi músico y de la señora Camila hija del difunto Camilo Calicchio su mujer»). Fue bautizado el 6 de mayo «de urgencia en la casa y por peligro

Iglesia de San Geminiano, en la que Vivaldi fue ordenado sacerdote (detalle de una lámina de Luca Carlevarjs). Estaba situada en la plaza de San Marcos, frente a la basílica; fue demolida en 1807.

cuenta inmediatamente de la genial precocidad del pequeño (como le acaecerá a Leopold Mozart respeto a su hijo Wolfgang). En una guía para forasteros de 1713 viene citado Vivaldi padre como uno de los mejores instrumentistas venecianos, al lado de su joven hijo. Tal vez —por breve tiempo— fue maestro suyo Giovanni Legrenzi (1626-1690), un bergamasco que hacia el fin de su carrera llegó a ser maestro de capilla en San Marcos. Murió cuando Antonio, contaba doce años, y hacía uno que substituía a su padre en la capilla.

El padre le destinó, más tarde, a la Iglesia, le encauzó hacia una educación eclesiástica, en la escuela de los padres de la iglesia de San Geminiano. Curiosos educadores éstos, muy destacados en Venecia por la libertad de sus costumbres y por la singular hospitalidad que daban a reuniones que nada tenían de sagradas. No se trataba, a decir verdad, de un auténtico seminario, por lo que Vivaldi no encontró en él, terreno demasiado propicio para la meditación ascética y la piedad sagrada. Mantuvo intacto, y hasta reforzó, su carácter natural, de suyo impulsivo, como demostró en numerosas ocasiones a lo largo de su vida. Por lo demás, era un rasgo característico de la familia: dos hermanos suyos buscaron —y los encontraron— contratiempos con la justicia de la República véneta. Francesco fue expulsado de Venecia porque en sus calles había escarnecido a un patricio; Iseppo estuvo implicado en una sangrienta riña con un mozo de cuerda.

Sin embargo Antonio Vivaldi siguió con regularidad el curso de su educación eclesiástica. Fue tonsurado en septiembre de 1693 y ordenado sacerdote el 23 de marzo de 1703. Papá Vivaldi, hombre prevenido, había inscrito a su hijo en una carrera segura que le garantizase la consideración de los poderes civil y patriarcal y le permitieran tener acceso a todos los puestos. Una carrera, en definitiva, que facilitaba el camino a quien tenía inteligencia y capacidad para el arte. El músico Vivaldi, convertido en sacerdote, podría entrar como maestro de música o de instrumentos en uno de los hospicios ('ospedali', los llamaban) de la ciudad. Al mismo tiempo, nada le impediría recorrer un fructuoso camino en el campo del teatro.

Que le interesase más la música que una carrera eclesiástica lo prueba el hecho de que ya dos años antes de su ordenación sacerdotal el editor veneciano Gioseppe Sala publicó su *Opera prima,* una colección de sonatas a tres. Se trata de una fecha importante, ya que han transcurrido dos años desde su entrada en el 'ospedale' u hospicio de la

Arriba: **una reyerta entre «bravi» o matones, lo que constituía un nuevo aspecto de la Venecia de Vivaldi. Estos hampones eran tan corrientes que resultaba peligroso andar de noche por las calles, sin una adecuada escolta. Dos hermanos de Vivaldi se vieron envueltos en incidentes similares.**
A la derecha: **frontispicio de «Opera prima», impresa en 1705.**

Piedad. Firma el prólogo de su obra como «Rvdo. Antonio Vivaldi, músico de violín, profesor veneciano». Es su firma completa: sacerdote, solista de violín, profesor. Consagrará toda su vida a estas tareas tan diversas.

La Piedad es uno de los cuatro «ospedali» u hospicios establecidos en Venecia desde tiempo atrás para recoger e instruir —en la piedad, en las letras, en las artes, en la música— a las muchachas huérfanas, abandonadas o ilegítimas. Además del de la Piedad se hallan en plena actividad los hospicios de los Mendicantes, de los Santos Juan y Pablo, de los Incurables. El que gozará de más larga existencia será, precisamente, el de la Piedad, fundado en el ya lejano 1346. En él la música ocupaba un lugar preeminente, y las jóvenes instrumentistas y cantantes destacaban no sólo en Venecia, sino en Italia y en el extranjero, por la excepcional brillantez de sus ejecuciones, que con frecuencia eran públicas, ya con motivo de fiestas religiosas o civiles, ya por las visitas de personajes ilustres. Las más animosas gozaban de gran notoriedad: se hablaba con admiración de Pierina o Michieletta del violín, de Lucieta de la viola, de Cattarina del cornetín, de Luciana o Bianca Maria organistas. El hospicio estaba muy bien organizado, protegido y financiado. La Piedad será uno de los polos en torno a los cuales girará toda la vida del cura pelirrojo. Fue el otro, el teatro de Santo Angelo. Al comienzo de sus actividades en el hospicio estará bajo las órdenes de Francesco Gasparini (1668-1727), luqués, discípulo de Corelli, «maestro di coro» que permanece en Venecia hasta el año

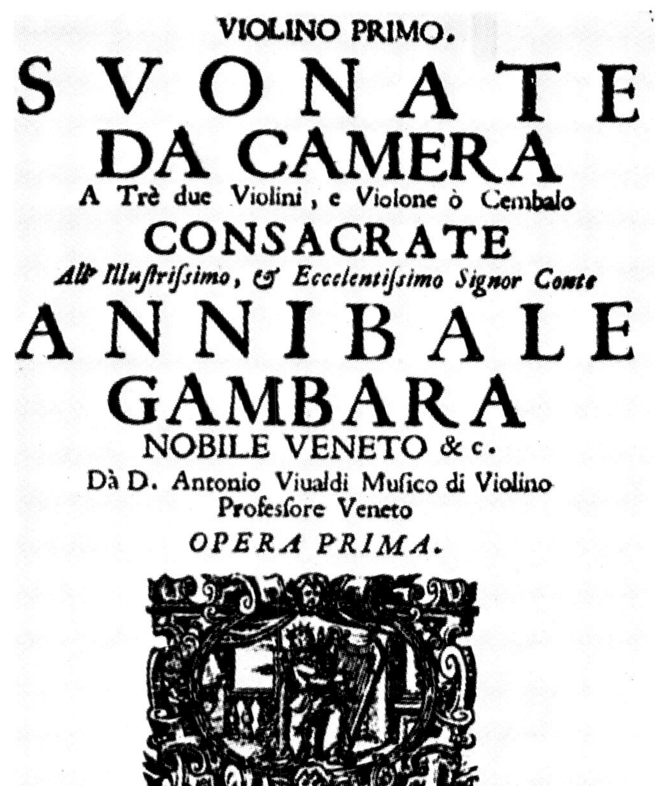

VIOLINO PRIMO.
SVONATE
DA CAMERA
A Trè due Violini, e Violone ò Cembalo
CONSACRATE
All' Illustrissimo, & Eccelentissimo Signor Conte
ANNIBALE
GAMBARA
NOBILE VENETO &c.
Dà D. Antonio Viualdi Musico di Violino
Professore Veneto
OPERA PRIMA.

«Riva degli Schiavon» con el «Hospicio» de la Piedad en un detalle de una lámina del siglo XVII.

1713. Gasparini, siempre ocupado en su producción teatral (en un año llega a dar ocho nuevas óperas en Venecia), descarga sobre los hombros de Vivaldi toda la responsabilidad de las enseñanzas y de la dirección musical del «ospedale». De esta actividad nace el Vivaldi instrumental, el Vivaldi de *Las Cuatro Estaciones.* Tal como ha escrito Carlo Goldoni, Vivaldi adquiere rápida fama como extraordinario violinista y como compositor de sonatas. También editará en Venecia su *Opera seconda;* después, disgustado con los editores locales (demasiados errores), hará imprimir el resto de su producción en Amsterdam, en donde se reimprimen sus dos primeras obras.

Pero el genio vivaldiano no se manifiesta rotundamente en las sonatas, sino en los conciertos de su imortal *Opera terza,* (Amsterdam 1711). Se trata del famoso *Estro armonico,* triunfo de la fantasía, del ritmo y de la melodía. Esta música hace que la fama de Vivaldi se extienda por todos los lugares de Italia y de Europa. Se trata de doce conciertos que muestran, con extrema claridad, la fuerza expresiva de que estaba dotado el arte compositivo del veneciano. Bastaría compararla con las más importantes obras de Torelli y de Albinoni para comprender la revolución que significaba en el campo del concierto. La impresión entre los entendidos y los compositores de la época fue enorme. Era una racha de aire, un vendaval de ideas nuevas en una producción fascinante, pero arcaica.

La colección está formada por tres 'concerti grossi' (uno, original y audaz, en tres tiempos), cuatro 'concerti grossi' con un «concertino» de cuatro violines, cuatro 'concerti solistici' y uno para dos violines solistas. Vivaldi dedicó su primera gran obra a Fernando III, «Gran Príncipe de

«Cantata de las Muchachas a los Duques del Norte», de Gabriel Bella: Las muchachas eran intérpretes dotadísimas, cuya formación musical se desarrollaba en los hospicios. Con un grupo de estas chicas, Vivaldi pudo experimentar sus ideas musicales.

Toscana» y se firmó «músico de violín y maestro de conciertos del pío hospicio de la Piedad». El cargo de maestro de conciertos fue, sin duda, una de las muchas funciones que asumió en la Piedad durante años, tras actuar como maestro de capilla y maestro de coro. El *Estro armonico* fue experimentalmente contrastado con la ayuda de las muchachas de la Piedad, verdaderas especialistas en los más varios e inusuales instrumentos.

En la edición de los conciertos figura una interesantísima dedicatoria vivaldiana, dirigida «a los diletantes de la música», esto es, a los que experimentaban un dilecto placer en hacer música. Dice así: «La cortés complacencia que hasta ahora habéis concedido a mis debilidades, me ha persuadido para que intentara complaceros con una *Obra de Conciertos Instrumentales.* Me satisface confesar que si, en el pasado, mis composiciones, además de sus propios defectos tenían que soportar el perjuicio de las faltas de imprenta, ahora serán estampadas por la famosa mano de Monsieur Estienne Roger. Razón que me ha inducido a estudiar la manera de satisfaceros mediante la publicación de los Conciertos y me da valor para ofreceros muy pronto una nueva tanda de *Conciertos a cuatro.* Conservadme vuestra buena disposición y vivid felices. *Antonio Vivaldi.*» Se trata de una dedicatoria que demuestra la humildad y la afabilidad del cura pelirrojo.

El *Estro* es una obra genial y será la que mayor fascinación ejerza sobre Juan Sebastián Bach (1685-1750), que llegará a transcribir seis conciertos: tres para clavicémbalo, uno para cuatro clavicémbalos y dos para órgano. Bach se hallaba en Weimar por aquel entonces y tuvo acceso a los conciertos vivaldianos apenas habían salido de la prensa. Tal vez llegó a conocer algunos antes de que llegaran a imprimirse. Lo que atestigua, entre otras cosas, la atmósfera «italiana» difundida en la corte de Weimar, en la que la obra vivaldiana era

Cantata Delle Putte Delli
Ospitalli Nella Procuratia Fila
Monici Fatta Alli Duchi Dal
Norde
Della F

muy apreciada. Bach estudió profundamente la obra de Vivaldi; es casi seguro, en cambio, que Vivaldi no llegó a conocer nunca la de Bach.

Durante este tiempo el veneciano trabaja con extrema intensidad en una ciudad que parece la meca de la música y que ofrece, casi a diario, algún acontecimiento musical. En 1700 Albinoni publica su segunda obra (sinfonías y conciertos). En el teatro de San Juan Crisóstomo se dan dos óperas de Alessandro Scarlatti. Giovanni Rovetta y Vivaldi participan en una especie de torneo musical en casa del príncipe Ercolani, embajador imperial. En 1708 llega a Venecia Domenico Scarlatti para convertirse en alumno de Gasparini, «superior» de Vivaldi en la Piedad hasta 1713, y en el transcurso del mismo año se encuentra con Haendel. Acude a Venecia el rey de Dinamarca y en la Piedad se da un gran concierto con música de Vivaldi. Entre tanto, Benedetto Marcello publica sus *Concerti a cinque*. En 1709 se ejecuta en San Juan Crisóstomo la ópera *Agrippina*, de Haendel. Estas pocas referencias bastarán para demostrar cuáles y cuántas eran las actividades musicales en Venecia.

Vivaldi, en tanto, se hallaba en pleno fervor productivo. Tal como había prometido en la citada dedicatoria, entre los años 1712 y 1714 y tras el *Estro*, nace su *Opera quarta, La Stravaganza*, dedicada al noble véneto Vettor Dolfino. Se trata de dos libros de seis conciertos cada uno. Vivaldi, en el frontispicio, figura todavía como «maestro de conciertos» de la Piedad. Como la precedente, esta colección goza de un éxito enorme y pocos años más tarde el editor Walsh, lanza en Londres una edición no autorizada. También se sirve de Bach la *Opera quarta* para sus transcripciones: un concierto completo y un movimiento de otro.

¿Por qué el singular título de *Stravaganza*? Vivaldi quería referirse, sin duda, a las audacias armónicas de algunos conciertos: momentos de gran virtuosismo, «choques frontales» entre bloques instrumentales, páginas penetradas de una diná-

La deliberación del 27 de septiembre de 1711, con la que la Piedad toma a su cargo a Vivaldi como maestro de violín.

36.

ORFANE FILARMONICHE.

Nel numero delli molti Luoghi, et Opere pie, che in Venezia esi-
stono, si distinguono per principalissimi li Hospitali della Pietà, de
Derelitti, degl' Incurabili, e de Mendicanti; l'origine de quali non
è questo il momento d'esporla, quantunque prodotta da sola arden-
te carità verso bisognosi, e particolarmente in grazia di Figliole
del tutto, o in parte abbandonate. Alla cura di esse fu' data una
Priora d'abilità, e probità singolare, atta al governo, e direzione,
acciò come buona Madre di Famiglia con oculatezza, e gravità
applichi al importante Carico per il bene dell'anima, e dell'eserci-
zio di tante innocenti Fanciulle. Nel rimanente li Deputati
dalla Congregazione a tale incombenza, sopraintendono per il
di più, e similmente per le Maestre, Vestiarj, Cibarie, Visite,
Ricreazioni, [illegible], Collocazioni, e doveri del Coro, si per li
Feriali, che per li giorni Festivi secondo li obblighi ordinarj, et e-
straordinarj prefissi. Nella fondazione di essi non si usava la
Musica, ma solamente quasi a principj del secolo passato fu
introdotto il Canto fermo diretto da un Maestro con pochissima
spesa. Questo poi sospeso, indi ripigliato, finalmente verso il
1655, s'introdusse il figurato con maggior esborso, e non senza
qualche dissonanza agl' Instituti, e Regole di sì pii Conserva-
torj. Quale sia la positura presente, fra applausi, e gare, non è del
nostro impegno l'ingerirsene, solo accenneremo, che ogni Hospita-
le sostiene il dispendio di circa settecento Ducati all'anno, che
a chi per censo corrisponde a Capitali considerabili di Ducati
venti tre milla trecento trenta tre, e Grossi otto.

Alla Virtuosa Sig.a Beatrice Fabris, detta la Padovana, incompa-
rabile, e la più famosa era quella, che nella Chiesa de Mendicanti
riportarono universale applauso.

36.

El «Orfane filarmoniche», de «Las costumbres de los venecianos», de Grevembroch. Destaca en él la descripción cuidada y vivaz de estas muchachas y de sus costumbres.

mica agitada y muy vivaz que contrasta con momentos sumamente cantables (páginas que pueden figurar entre las más expresivas e inspiradas) y violines con unas características armónicas que no tienen parangón entre las composiciones de la época. Encontramos también una especie de frenesí popularista: un tema de danza, de extracción netamente popular, se repite sesenta y una vez con donosura, alegría y vivacidad sonora. El cura pelirrojo se abandona, como un chaval, al juego de una música que parece tener sus orígenes en una alegre y extravertida calle veneciana.

Pero Vivaldi no se dedica sólo a escribir sonatas y conciertos. Su cargo en la Piedad, especialmente después de 1713, se hace más complejo y compone algunos oratorios para ocasiones especiales. El *Moyses Deus Pharaonis* se estrena en 1714. Desgraciadamente, sólo nos ha quedado el texto, lo que ha ocurrido igualmente con *La Adoración de los Tres Reyes Magos al Niño Jesús,* interpretado en Milán en 1722. Hemos gozado de mejor fortuna con el *Sacrum militare oratorium,* ejecutado en la Piedad en 1716 sobre libreto de J. Cassetti con el título *Juditha triumphans devicta Holofernes barbarie.* El año anterior Gasparini se había ausentado de Venecia por seis meses «con el fin de recuperarse de las indisposiciones y para atender los apremiantes asuntos de su casa» y Vivaldi fue llamado para substituirle. Cobró una gratificación extraordinaria de cincuenta ducados por «las notables aplicaciones y los fructuosos trabajos prestados por él mismo, no sólo en la educación de las muchachas en los conciertos sino también por las virtuosas composiciones musicales aportadas durante la ausencia del maestro Gasparini». Una de estas «virtuosas composiciones» fue nada menos que la *Juditha,* que suscitó entre el público una impresión maravillosa, superior a la que había producido la

(sigue en la página 162)

Tiorba, trompa marina y otros instrumentos antiguos en la orquesta vivaldiana

¿Qué instrumentos ha usado Vivaldi, además de los habituales que han llegado luego intactos hasta los conjuntos modernos (violines, violas, violoncelos, contrabajos, oboes, trompetas, cuernos, fagots y flautas)? En el campo de los instrumentos de arco merece señalarse particularmente el violín llamado "trompa marina" (usado, por ejemplo, en el Concierto en do mayor *para dos de estos instrumentos, junto con dos flautas dulces, dos trompas, dos mandolinas, dos caramillos, dos tiorbas y un violoncelo, curiosa y fascinante formación). ¿En qué consistía la "trompa marina" o "violitromba"? Se trata de un instrumento medieval de cuerda, originario tal vez de la Europa oriental. Era triangular, de unos dos metros de largo y que contaba de una a tres cuerdas. Se tocaba apoyando la parte más voluminosa en el suelo y rozando las cuerdas con los dedos o con un arco. Tenía un timbre similar al de la trompa y se usaba para sustituirla, sobre todo en los monasterios, de ahí el nombre alemán de* Nonnegeige *(violín de las monjas) o también* Marientrompete *(trompa de las Marías). Parece que durante un tiempo lo utilizó también la marina inglesa (quizás del hecho provenga su nombre) como instrumento de señales. En el Seiscientos la caja de resonancia venía armada con numerosas cuerdas que vibraban al unísono con la principal, dando por ello una eficaz impresión de "trompa".*

Otro instrumento, mucho más usado aun, es la viola de amor, a la que Vivaldi ha dedicado bellísimas páginas, asociándola quizás al laúd. La palabra "viola" servía para indicar cualquier instrumento tocado con arco; tal grupo tuvo, paso a paso, amplísima difusión durante el Renacimiento, sobre todo en Italia, pasando luego a Inglaterra y a la Europa central.

La viola de amor forma parte de la familia de la viola 'da gamba', con seis o siete cuerdas dobles, y se toca apoyándola sobre un hombro. No es fácil decir de dónde proviene su nombre: si del sonido, dulce y aca-

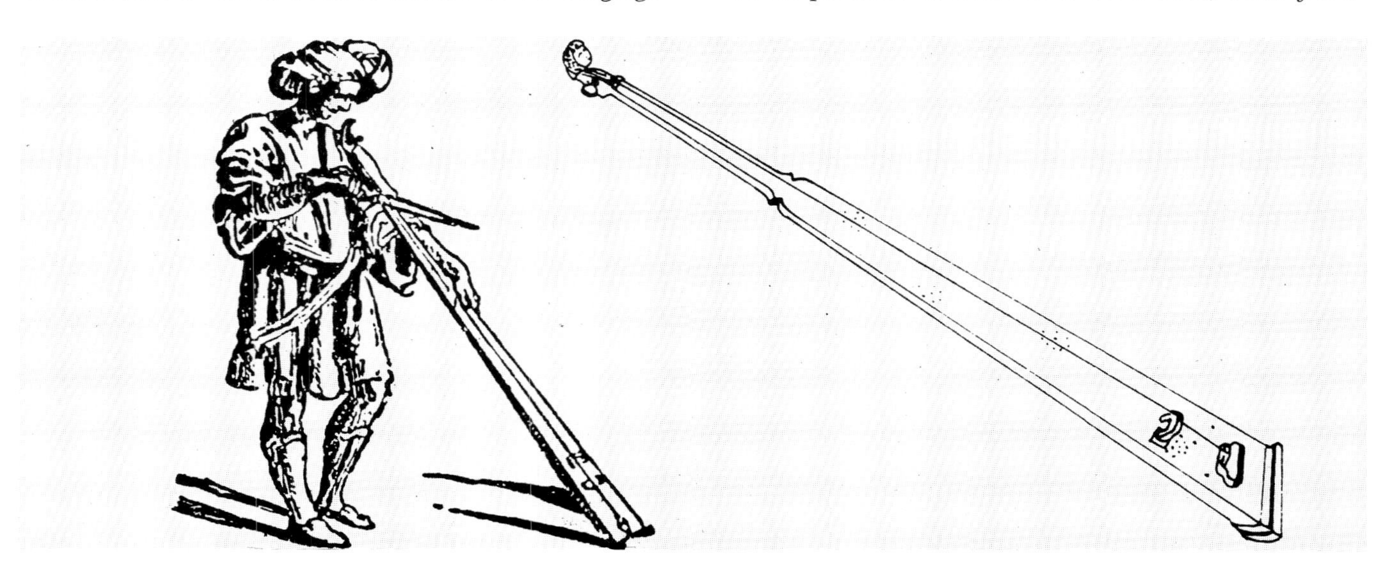

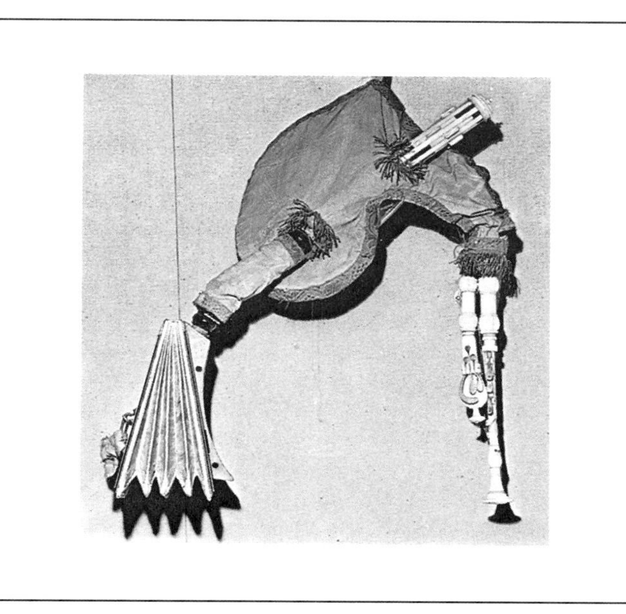

Salvo excepciones, los instrumentos musicales de hoy vieron su nacimiento en tiempos muy lejanos, experimentando transformaciones poco a poco. Naturalmente, una parte de dichos instrumentos ha caído en desuso. He aquí algunos de los que existían en los tiempos de Vivaldi, si bien cabe observar que entonces eran ya «antiguos». En la página anterior: **dos trompas marinas.** En esta página, arriba: **una «viella»**; abajo: **una «musette».**

riciante, o de un instrumento llamado «viola 'da mori'». En la familia de las antiguas violas, este instrumento es el que más interesó a los compositores; en los tiempos de Vivaldi estaba aún muy difundido, pero ya hacia finales del Setecientos su vida acabó, salvo pocas excepciones (la usaron una sola vez, por ejemplo, Meyerbeer, Charpentier, Massenet, Richard Strauss y Ghedini y dos veces Hindemith). Actualmente ha vuelto a un primer plano escénico en el uso concertístico por el renovado fervor que ha suscitado también la música barroca, en la que la viola de amor desempeña un papel muy importante.

En Vivaldi y en la familia de las violas halla también su puesto la ''viola a la inglesa'', pariente cercano del instrumento precedente, que cuenta con 14 cuerdas. En efecto, en el Setecientos fue dado el nombre de English violett, *en Inglaterra, a la viola de amor, por lo que los dos instrumentos a veces se confunden. En la orquesta actual la viola a la inglesa se sustituye, prácticamente, por la viola de amor. Vivaldi la empleará admirablemente en el* Concierto fúnebre *(para violín, oboe, caramillo, tres violas a la inglesa, cuerdas y bajo continuo) y en otro concierto junto con tres violines, oboe, dos flautas dulces, dos caramillos, dos violoncelos, dos clavicordios, dos trompetas y cuerdas: una nueva muestra del genio experimental sonoro que caracterizaba al cura pelirrojo.*

Las seis sonatas del Pastor fido *pueden ejecutarse, como viene siendo escrito en el título, también por ''viellas'' y por otros instrumentos. ''Viella''* (Fidel, *en alemán) era el nombre genérico dado a los instrumentos de arco que iban del siglo* IX *hasta el siglo* XIV. *La voz germana deriva del latín* fidula. *Era el instrumento predilecto de los juglares y trovadores de la*

Arriba: **tres violas «da gamba»; una viola «bastarda», y una lira de brazo.**
Abajo: **varios tipos de flauta dulce, de flauta travesera y un pequeño tambor.**

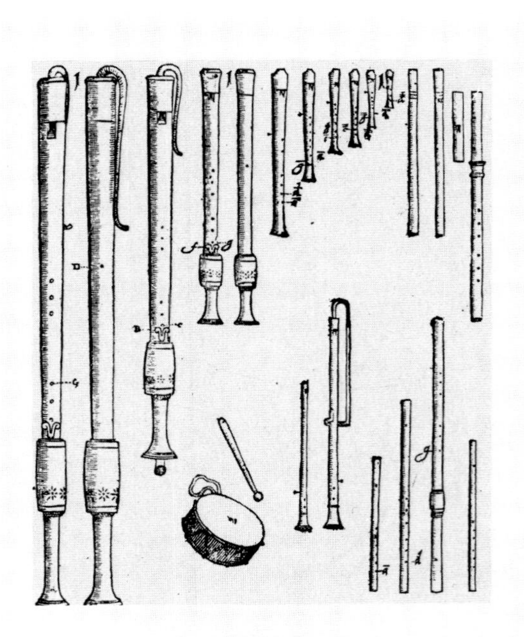

Francia meridional. La viella tenía cinco cuerdas, pero parece que las hubo también con cuatro. Poco a poco este instrumento fue pareciéndose cada vez más a la viola 'da braccio', en cuya plantilla acabaron por fijarse después todos los instrumentos de arco, de los cuales es precursora la viella. La hallamos, con varias formas, en pinturas de distintas épocas. Se tocaba con arco encorvado y apoyándola sobre el pecho.

El Pastor fido *puede tocarse también con ''musette'', especie de cornamusa (quizás de origen escocés o irlandés) de tamaño más pequeño (de ahí ''pequeña musa'' o ''musette''). Este instrumento trae un fuelle que se maneja con la mano izquierda para llenar de aire el saco. Fijados a dicho saco figuran un tubo-bordón constituido por un cilindro que contiene una serie de tubos y dos caramillos de distintas extensiones. El instrumento perfeccionado, salido del campo pastoril, pasó a formar parte de los instrumentos llamados ''nobles'' (especialmente en la Francia del siglo XVII) y fue introducido en la orquesta por Lully y Rameau.*

Sin apartarnos del campo de los instrumentos de viento recordemos también que Vivaldi indicó en un concierto (en do mayor, Para la solemnidad de San Lorenzo) *el instrumento llamado ''claren''. Se trata, evidentemente, del antiguo clarín que, en realidad, era una trompeta aguda del tipo de las usadas por Bach en muchas de sus obras. Ya en 1607 Monteverdi había introducido cinco trompetas (en la ''Toccata'' de obertura) para la orquesta de la ópera* Orfeo *y una de ellas era, precisamente, el clarín.*

La flauta dulce fue muy usada por Vivaldi y, en nuestros tiempos, ha recuperado su justa fama. Flauta dulce, flauta recta, flauta de pico (Blockflöte *la llaman los alemanes,* flûte à bec *los franceses): todos estos términos indican el mismo instrumento. Tiene la forma de la flauta en su versión más antigua (atestiguada por vez primera en una miniatura francesa del siglo XI), con los agujeros en el tubo recto. Tiene un sonido dulce y tenue.*

La flauta era uno de los protagonistas de la música instrumental hasta el siglo XVIII, cuando se ve suplantada por la flauta travesera, ya que no tenía la fuerza, la brillantez y la agilidad de esta última.

En determinadas ocasiones Vivaldi incorporó a la orquesta el caramillo, que es el salmoè *de los italianos, el* chalumeau *de los franceses y el* schalmei *de los alemanes. Tiene la antigua forma del pífano (su sonido recuerda el de la cornamusa de los Abruzos) y puede considerarse como un precursor del oboe. Pero probablemente Vivaldi se refería, con su singular ''barbaris-*

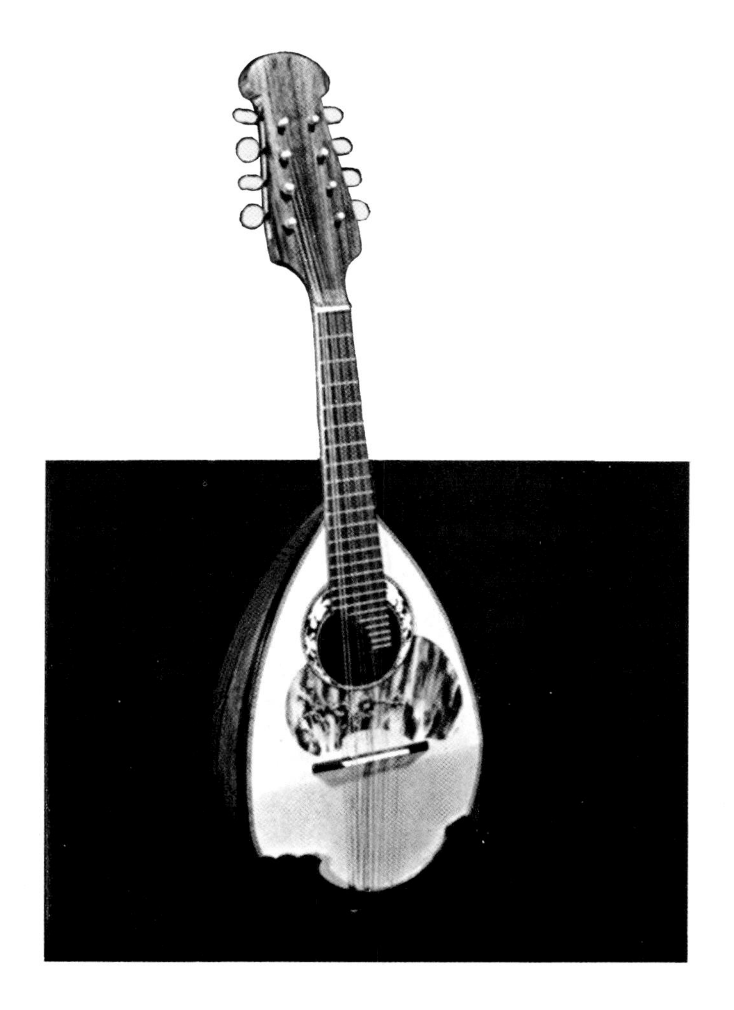

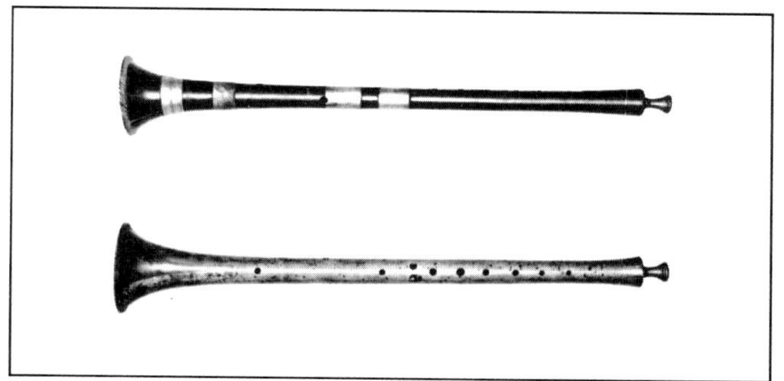

Arriba, a la izquierda: **una mandolina**; extremo superior: **dos caramillos**; debajo: **un laúd.**

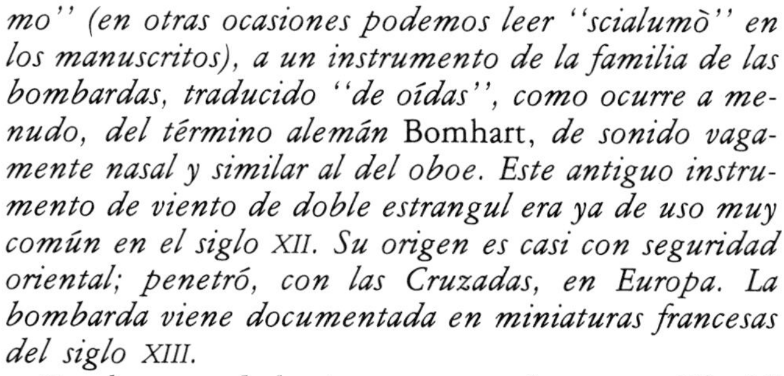

mo" (en otras ocasiones podemos leer "scialumò" en los manuscritos), a un instrumento de la familia de las bombardas, traducido "de oídas", como ocurre a menudo, del término alemán Bomhart, *de sonido vagamente nasal y similar al del oboe. Este antiguo instrumento de viento de doble estrangul era ya de uso muy común en el siglo* XII. *Su origen es casi con seguridad oriental; penetró, con las Cruzadas, en Europa. La bombarda viene documentada en miniaturas francesas del siglo* XIII.

En el campo de los instrumentos de punteo, Vivaldi ha usado el laúd, la mandolina y la tiorba. El laúd, corrientísimo instrumento antiguo, observable por el testimonio de innumerables pinturas, entra ahora en el sector concertístico como consecuencia del nuevo florecer de la música renacentista y barroca. El laúd llega a España en el siglo X *durante el dominio islámico. Floreció entre los siglos* XV *y* XVII, *para decaer definitivamente con la llegada del clavicordio de martillos. Pasó más tarde de España a Francia e Italia y tuvo gran difusión en todas las clases sociales. Fue considerado un instrumento ideal por sumarse a la perfección a las voces humanas y a los demás instrumentos. La educación musical no se consideraba completa sin el dominio de este instrumento. Es característico su mástil doblado, con cuatro o seis cuerdas dobles, de difícil afinación. Así pudo escribir J. Mattheson, en 1713,*

Arriba: **una intérprete de tiorba.**
A la izquierda: **detalle de la pintura «Vestuario de una Dama Noble», de Gabriel Bella. Músicos y cantantes participaban en todas las ceremonias de relieve, a cuyo éxito contribuían de manera determinante.**
A la derecha: **«El pequeño concierto», de Pietro Longhi. La música era la distracción preferida de las familias acomodadas; todos sus componentes sabían tocar, al menos, un instrumento.**

con cierta agudeza: "Un lautista que haya llegado a los ochenta años de edad habrá dedicado sesenta, con seguridad, a afinar el instrumento. Pero he aquí lo peor: entre cien ejecutantes, sobre todo si son aficionados, resultará difícil hallar dos capaces de afinar decentemente. Son tantas las cuerdas, tantos los trastes o las clavijas que el resultado deja mucho que desear. Me han dicho que en París la manutención de un laúd cuesta tanto como la manutención de un caballo".

La tiorba pertenece a la familia del laúd: un laúd bajo, con cuerpo más desarrollado y mástil más largo. Sus orígenes precisos se ignoran; durante el siglo XVI se comprueba la presencia de muchos constructores de tiorba en Padua. La necesidad de sostener la parte del bajo a causa del desarrollo de la música instrumental induce a añadir cuerdas largas al laúd común, dando origen, entre otros instrumentos, a la tiorba, que se empleó mientras duró la práctica del bajo continuo. Era, pues, un importante instrumento de las orquestas de los siglos XVII y XVIII. En la corte de Viena de 1755 los tiorbistas tenían todavía notable presencia en la orquesta. Vivaldi utilizó magníficamente la tiorba en un par de conciertos.

La mandolina forma parte también de la familia del

laúd. Su situación cronológica es incierta y compleja. Sea como fuere, derivó del laúd y, particularmente, de un instrumento mayor, la "mandola" o "mandora", de la que se diferencia por la forma de espátula del clavijero. Instrumento italiano de origen meridional, en el siglo XVI *la mandolina se difunde con rapidez (son muchos los tipos, que se diferencian de una a otra región) y en la segunda mitad del siglo* XVIII *se usaba mucho también en otros países europeos. Por lo regular, tiene cuatro cuerdas dobles. Vivaldi ha escrito música bellísima para este simpático instrumento: entre otras obras, un concierto para mandolina y orquesta y otro para dos mandolinas y orquesta; además, hizo que intervinieran dos en aquel* Concierto en do mayor *antes mencionado, que vio reunidos felizmente violines con trompa marina y otros varios instrumentos.*

Con estas breves notas podemos darnos cuenta del valor que ha tenido en la obra vivaldiana la búsqueda instrumental. La "curiosidad sonora" del cura pelirrojo no tenía límites. Vivaldi fue, como todos los grandes de la música, un excepcional explorador y buscador del sonido, del que dilató el reino y del que nos ofreció múltiples testimonios creadores de extraordinaria belleza.

Un típico concierto del siglo XVIII, celebrado al aire libre para diversión de los nobles; la lámina es de Giuseppe Poggiali.

Stravaganza. Dicho oratorio nace de una circunstancia civil y militar. Eran momentos en los que Venecia se mecía en la ilusión de ser todavía una gran nación europea, no una potencia en plena y dramática decadencia, a pesar de la victoria de Peterwardin y la reconquista de Corfú a los ejércitos del Sultán (representado en el oratorio militar por Holofernes). El entusiasmo provocado por la *Juditha* no se debió sólo a su fuerza musical y dramática, sino también a los motivos patrióticos que se hacían patentes en su argumento.

Vivaldi, entretanto, componía sin cesar: conciertos, óperas, música sacra. Al mismo tiempo, cuidaba la edición de sus propias composiciones, de manera que entre 1716 y 1717 aparecieron en Amsterdam las *Opera quinta, sesta* y *settima.* La citada en primer lugar es un libro de sonatas, la segunda seis conciertos para violín, la tercera doce conciertos, dos de los cuales son para oboe. Es la primera vez que en un concierto vivaldiano no es solista el violín. Pero como ya se ha dicho, Vivaldi fue uno de los más grandes investigadores de los timbres instrumentales. Las «muchachitas» de la Piedad, divididas en dos grupos, el «coro» y el «común», guiadas por varios «maestros» que se situaban como asistentes, casi como «maestros substitutos» al lado del director, suministraban continuamente excelentes ejecutantes tal como ya hemos comentado. Por esta razón Vivaldi extiende su búsqueda musical hasta los más diversos instrumentos: no sólo al violín y al oboe, sino también a la viola de amor, a la mandolina, a la flauta travesera y a la de pico, al flautín, al fagot, a las trompetas, a las trompas, al laúd, a las tiorbas (una especie de laúd emparentado con el célebre pero, por aquel entonces, ya olvidado «chitarrone»). Fue una búsqueda que duró toda una vida y que no sólo se experimentó en el interior de la enorme producción concertística, sino que, también, se proyectó sobre la música de teatro.

Pero Vivaldi no abandonó nunca el violín. Han llegado hasta nosotros interesantes testimonios de

Arriba: manuscrito del oratorio «Juditha triumphans», representado en 1716. Las correcciones son del propio Vivaldi.

viajeros y de músicos que nos hablan de su habilidad instrumental y de su actividad como compositor. A petición propia, Vivaldi entrega a Johann Friederich von Uffenbach, arquitecto de Frankfurt, diez conciertos afirmando (¿será verdad?) haberlos escrito en tres días. No para de componer, especialmente conciertos y óperas. Por la dedicatoria de la *Opera ottava* nos enteramos de que no sólo es «maestro de conciertos» de la Piedad, sino también «maestro de Capilla y de Cámara de Su Alteza Serenísima el señor Príncipe Filippo, landgrave de Hasse-Darmstadt». El landgrave tenía su corte en Mantua, ciudad de la que Vivaldi fue huésped durante tres años, con breves interrupciones. Vivaldi, siempre más y más atenazado por su actividad teatral, comenzó a descuidar su labor en la Piedad (estamos rondando los años veinte). En 1720 el consejo del *Ospedale* considerando que la ausencia —mejor dicho, las ausencias— ponían en peligro la regularidad de la enseñanza, proponen la admisión de un maestro de violoncelo, Antonio Vandini, apellido que, curiosamente, hallamos en un libreto de la ópera *Aristide* fechada en Venecia el día de San Samuel: libreto de Cándido Grolo y música de *Lotavio Vandini,* anagramas evidentes de Carlo Goldoni y de Antonio Vivaldi. El Vandini violoncelista, candidato a la Piedad, era un boloñés, amigo de Giuseppe Tartini, que de Bérgamo había pasado a Padua. Tras un período de residencia en Praga, Vandini se estableció en Padua y ya no pensó más en la Piedad veneciana. Vivaldi, de un modo u otro, conseguía mantener en mayor o menor grado sus obligaciones con la Piedad, que le pedía —y el músico se había comprometido a hacerlos— dos conciertos mensuales cuando menos.

En medio de este «furor» compositivo nace la *Opera ottava,* dada a la imprenta en Amsterdam en 1725. Son doce conciertos reunidos bajo el celebérrimo título de *Il cimento dell'armonia e dell'invenzione* («Ensayo de la armonía y de la invención»), dedicados al conde Wenceslao de Marzin. En el *Cimento* se contienen *Las Cuatro Estaciones,* sin duda los cuatro conciertos más célebres en todo el mundo. Esta obra es un verdadero reto al propio

IL CIMENTO DELL' ARMONIA
E DELL' INVENTIONE
CONCERTI
a 4 e 5
Consacrati
ALL' ILLUSTRISSIMO SIGNORE
Il Signor Venceslao Conte di Marzin Signore Ereditario di Hohenelbe Lomniz, Tschista Krzinetz Kounitz Doubek et Sowoluska, Cameriere Attuale, e Consigliere di S. M. C. C.
DA D. ANTONIO VIVALDI
Maestro in Italia dell' Illustris.mo Signor Conte Sudetto, Maestro de' Concerti del Pio Ospitale della Pietà in Venetia, e Maestro di Capella di Camera di S. A. S. il Signor Principe Filippo Langravio d' Hassia Darmistath.
OPERA OTTAVA
Libro Secondo
A AMSTERDAM
Spesa di MICHELE CARLO LE CENE
Libraro
N.o 521

Vivaldi, a su época y a la música de su tiempo. Verdad es que con esta colección Vivaldi no impone su visión del mundo de los sonidos (ya hemos visto la «polvareda» levantada por los conciertos del *Estro* y de la *Stravaganza*). Vivaldi no fue un músico que, instrumentalmente hablando, hiciese concesiones a lo consuetudinario, a lo normal, a lo decadente. Si tomó del pasado formas y estructuras, las trituró dentro de sí, las transformó, las rubricó con fuerza tan autónoma que le convirtió en uno de los músicos más personales de su tiempo, comparable a Haendel y a Bach. Nadie antes que él, por noble y gran artista que hubiese sido, logró un impulso dinámico tan irresistible. Nadie, jamás, se sirvió con tanta simplicidad y facilidad, de una paleta tan rica en colores. Dinamismo y colorido son los dos máximos componentes del arte de Vivaldi que, aún hoy —y tal vez nunca como en nuestros días— fascina, sorprende, agita y conmueve.

Para no salir del mundo de la *Opera ottava* profundicemos en el tema de la *Primavera*. En la historia Vivaldiana, se presenta como una especie de *leitmotiv*, de motivo conductor, cargado de misteriosos y, al mismo tiempo, espléndidos significados. Bajo formas diversas hallamos este tema innumerables veces, en conciertos y en óperas: al final de la sinfonía y en el coro de los pastores de la *Dorilla in Tempe,* en una breve música interna del primer acto del *Giustino,* en el primer tiempo de un concierto para violín y dos violoncelos, en la *Sonata en sol menor para violín, flauta y oboe,* en arias de *Tito Manlio, Giustino, La Fida ninfa* y en la cantata *Gloria e Himeneo.*

Hablando de la *Primavera,* es inevitable discutir su naturaleza y su evidente intención musical dentro de la producción vivaldiana. ¿Se trata de un descriptivismo musical, puro y simple? ¿Pretende Vivaldi que su música establezca un punto de contacto con las cosas que vemos, tocamos y senti-

A la izquierda: **frontispicio del «Cimento dell'armonia e dell'invenzione», obra escrita alrededor de 1720.**
A la derecha: **las «Cuatro estaciones», láminas de la época inspiradas en la más famosa de las obras maestras de Vivaldi.**

mos? No es la suya una hábil descripción o imitación de la naturaleza, solamente; es una verdadera meditación sobre los sentimientos, sobre las impresiones que la naturaleza suscita en nosotros. Quizás resultaría más justo emplear el término «impresionismo» (con toda la limitación conveniente) en lugar del inexacto y poco adecuado «descriptivismo». Sabemos que este término llegó mucho más tarde, con Beethoven y su sexta sinfonía *Pastoral,* o con Debussy y su poema sinfónico *El mar.* Desde que la música organizada existe, el compositor ha intentado pintar y captar el sentido de la naturaleza. La música, a menudo, ha ido a la búsqueda de aquella otra «música» existente en la naturaleza y en sus manifestaciones.

En Vivaldi no son sólo las *Cuatro Estaciones:* son el *Sueño,* la *Noche,* la *Caza,* la *Tempestad en el mar,* el *Jilguero,* la *Pastorcilla.* Son muchos movimientos del alma como el *Placer,* la *Inquietud,* la *Sospecha,* el *Enamorado;* son el *Reposo,* el *Favorito,* el *Madrigalesco.* Es la música «fúnebre» o la música «rústica». Lo descriptivo ha triunfado siempre (no olvidemos los grandes clavecinistas franceses) e, incluso, tentó más de una vez a Bach. Los italianos, sin embargo, no habían cedido demasiado a esta tendencia: los raros ejemplos que nos aporta el clavicémbalo de Domenico Scarlatti son excepción que confirma la regla. Sólo Vivaldi afronta el arduo tema de la descripción musical; sus *Estaciones* constituyen el ejemplo más clamoroso.

Como es sabido, cada uno de los conciertos de las *Estaciones* va precedido de un «Soneto demostrativo sobre el Concierto titulado... del señor Don Antonio Vivaldi». Algunas letras mayúsculas precediendo los versos sirven de referencia al contenido de las partituras. Tales mayúsculas trasladadas al texto musical, nos llevan de la mano al significado del texto literario. ¿De quién son estos sonetos? Es difícil contestar. Con seguridad, no de un gran poeta. En relación con la procedencia de estos sonetos, los estudiosos vivaldianos han dividido sus opiniones. Recientemente se ha aventurado la hipótesis de que los sonetos fueron escritos por el propio Vivaldi. Entonces se impone una pregunta inmediata: ¿los sonetos descriptivos nacieron antes o después que los conciertos? El dilema no es tan peregrino como podría parecer a simple vista. La hipótesis de un Vivaldi «poeta» guiaría a algunos hacia otras consecuencias, como la de que Vivaldi habría escrito los versos *después* que los conciertos. De ser cierta, tal presunción daría mayor fuerza a la capacidad inventiva de Vivaldi. Sea como fuere, permanece el hecho de que —aunque a algunos el *Invierno* les parezca un tanto débil— el conjunto de los cuatro conciertos es el don divino y extraordinario de un genio que se nos ha concedido a todos nosotros. Un don hecho de cantos de alegría, melancolía sutil y alegría serena.

Esta ha sido y es la obra más querida y celebrada de Vivaldi; la cita Carlo Goldoni y gozó de fama singular en Francia, donde fue ejecutada una y otra vez, al menos hasta la Revolución de finales de siglo. En un diccionario histórico de Caen, con fecha de 1765, viene citada como la obra más importante de Vivaldi. El compositor francés Michel Corette (1709-1795) hizo escuchar un *Salmo* subtitulado «motete para gran coro, derivado del concierto la *Primavera* de Vivaldi». Las *Estaciones*, que tantas veces fueron interpretadas, también fueron reimpresas en varias ocasiones. Jean-Jacques Rousseau, filósofo y músico, hace de la *Primavera* un concierto para flauta sola. Aunque sea para detractarle, la *Encyclopédie*, en su artículo *«concert»* habla extensamente de Vivaldi. En Inglaterra, al menos hasta 1770, se sucedieron las reimpresiones de *Las Cuatro Estaciones.*

Los cuatro conciertos están concebidos para violín principal, cuerdas (primeros y segundos violines, violas, bajos) y órgano o clavicémbalo. En ellos la libertad compositiva de Vivaldi es total. El compositor parece haber confiado generalmente a dos fuentes instrumentales (la orquesta por un lado, el solista por otro) papeles bien definidos. Corresponde al conjunto de instrumentos de arco la misión de crear la escena, de evocar la atmósfera, el clima, el ambiente en que aquélla se desarrolla. Corresponde al solista evocar los detalles pintorescos o psicológicos. No obstante, lo que acabamos de exponer no se sigue rígidamente, tal vez porque Vivaldi confía algunos detalles a la orquesta. Por ejemplo: las violas evocan el ladrido de los perros, los violines imitan las moscas y los mosquitos, los violoncelos simulan el hipo de los borrachos. Las imágenes sonoras del genio de Vivaldi son tales y tantas que al cabo de doscientos años, su invención tan italiana no ha perdido nada de su frescor, su color y su vida. Vivaldi es uno de los pocos que han impulsado, de modo decisivo, la evolución de las formas musicales. La estructura tripartita (allegro-adagio-allegro), que está en los fundamen-

Una tienda del siglo XVIII, en la que se fabricaban instrumentos de arco. Estos artesanos desempeñaban un papel esencial en el desarrollo de la música barroca; llevaron los instrumentos, sobre todo los de cuerdas, a un alto nivel de precisión, que condujo a nuevas técnicas ejecutivas y compositivas.

tos de la innovación vivaldiana, alcanza en *Las Cuatro estaciones* la plenitud de su evidencia.

La habilidad de Vivaldi en las *Cuatro Estaciones* nace del hecho de que la forma concierto, llevada a la perfección en sus líneas técnicas, ha permanecido tal cual. La ha adaptado, con extrema naturalidad, a la narración en cuatro «historias» del girar del tiempo sobre la tierra y entre los hombres. Y esta descripción sobre las *Estaciones* puede hacerse extensiva a otra temática en los conciertos vivaldianos anteriormente mencionados.

Mientras las *Estaciones* recorrían Europa, Vivaldi no descansaba un momento. Después de *Il Cimento,* nos da *La Cetra* ('La Cítara') en 1727. Una vez más se repite el número mágico de doce: once conciertos para violín y uno para dos violines. La colección, verdadero homenaje a aquel «espíritu de geometría» que anima el Setecientos, tiene una disposición interna muy bien calculada, rigurosamente simétrica, como si estuviese sometida a una precisa voluntad de conferir importancia y fuerza al número. (En 1738 se publicará otra *Cetra,* esta de Alessandro Marcello, autor del célebre concierto para oboe.) Posteriormente las obras vivaldianas dadas a la imprenta se intensifican. Durante los años 1727, 1728 y 1729 aparecen las *Opere decima, undecima, dodicesima:* seis conciertos para flauta travesera, seis para violín y otros seis, también para violín.

Con estas tres obras concluye la producción vivaldiana pasada a la imprenta. Quedarán decenas y decenas de manuscritos, custodiados hoy en gran parte en la Biblioteca nacional de Turín o en Dresde. Nos hallamos frente a una masa que se aproxima a los cuatrocientos conciertos. Recientemente el estudioso danés Peter Tyom ha reorganizado la imponente labor llevada a cabo, precedentemente, por otros beneméritos estudiosos, como Mario Rinaldi, Remo Giazotto, Antonio Fanna, Marc Pincherle, Gian Francesco Malipiero. La paciente dedicación de estos estudiosos permitió que emergiera de las tinieblas la figura de Antonio Vivaldi.

Música sacra en la tradición veneciana

El mayor daño de tan largo olvido lo sufrieron dos géneros que, todavía hoy, son los menos destacados dentro de la producción del cura pelirrojo: la música operística y la sacra. La música sacra durante muchísimo tiempo no sólo fue esquivada en la ejecución práctica, sino también a la hora del estudio y el análisis. Así fue adquiriendo fuerza la opinión de que la música vocal vivaldiana no merecía el esfuerzo de una nueva exhumación y de una revisión esmerada. Se conocían unos pocos motetes, hoy conservados en París y en Dresde. Sólo cuando se tuvo acceso a la Biblioteca nacional de Turín se advirtió el «peso» de Vivaldi en este

Arriba: **manuscrito del «Gloria», de Vivaldi.**
A la derecha: **la «Procesión ducal», de Matteo Pagan.**
El dux (a la derecha, bajo la sombrilla) era el símbolo de la Serenísima, que tal nombre recibía también la República Veneciana y, como tal, objeto de una reverencia casi religiosa.

campo. En la colección Foà-Giordano figuran no menos de cinco volúmenes de música religiosa, dos volúmenes de cantatas profanas y doce volúmenes de partituras de óperas. Alfredo Casella (que en 1939 organizó en Siena, en colaboración con otros, una memorable semana vivaldiana) ha escrito: «Ya en un primero (y emocionante) contacto con aquellos manuscritos pude reconocer inmediatamente que el Vivaldi creador de música sacra no era inferior al de los conciertos instrumentales. La prodigiosa riqueza de la invención musical, la suprema nobleza de la melodía, la fuerza dramática (que tanto recuerda el ardor colorístico de los grandes pintores venecianos), el magisterio en la conducción de la polifonía del coro, el maravilloso dinamismo de la parte instrumental que desarrolla, paralelamente con las voces y el coro, un movimiento independiente e incesante que deja ya entrever el sinfonismo wagneriano, la intensidad emotiva, en fin, de estas varias composiciones, todo ello ilumina a Vivaldi con una luz nueva, revelando al mismo tiempo la profunda, la incomprensible injusticia de la suerte que ha tendido un velo denso de silencio sobre arte tan maravilloso, silencio análogo al que sufriera la obra de Bach durante un siglo después de su muerte o a aquel otro, tricentenario, que hasta ayer nos ha mantenido ignorantes de Claudio Monteverdi.»

Vivaldi tiende sus alas sobre el mundo sacro y nada deja sin explorar: misas, salmos, «magnificat», himnos, secuencias y otros textos litúrgicos, motetes, «introducciones» y oratorios (de los que sólo nos ha llegado *Juditha).* Nada, de este enorme caudal, ha sido impreso en vida de Vivaldi. Aún en nuestro tiempo, sólo una pequeña parte de esta obra ha sido revisada y editada. Tal como escribe Marc Pincherle, Vivaldi ha sido víctima de un principio tradicional, no superado, que concede a

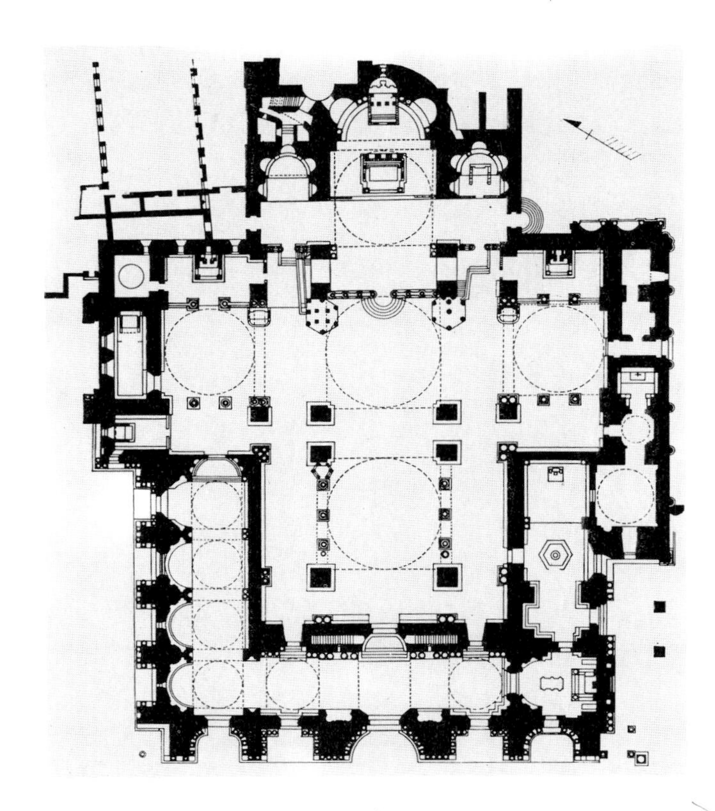

Arriba: **planta de la Basílica de San Marcos. En azul, las dos naves contrapuestas en cada una de las cuales un órgano y un grupo de coristas creaban un prestigioso efecto estereofónico.**

Arriba: **«Sinfonía ambulante»** (izquierda) e **«Incitación a la devoción religiosa»** (derecha), **de Grevembroch. La música estaba presente en todos los acontecimientos civiles o sagrados; servía para subrayar el carácter del acontecimiento celebrado y reclamar sobre él la atención de los ciudadanos.**
En la página contigua: **representación de un melodrama veneciano, según una pintura anónima del siglo XVIII.**

los artistas un solo don y no admite, por ejemplo, que un virtuoso pueda ser un compositor válido o que un buen especialista de música instrumental pueda brillar en la música vocal. El atento examen de las composiciones vocales del veneciano, sacras o profanas, descubre la extraordinaria maestría y genialidad del compositor. Las opiniones expresadas hace cuarenta años por Casella mantienen su validez.

Se aprecia, en el Vivaldi sacro, un perfecto conocimiento de la escritura vocal, de los efectos dramáticos que una voz puede llegar a expresar. La escritura orquestal es la de un hombre que sabe adaptar la orquesta a las exigencias de la voz y del texto, con una disposición característica de quien sabe dominar con facilidad sus propias tendencias musicales y su inspiración, para servir exigencias del momento. En una colección francesa de 1739, de dieciocho arias hay, al menos, ocho de Vivaldi. El compositor alemán del siglo XVIII Johann Mattheson ha escrito que «las composiciones vocales de Vivaldi están escritas tan hábilmente que a los especialistas del género les hacen el efecto de una espina en un ojo». Vivaldi logra sintetizar los diversos estilos —de iglesia, concertístico y operístico— con armoniosa eficacia y feliz efecto. No puede decirse que sus obras religiosas presenten estructuras poco consistentes.

Además de la *Juditha triumphans,* de amplias proporciones, tienen gran fuerza y complejidad el célebre *Gloria,* el *Credo,* el *Beatus vir* (para coro e instrumentos) o la *Serenata para tres voces e instrumentos,* que comprende 214 páginas de partitura. El *Gloria,* justamente una de las más notables, escrito

De notte ora ai teatri, ora al Redutto
Son quel che col feral serve de lume;
E pur che i paga mi so andar per tutto.
7

«El acompañante nocturno», típico personaje veneciano, tal como aparece en una lámina del siglo XVIII.

en once partes para dos sopranos, contralto, coro, dos oboes, dos trompetas, órgano e instrumentos de cuerda, es obra que puede parangonarse sin miedo con creaciones análogas de otros músicos supremos. Es una consecución espléndida y triunfal, típica del Barroco. Quizás recuerde con evidencia al gran Haendel. *Et in terra pax hominibus* es uno de los más grandes trozos vivaldianos, al que el modo menor confiere una atmósfera dulce y sutilmente melancólica, casi como si hablase de una paz más esperada que efectiva. Los componentes del *Gloria* constituyen una antología de las más variadas formas: dúos, coros, fugados, composiciones con ritmo que recuerdan la «siciliana» o una incisiva danza casi marcial, recitativos que se imponen por su apretada concisión. En su entusiasmo de «pionero» vivaldiano, Casella piensa inmediatamente en el final de la *Novena* beethoveniana. También Bach emerge de este extraordinario *Gloria:* una entrada de la contralto aparece en el primer tiempo de un concierto para clavicémbalo del compositor alemán. El imponente final *Cum Sancto Spiritu* es un fresco veneciano de excepcional nobleza.

Imaginémonos este *Gloria* entre las áureas naves de la basílica de San Marcos, cuya particular arquitectura interna había ofrecido de antiguo extraordinarias posibilidades ejecutivas a los maestros de la capilla veneciana, como los Gabrieli. Dos amplias tribunas, colocadas una frente a otra en los dos laterales de la basílica, permitían la disposición de cantores, organistas e instrumentistas en dos «coros». Nacieron músicas estructuradas en grupos vocal-instrumentales que se contrastaban o se fundían de una tribuna a otra, ambas provistas de sendos órganos; efecto «estereofónico» exquisitamente veneciano. Vivaldi utiliza tal recurso de manera genial en algunos conciertos que él llama «a dos coros», verdadero recuerdo de San Marcos. En uno de ellos enfrenta con bellísimos resultados dos flautas traveseras y dos flautas dulces.

El monumental *Kyrie a ocho voces* (dos bloques de cuatro) y los cinco salmos davídicos *(Beatus vir, Dixit Dominus, Domine ad adjuvandum, Lauda Jerusalem, Laudate pueri)* de Vivaldi se insertan perfectamente en este clima sonoro y tímbrico. Es un clima que tiene algo de teatral, de festivo como, por otra parte, era muy usual entre las costumbres venecianas. Decía un viajero, el barón de Poellnitz: «Cuando estamos en Venecia nos hallamos en el centro de los placeres y del libertinaje. Dios está allí más ejemplarmente servido que en cualquier otro lugar del mundo. Pocos observan el aspecto externo de la religión como los italianos en general y los venecianos en particular. Puede decirse de ellos que pasan una parte de su vida haciendo el mal y el resto pidiendo perdón a Dios por ello.» En Venecia, y no sólo en Venecia ni únicamente en el Setecientos, lo profano se mezcla a menudo con lo sagrado, el paganismo con el cristianismo, la devoción con la superstición. No debe sorprendernos, pues, lo «profano» que, sin duda, hallamos en lo «sacro» de Vivaldi: lo encontraríamos también en músicos venecianos precedentes, incluso en autores extraordinarios como Monteverdi.

I give and bequeath to my Cousin Christian Gottlieb Handel
of Coppenhagen one hundred Pounds sterl.
Item I give and bequeath to my Cousin Magister Christian
August Roth of Halle in Saxony one hundred Pounds sterl.
Item I give and bequeath to my Cousin the Widow of
George Taust, Pastor of Giebichenstein near Halle in
Saxony three hundred Pounds sterl.
and to Her six Children each two hundred Pounds sterl.
All the next and residue of my Estate in Bank annuitys
or of what soever Kind or Nature.
I give and bequeath unto my Dear Niece
Johanna Friderica Floerken of Gotha in Saxony
(born Michaëlsen in Halle) whom I make my
Sole Exec[trix] of this my last Will
In witness Whereof I have hereunto set my hand
this 1 Day of June 1750

George Frideric Handel

Una página del testamento de Haendel fechada el 6 de junio de 1750.

Las obligaciones religiosas no dejaban de ofrecer a Vivaldi ocasión de componer música solamente instrumental. Han llegado hasta nosotros composiciones de títulos bien indicativos: *Para la solemnidad de San Lorenzo, Hecho para la solemnidad de la santa lengua de San Antonio de Padua, 1712, Sinfonía para el Santo Sepulcro, Concierto fúnebre,* o una de sus obras maestras, el *Concierto en do para la Asunción* (a dos coros), el más alto ejemplo de concierto sacro para dos orquestas y una de las más hermosas partituras instrumentales de Vivaldi. No siempre las composiciones sacras del cura pelirrojo fueron realizadas en la Piedad. Lo impedían razones técnicas y de ejecución. Ha quedado el recuerdo y el testimonio de una, el *Laudate Domino* («obra solemnísima», como ha escrito Pier Caterino Zeno) ejecutada en enero de 1732 con motivo del traslado a San Marcos de las reliquias de San Pedro Orseolo. No se han conservado las notas del *Te Deum* ejecutado en 1727 ante el embajador de Francia en Venecia, con motivo de celebrar el nacimiento de la hija del rey.

Donde estalla, literalmente, el genio vivaldiano es en los momentos de «alegría sacra», en los momentos, por ejemplo, del *Aleluya* frecuentemente subrayado por un virtuosismo operístico extrovertido. (Este aria influirá a Mozart: basta escuchar su célebre *Exultate, jubilate,* que tiene momentos exquisitamente italianos.)

Hablando ya de composiciones orquestales, ya de composiciones sacras, se han empleado los términos «teatral» y «operístico». Ya se ha dicho que la Piedad pronto se convirtió en uno de los centros de la actividad de Vivaldi. El otro centro, donde año tras año, trabajó Vivaldi, era un teatro: el de S. Angelo. Desde su más tierna edad Antonio ya había oído hablar de teatro, habida cuenta que su padre tocaba en el de San Juan Crisóstomo.

Los teatros eran parte principal en la vida social de Venecia. A comienzos del siglo XVIII había siete dedicados a la ópera, sin contar los de comedia (en París por esta misma época sólo funcionaban tres). El de San Casiano (los teatros tomaban el nombre del barrio en que se edificaban) era un teatro «antiguo», construido en 1637 y propiedad de los Tron; ha pasado a la historia como el primer teatro de ópera abierto a un público de pago. Albergaba casi siempre óperas serias y en él se daban, por ejemplo, las de Gasparini. Venía después el de los Santos Juan y Pablo (fundado en 1639), de la familia Grimani. Se inauguró con el *Adone,* de Claudio Monteverdi y en 1642 se representó *La Coronación de Popea,* también de Monteverdi. En el Setecientos, si bien seguía ofreciendo óperas de Albinoni y Lotti, representaba, sobre todo, comedias. El San Moisés, de 1639, se inauguró con la *Ariadna,* de Monteverdi; sus propietarios eran los Giustiniani. En él se representaron tres grandes óperas de Vivaldi: *La costanza trionfante, Tieteberga* y *Armida.* El San Salvador, fundado en 1661, era de los Vendramin. Había iniciado su actividad con comedias pero, de vez en cuando, los administradores ofrecían a su público representaciones de ópera. El San Samuel, 1655, era de los Grimani. Teatro a la

Un retrato de Carlo Goldoni.

moda, se convirtió en el teatro de Goldoni. También aquí, como en el San Salvador, se daban espectáculos de ópera y así se representaron obras de Albinoni, Gluck y Vivaldi *(Griselda* y *Arístides).* En el San Juan Crisóstomo, de los Grimani, se daban óperas serias. Todavía, entre 1735 y 1741, fue su director Carlo Goldoni. En el repertorio pueden leerse títulos operísticos de los máximos autores del género en aquel tiempo, desde Scarlatti a Caldara, de Haendel a Lotti, de Gasparini a Porpora, de Jommelli a Gluck. Con tan gloriosa historia a sus espaldas se convirtió, en 1835, en el actual Teatro Malibran. Finalmente, sobre el Gran Canal, se hallaba el del Santo Angel, de los Cappello y de los Marcello, en el que se representaban óperas serias y cómicas. Puede considerarse el teatro de Vivaldi, por cuanto unas veinte óperas suyas se dieron en él.

Como puede verse, un panorama imponente. Piénsese que entre 1700 y 1743 se representaron en los teatros venecianos más de 430 óperas, en un ambiente muy distinto al que hoy estamos acostumbrados. Alaridos, gritos, silbidos y aplausos se mezclaban continuamente. Las entradas y los mutis de los cantantes eran clamorosamente subrayados, cualquier detalle de la puesta en escena se comentaba en voz alta. Durante las partes de los recitativos se charlaba sin parar; las arias, casi siempre escuchadas con atención, se interrumpían para aplaudir los pasajes más difíciles o para animar, como si se tratara de luchadores o de jugadores de fútbol, a los artistas preferidos. En los palcos se acomodaban espectadores que escuchaban mientras jugaban a los naipes (la platea estaba destinada a público más popular, lo que se llamaba «la gente común»).

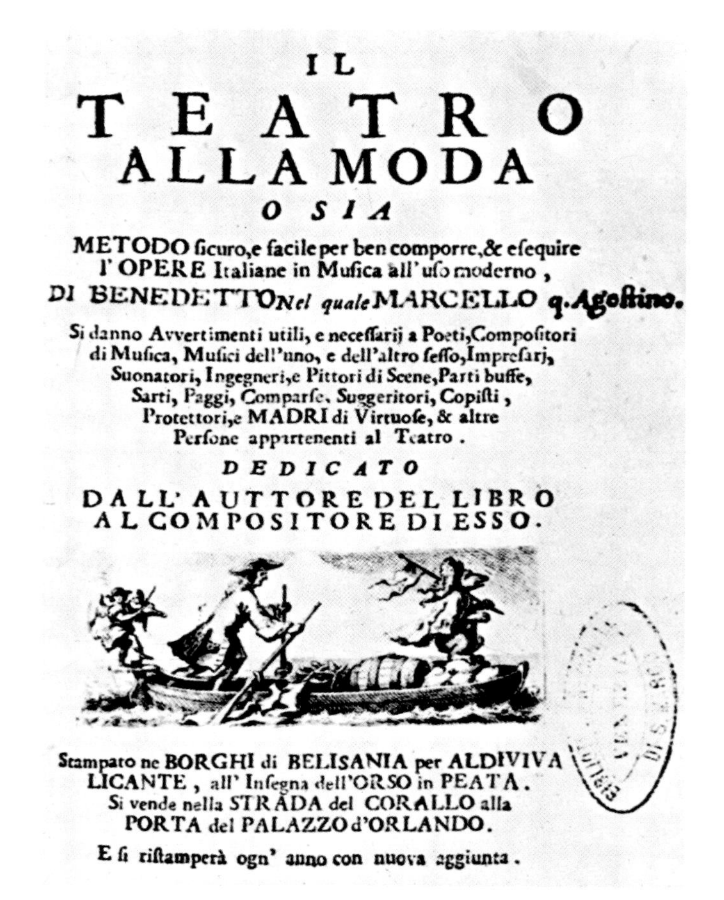

IL

TEATRO

ALLA MODA

O SIA

METODO sicuro, e facile per ben comporre, & esequire l'OPERE Italiane in Musica all'uso moderno,

DI BENEDETTONel quale MARCELLO q.Agostino.

Si danno Avvertimenti utili, e necessarij a Poeti, Compositori di Musica, Musici dell'uno, e dell'altro sesso, Impresarj, Suonatori, Ingegneri, e Pittori di Scene, Parti buffe, Sarti, Paggi, Comparse, Suggeritori, Copisti, Protettori, e MADRI di Virtuose, & altre Persone appartenenti al Teatro.

DEDICATO

DALL' AUTTORE DEL LIBRO
AL COMPOSITORE DI ESSO.

Stampato ne BORGHI di BELISANIA per ALDIVIVA LICANTE, all' Insegna dell'ORSO in PEATA.
Si vende nella STRADA del CORALLO alla PORTA del PALAZZO d'ORLANDO.

E si ristamperà ogn' anno con nuova aggiunta.

Frontispicio de «Teatro a la moda», de B. Marcello. En el dibujo, el personaje que está de pie, a popa de la embarcación, es Vivaldi, un «cura-ángel» que toca el violín.

Vivaldi, autor de música para el teatro, suscita críticas y oposiciones

Si hoy tenemos plena conciencia de que la gloria de Vivaldi se basa en su genial producción instrumental, no por ello debemos dejar sin subrayar el hecho de que el teatro fue, con la Piedad, la máxima ocupación y preocupación del veneciano. A causa del teatro, sobre todo, Vivaldi se trasladó de Venecia a varias ciudades italianas y extranjeras. Y precisamente esta actividad atrajo sobre él las más severas críticas, como hombre y como compositor. Giuseppe Tartini y Carlo Goldoni expresaron juicios severos sobre el Vivaldi «teatralero», opiniones totalmente excesivas tal como confirman las investigaciones actuales de los estudiosos de su producción teatral. Se ocupaba personalmente de las representaciones de sus óperas y se vio mezclado, no pocas veces, en embrollos y situaciones nada claras ni limpias, al trabajar con figuras de dudosa moralidad y honestidad. Chocaba también contra la severidad de algunos personajes que toleraban a regañadientes a un sacerdote que viajaba por Italia acompañado de un grupo de mujeres,

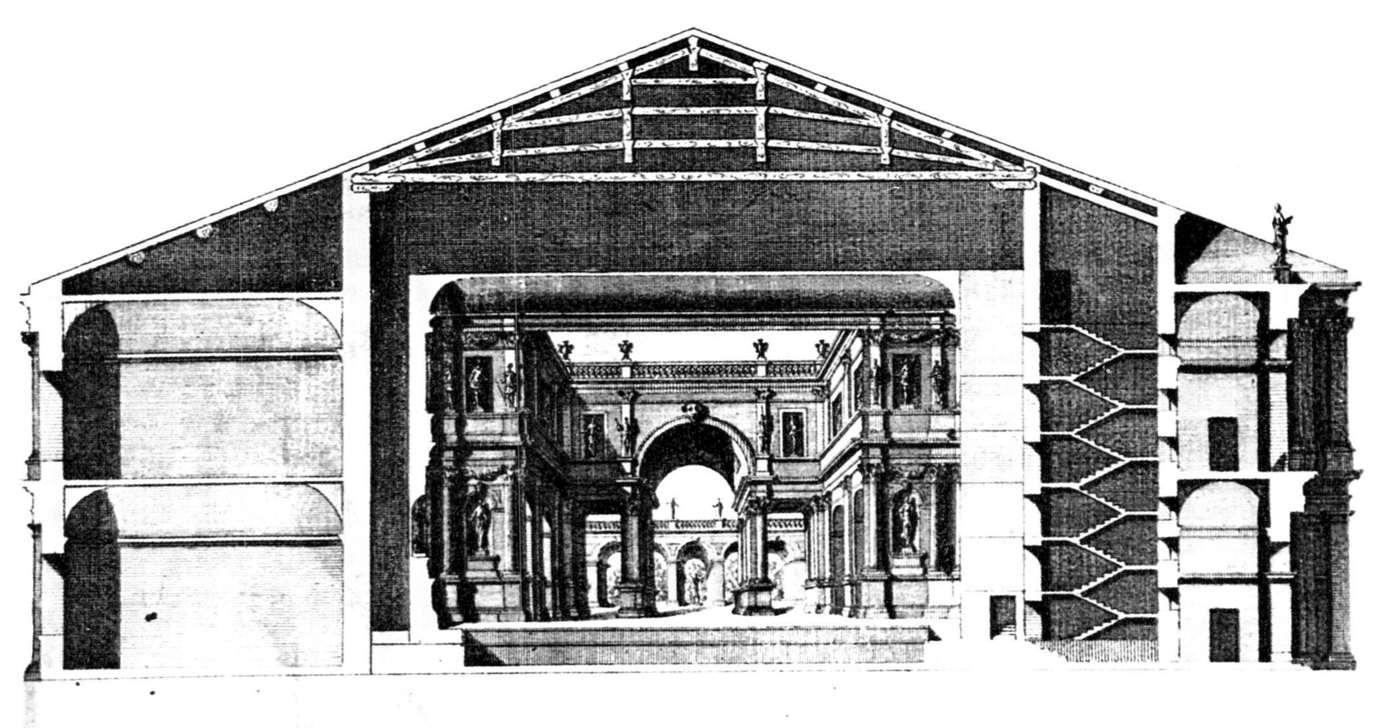

Arriba: **el Teatro Filarmónico de Verona, inaugurado en 1732 con la «Fida ninfa» de Vivaldi.**
En la página contigua: **autógrafo de Vivaldi suplicando a la Academia Filarmónica de Verona la concesión de un permiso para poder usar el teatro.**

entre ellas la muy notable cantante Anna Girò (hija, al parecer, de un peluquero parisino llamado Giraud), fiel acompañante del compositor durante muchos años.

Siete años después de la representación de su primera ópera, *Ottone in villa,* Vivaldi se encontró en el centro de una sátira candente y genial. Era su autor un músico «competidor» suyo, Benedetto Marcello, noble y miembro de la familia de los propietarios del S. Angelo. En una obrita anónima que llevaba por título *Il teatro alla moda* (1720), el autor, con garbo, satiriza (en muchos aspectos, con sátira todavía válida) el teatro musical de su tiempo. Y Vivaldi se encontró, sin más, en el frontispicio del opúsculo, donde se había escrito: «Impreso en los Burgos de Belisania por Aldiviva Licante, con la Insignia del Oso en Chalupa. Se vende en la Calle del Coral, en la Puerta del Palacio de Orlando». Escrito enigmático para el lector moderno. Para los venecianos de aquella época debió resultar fácilmente descifrable a través de las alusiones fijadas por los distintos nombres. El enigma fue aclarado por Gian Francesco Malipiero, que encontró una copia de *Il teatro alla moda* con la explicación de las misteriosas palabras. Así Borghi ('Burgos') y Belisani ('Belisania') son los nombres de los cantantes boloñeses del S. Angelo; Aldiviva no es otra cosa que el anagrama de Vivaldi; con Licante se refiere a la cantante Canteli, del San Moisés; l'Orso in Peata ('Oso en Chalupa') es el empresario Orsatto, del San Moisés, y la «peata» (tipo de embarcación veneciana, reproducida en el frontispicio del libreto) se refería a Modotto, empresario del S. Angelo, patrón de estas embarcaciones.

La viñeta representa la barca con un hombre empuñando los remos. En la proa se halla un oso con una bandera sobre los hombros (la bandera es-

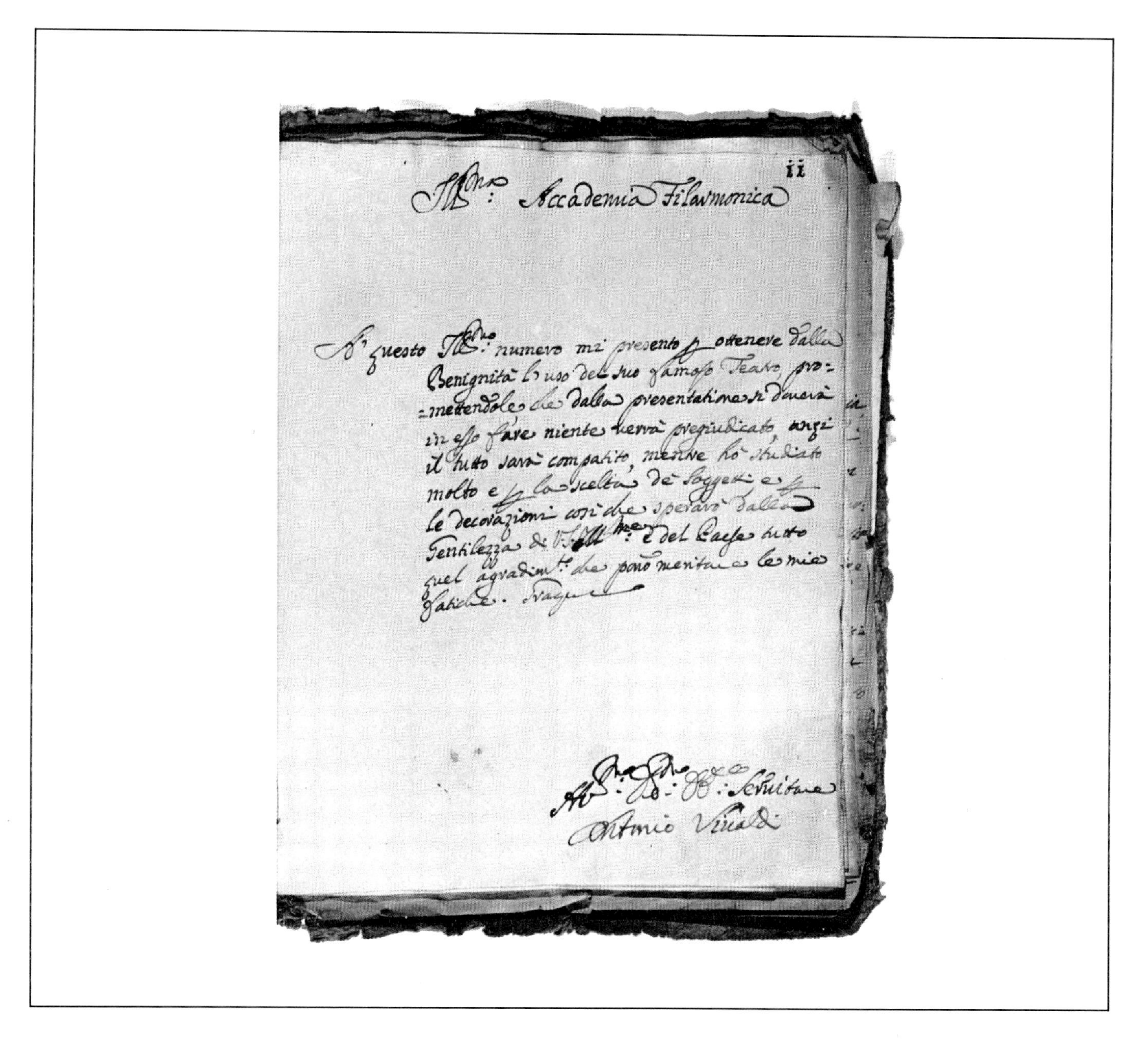

11

Ill.ma Accademia Filarmonica

A questo Ill.mo numero mi presento p ottenere dalla Benignità l'uso del suo famoso Teatro, pro=mettendole che dalla presentatione che doverò in esso fare niente verrà pregiudicato, anzi il tutto sarà compatito, mentre ho studiato molto e p la scelta de Soggetti e p le decorazioni così che spererò dalla Gentilezza de V.S.Ill.me e del Paese tutto quel agradim.to che ponno meritare le mie fatiche. Grazie

Um.mo Dev.mo Obb.mo Servitore
Antonio Vivaldi

taba dibujada sobre «entradas» del San Moisés). En la popa se halla un ángel con alas y tocado con sombrero de teja, que toca el violín. Está claro que se trata de Vivaldi, sacerdote y violinista en el S. Angelo, Strada ('calle') y Corallo ('coral') son los nombres de otros cantantes, de «virtuosos», como entonces se les llamaba. Porta y Orlando se refieren a los compositores Porta y Orlandini (este último íntimo amigo de Vivaldi), Palazzo ('palacio') al célebre libretista Palazzi, del S. Angelo. La sátira es feroz e inteligente. Marcello repite, contra los compositores, poco más o menos las palabras citadas de Goldoni en sus *Memorias* a propósito de Vivaldi: extraordinario en el violín, pero mediocre como compositor de ópera. Antonio Vivaldi se halla por consiguiente en el centro de la sátira y de

CONCERTI
con molti Istromenti
Suonati dalle Figlie del Pio Ospitale della Pietà
avanti
SUA ALTEZZA REALE
Al Serenissimo
FEDERICO CHRISTIANO
Prencipe Reale di Polonia, et Elettorale di Sassonia.
MUSICA
di D. Antonio Vivaldi
Maestro de Concerti dell'Ospitale sudetto.
In Venezia nell'Anno 1740.

Anuncio de un concierto con música de Vivaldi.

las enemistades, visto únicamente como autor de teatro.

Una de las situaciones poco simpáticas con las que tuvo que enfrentarse Vivaldi ocurrió en Ferrara, cuando el cardenal Ruffo, que gobernaba la ciudad en nombre del papa Clemente XII, negó a Vivaldi el permiso de entrada a la ciudad con el fin de organizar la ópera. Nos ha llegado una célebre carta del veneciano a su amigo de Ferrara, el marqués Bentivoglio, en la que expone las razones del cardenal y las suyas. «Me prohíben dar la ópera en Ferrara— dice Vivaldi— por ser yo un religioso que no dice misa, y por tener amistad con la Girò, cantante... y lo que más me aflige es que Su Eminencia Ruffo lanza sobre este pobre señor una mala fama que el mundo jamás le había otorgado.»

Religioso que no dice misa. ¿Por qué? Al parecer, a finales de los primeros años de sacerdocio, Vivaldi se vio aquejado de una especie de asma. En cualquier caso, su salud no era muy fuerte (recordemos que se le bautizó tarde porque, desde poco después de su nacimiento, había estado en peligro de muerte). Para circular por Venecia usaba casi siempre la góndola, ya que el andar le fatigaba. Durante los viajes tenía necesidad de extremos cuidados y siempre iba acompañado de sus eficientes compañeras. «No digo misa —escribe Vivaldi— por opresión en el pecho».

Con todo, la actividad de Vivaldi debe haber sido frenética, dado la enormidad de su producción en todos los campos. Es cierto que de la música operística sólo se han conservado una veintena de partituras; pero Vivaldi escribe, en una carta, haber compuesto 94 óperas. El número parece notable; sin embargo, la carta fue escrita dos años antes de su muerte y está dirigida a un personaje que le conocía lo bastante bien como para no irle con infundios: «Mi nombre y mi reputación está ante toda Europa, y esto después de haber compuesto 94 óperas.» Está claro que no todas estarían completamente escritas por el veneciano. Siguiendo la costumbre del tiempo, muchas veces se unían algunos compositores para dar una ópera o, sin más, se encargaba a alguno de hacer un «pastiche» uniendo escenas y arias de varios autores alrededor de un libreto único.

De cualquier modo el número es notable y resulta muy triste haber perdido tanta música del veneciano. Tal como se ha escrito recientemente, «la mayor parte de los estudiosos que hasta ahora han dedicado su atención a Antonio Vivaldi, se han ocupado preferentemente de la música instrumental, sin tener en cuenta que durante toda la vida el maestro veneciano quiso ser un compositor de melodramas de éxito y que, para tal propósito, no le faltaban ideas, calidad y experiencia totalmente personales. La cosa del mundo que más le preocupaba era su reputación europea de operista. Esto deberá ser necesariamente tenido en cuenta ante una próxima sistematización crítica que auspiciamos sea, en lo posible, más rica, aguda y clarificadora».

Con *Ottone in villa,* dado en Vicenza el 17 de marzo de 1713 se inicia la carrera teatral de Vivaldi, que se desenvolvía, además de Venecia (sobre todo en el Teatro S. Angelo), en otras ciudades: Verona, Milán, Florencia, Mantua, Roma y Reggio Emilia. De año en año Vivaldi se ve más atareado para proseguir con sus óperas, especialmente desde 1725. De vez en cuando desaparece de Venecia con su pequeño séquito femenino para pasar de un teatro a otro.

En 1732 inaugura en Verona el Teatro Filarmónico con *La fida ninfa,* sobre libreto del escritor Scipione Maffei. Volverá a la misma ciudad con otras óperas de singular importancia. De una de estas, *Adelaida* (dada en Verona en 1735), dedicada a Antonio Grimani, queda sólo el libreto, y en él la dedicatoria más importante escrita por el «prete rosso». Nos muestra un Vivaldi poco conocido, que confía en la substancia histórica de sus óperas. Dice: «... Era asimismo conveniente que este drama estuviese dedicado a un patricio véneto porque, no pudiendo la historia de donde se ha sacado la acción, más que disgustar sumamente a un buen italiano, que no sea, como tantos de hoy, enemigo de su Nación, haciéndoles recordar cómo, expulsados los últimos Reyes Italianos y vuelta a caer la mísera Italia, para no librarse jamás, bajo el yugo extranjero, tan deplorabilísima desventura sólo hallará alguna compensación de la ínclita República Véneta, en la que, desde su nacimiento hasta nuestros días, la libertad italiana se conserva, y quiera Dios conservarla hasta el fin de los siglos.»

Es una dedicatoria ciertamente desacostumbrada por los tiempos que corrían, en un momento político de grave decadencia, también y sobre todo, para la República de Venecia. A Vivaldi la política no le resultaba del todo extraña a la hora de elegir los dramas para poner música. Dos años antes de *Adelaida* llevó a la escena, siempre en Verona, *Catón en Utica* con libreto de Metastasio. El libreto había sido definido por los inquisidores del Estado en Venecia como «subversivo» y, en consecuencia, había sido condenado. Catón, que se mata en nombre de la libertad contra el poder absoluto del César, no era hecho bien visto por la Serenísima, que ejercía el poder de manera absoluta. Ya Metastasio había modificado el final de su drama: Catón no entraba en escena, moribundo; era su hija Marcia la que venía a contar la infeliz suerte del padre. El drama de Metastasio, musicado por Vivaldi, muestra en el tercer acto una obligada obediencia a la censura véneta. Todo acaba bien en obsequio a César y a Venecia. Ahora bien, esto acaece dos años después del «caso Ferrara». Pero a la luz de todo cuanto se ha contado —lo que plantea importantes temas de indagación a los estudiosos vivaldianos—, aparece sutilmente ambigua la motivación del «no» a Vivaldi, cuando requiere dar ópera en Ferrara. Los pretextos de la presencia de la Girò en su compañía, de que el sacerdote no dijese nunca misa, etcétera, aparecen con una luz diversa. No se puede excluir una motivación política flanqueando las razones «morales» que aducía el cardenal.

Todo lo cual, aun acarreando amarguras a Vivaldi, no le impedía seguir trabajando intensamente. En 1738 viajó hasta Amsterdam para participar en las fiestas con motivo del centenario del teatro de la ciudad. El 7 de enero dirige un gran espectáculo, de tipo compuesto, según costumbre del tiempo. Se da una tragedia de Langedyk, *César y Catón* (drama este que tampoco habría gustado a Venecia ni a su Consejo de los Diez). Siempre en Amsterdam, Vivaldi dirige un drama de circunstancias. Dirigió la orquesta, tocando al tiempo como solista, en un concierto suyo para violín con oboes, trompas, instrumentos de arco y timbales, concierto que sirvió de solemne introducción a la ceremonia. Después dirige nueve sinfonías de varios autores (entre ellos Sammartini), escogidas por el propio Vivaldi.

Carlos VI de Austria, que fue un ferviente admirador de Vivaldi.

A su regreso a la Piedad compone, con motivo de la visita de Fernando de Baviera, *Mopso*, una cantata (égloga «piscatoria») que los contemporáneos definieron como «deliciosa»; desgraciadamente, texto y música se han perdido. Su retorno coincidió con la triunfal *rentrée* al S. Angelo, del que se había apartado por sinsabores de carácter organizativo y financiero.

Son años de gracia para Vivaldi. Sus arias cantadas en el teatro durante la noche, se repetían en las tertulias al día siguiente. En 1739 Vivaldi se encontró en la Piedad con un estudioso francés, el presidente De Brosses. Importante personaje que

(sigue en la página 184)

Las formas musicales en la obra de Vivaldi

Antonio Vivaldi fue un compositor interesado en variados asuntos. Aunque algún malicioso haya dicho que el cura pelirrojo escribió cuatrocientas veces el mismo concierto, el espacio de las formas musicales ocupado por el veneciano es amplísimo y va de la sonata para violín y bajo continuo hasta los melodramas, pasando por el amplio flujo de los conciertos, de la música sacra y de la profana. Vivaldi dio a la imprenta algunos volúmenes de sonatas para un solo instrumento acompañado o para dos instrumentos. Así su Opera prima *estaba formada por doce sonatas para dos violines y bajo continuo y la* Opera seconda *por doce sonatas para violín y bajo continuo. Se trata de obras de juventud, que concluirán con la* Opera tredicesima *(decimotercera), el bellísimo* Pastor fido *('Pastor fiel'), compuesta por seis sonatas para instrumento solo y bajo continuo.*

El violín es el protagonista de las sonatas escritas en la tradición veneciana nacida en la basílica de San Marcos y desarrollada por sus instrumentistas. La sonata vivaldiana, que normalmente comienza con un "Preludio" muchas veces con las indicaciones de "andante", "largo", "larghetto", pero alguna vez también con un tiempo rápido, consta de tres o más tiempos en el marco de una tradición consolidada. Muchas sonatas de Vivaldi nos han llegado manuscritas. Un grupo de sonatas es para violoncelo, cuatro son para flauta dulce, una para oboe y seis para instrumentos diversos. Está claro que la fama vivaldiana se ha consolidado prevalentemente sobre los conciertos para uno o más instrumentos solistas, orquesta y bajo continuo.

En no pocos conciertos se hallan reunidos dos e incluso más instrumentos: algunos son muy notables, como El jilguero, La pastorcilla, La noche *o* La tempestad en el mar. *Son numerosos los conciertos, las sinfonías y las sonatas para orquesta y bajo continuo. Es difícil distinguir las diferencias entre estas composiciones ya que, en realidad, son mínimas; por otra parte, en tiempos de Vivaldi no se daba un significado exacto a estos términos. Las dos composiciones* Sonata al Santo Sepulcro *y* Sinfonía al Santo Sepulcro *tienen análoga estructura, con lo que queda claro que "sonata" y "sinfonía" son términos intercambiables. Significan una obra en la que la orquesta toca "conjuntamente" como en el concierto "grosso" en el que un "concertino" (formado a veces por dos violines y un violoncelo) se contrapone a la orquesta.*

El concierto para instrumento solista es distinto; en él el encuentro y la oposición o la armonía se verifica entre el instrumento solista en aquella parte en que actúa verdaderamente "solo", y el "tutti" o momento en que actúa toda la orquesta.

Al llegar a este punto es lícito preguntarse: ¿cómo era la orquesta en los tiempos de Vivaldi? ¿De cuántos instrumentos estaba compuesta? Por un registro de la basílica de San Marcos que data de 1708 sabemos que prestaban sus servicios en la capilla diez violinistas, tres violistas, un violista 'da braccio', un contrabajista, tres tiorbistas, un cornetín, dos trompetistas, un trombonista, un oboe y un organista. En total, veinticuatro instrumentistas.

Es posible que en el Hospicio de la Piedad Vivaldi dispusiese de una orquesta a veces más numerosa; pero cabe pensar que, en general, se contentaría con una orquesta normal de cámara, compuesta —salvo el empleo de instrumentos inhabituales— de una quincena de instrumentistas, como máximo. Un competidor de Vivaldi, Alesandro Marcello, requería dos oboes o dos flautas, seis violines, tres violas, tres violoncelos, un clavecín, un contrabajo y un fagot.

En consecuencia, cuando en nuestros tiempos se afrontan obras de estos maestros con grandes conjuntos orquestales, debería reducirse, al menos en dos tercios,

En la página contigua: **La «Dama cantante», de Grevembroch. La pintura, en realidad, parece representar una lección de clavecín.**

la orquesta, sobre todo en la sección de instrumentos de cuerda.

De cualquier modo, en el Setecientos se consideraba como cota máxima la estructura orquestal que rondaba los veinticinco instrumentos. Todavía en 1770 y en la Capilla de la basílica de San Antonio, en Padua, tocaban 24 instrumentos (ocho violines, cuatro violas, cuatro violoncelos, cuatro contrabajos y cuatro instrumentos de viento). Más o menos con un conjunto similar Vivaldi ejecutó sus conciertos y sus sinfonías, llevando estas formas musicales hasta elevadísimos niveles artísticos.

También en la música sacra Vivaldi empleó una orquesta análoga, indicando alguna vez expresamente, para dar importancia a la elección, el tipo de instrumento, como en un Gloria, *desgraciadamente perdido, "para cinco voces, oboe y trompetas en re". No es raro, por parte de Vivaldi, el empleo de una doble orquesta. No es que doblara su orquesta habitual; simplemente, la dividía en dos partes (quizás reforzándola con algún instrumentista de "ripieno", como se decía entonces).*

Así lo hizo en algunos salmos davídicos, por ejemplo con un Laudate pueri *para dos sopranos, coro, oboe y dos orquestas y con un* Beatus vir *"en dos coros". Vivaldi reproducía muchas veces en su orquesta profana y sacra la antigua tradición de San Marcos por la cual los "cori battenti" ya citados ocupaban los dos órganos emplazados en naves opuestas con coristas e instrumentistas divididos, creando así un admirable efecto estereofónico. Así ocurría con las misas, las partes de las misas, los salmos davídicos y el Magnificat.*

En este campo Vivaldi ha dejado también numerosos himnos, secuencias y otros textos litúrgicos con rigor y sensibilidad. Los himnos son textos que no proceden de las Sagradas Escrituras. Algunos son de San Ambrosio (como el Te Deum), *de Santo Tomás (como el* Pange lingua), *de Jacopone da Todi (como el* Stabat Mater). *Las secuencias son una forma de música sacra nacida en el siglo IX de las vocalizaciones gregorianas sobre la palabra "aleluya", mediante la eliminación de dicha palabra y la sustitución con otro texto silábico. Es obvio que en Vivaldi esta lejanísima forma se ha perdido y queda sólo el texto original, que forma parte de la sagrada tradición.*

Poco conocidos, pero muy interesantes, son los motetes vivaldianos. El motete es una composición sagrada a varias voces que en el siglo XVI, especialmente por mérito de Palestrina y de los componentes flamencos, alcanzó su momento de mayor esplendor. Vivaldi escribe también "introducciones" de carácter sacro: eran composiciones para voces e instrumentos destinadas a introducir el servicio sagrado en algunas ceremonias.

En el campo del oratorio (verdadera y característica representación sacra sobre un libreto sacado de la Escritura) Vivaldi ha dejado el muy conocido Juditha

A la izquierda: **teatro veneciano durante una representación.**

triumphans, *oratorio "militar". A diferencia de Bach, que se extendió en el campo de las cantatas modificando su antigua y original forma italiana, Vivaldi realizó muchos ejemplos de cantata "a la italiana", tanto para voces y bajo continuo como para voces, instrumentos y bajo continuo. Los textos son todos en italiano y tienen carácter profano: consisten en recitativos y arias.*

Son también numerosas las "serenatas" vivaldianas. Como se deduce del término, esta forma musical iba casi siempre destinada a una ejecución nocturna ("sera", en italiano, significa "noche") al aire libre. Eran casi siempre instrumentales, si bien se presentaban igualmente como composiciones vocales e instrumentales. Así ocurre en la Serenata a tre ('Corazón mío, pobre corazón'), *en la* Sena festeggiante, *en la* Serenata a quattro voci ('Esta Eurila gentil') *y en otros trabajos.*

Cerraremos este panorama de "formas" con breves datos sobre el Vivaldi autor de óperas. En el brillante clima melodramático de Venecia, Vivaldi dio decenas y decenas de óperas con la colaboración de libretistas del momento, más o menos notables, desde Apostolo Zeno a Carlo Goldoni, desde Domenico Lalli a Scipione Maffei y muchos más. La actividad teatral del cura pelirrojo fue enorme y, sobre todo, constituyó la verdadera profesión de Vivaldi durante una gran parte de su vida. Pero por aquel principio que se niega a conceder a un artista más de un don a la vez, no se presta mucho crédito al Vivaldi operístico. Sus óperas (en tres actos) siguen en todo y por todo la línea tradicional de su época y están constituidas por recitativos, arias, raros dúos, pequeños concertantes con extrañas (casi siempre al final) intervenciones del coro.

La orquesta teatral es, poco más o menos, la misma que para los conciertos y las sinfonías. Junto con los instrumentos tradicionales entran en escena, a veces con papeles de importancia, las trompetas y las trompas, con lo que el arte instrumental de Vivaldi —excelso en los conciertos— brilla también en las óperas, incluso cuando la prisa (parece que escribió su Tito Manlio *¡en cinco días!) podía convertirse, de verdad, en una mala consejera. La búsqueda instrumental y tímbrica, permanente en Vivaldi, ha sido intensísima en gran parte de los conciertos y de la música sacra y profana vocal, pero también lo ha sido en la ópera. Bien es cierto que no con la misma variedad que el entusiasmo y la dedicación de las muchachas del Hospicio de la Piedad le permitían, pero sí con resultados (los estudios a propósito de este tema apenas han comenzado) a menudo extraordinarios.*

«Concierto de damas para los Condes del Norte», de Francesco Guardi. La pintura expresa cumplidamente la fatuosa atmósfera característica de estos conciertos.

escuchó, admirado, cómo cantaban y tocaban las «muchachas» y de qué manera Vivaldi daba rienda suelta al virtuosismo en su amado violín. De Brosses escribe: «De los cuatro hospicios, aquel al que acudo con más frecuencia y en el que más me divierto es el de la Piedad. También es el primero por la perfección de sus conciertos. Hallo aquí una especie de música desconocida en Francia y que me parece la más adecuada para el jardín de los Borbones». Nos hallamos en el mes de agosto de 1739. En marzo del año siguiente Vivaldi dirige un gran concierto en honor de Federico Cristián, elector de Sajonia e hijo del rey de Polonia. Fue una noche de esplendor y pompa, de luces y galas. Sobre la 'Riva degli Schiavoni', ante la Piedad, el navío estaba iluminado, el mar resplandecía. Vivaldi dirige, entre otras piezas, una sinfonía y tres «suntuosos» conciertos con violines en eco, uno para viola de amor, laúd y otros instrumentos con sordina, otro para flautas, tiorbas, mandolinas, etc. Quince ducados y trece liras venecianas recibió el compositor como recompensa. Por otros veinte conciertos sucesivos cobró 70 ducados y 23 liras, suma enorme por aquel tiempo. Parecía hallarse, finalmente, en la cúspide de su fama y de su éxito.

Luego, de manera imprevista, aconteció un hecho muy misterioso. En los registros de la Piedad figura escrito: «Ha llegado el momento de constituir un repertorio de conciertos, bien para órgano, bien para otros instrumentos a fin de conservar el renombre que el coro ha adquirido; dado que, por otra parte, se dice que el rev. Vivaldi está a punto de abandonar la Dominante ('Dominante' equivale a Venecia) y que él posee un número importante de conciertos, será necesario adquirirlos cuanto antes. Se entiende que los rectores del coro se responsabilizarán de la compra de estos conciertos, en el momento que juzguen conveniente y al precio de un ducado cada uno.»

El documento lleva fecha de 29 de agosto de 1740.

¿Qué había sucedido? Vivaldi parte hacia el Norte. Vende (admitiendo que la venta se llevara a

Vista de Viena, obra del Canaletto. La muerte de Vivaldi en Viena, acaecida en condiciones de miseria, sigue estando todavía velada por el misterio.

cabo) sus conciertos a un precio irrisorio: lo que vale el alquiler, por un día, de una habitación en Venecia. ¿Por qué se va Vivaldi? ¿Se marcha con la Girò? En cualquier caso llega hasta Viena y allí permanece solo y con la salud maltrecha. ¿Habrá recibido el encargo de dirigir, tocar o componer para alguna corte del Norte? No lo sabemos. Sólo sabemos que se detiene y muere en Viena, a los pocos meses, solo y en la más extremada indigencia; precisamente en aquella Viena donde era conocidísimo, donde reinaba un soberano amigo suyo y admirador, Carlos VI (muerto en el mismo 1740). Sea como fuere, Vivaldi desaparece de Venecia y del mundo. Desde aquel momento penetra en la más completa de las sombras y acaba siendo olvidado.

Pasados muchísimos años un investigador halló una frase significativa en una página de los *Commemoriali Gradenigo:* «Antonio Vivaldi que había ganado en su tiempo más de 50.000 ducados, murió pobre en Viena por su desordenada prodigalidad.» Investigaciones ulteriores han tenido éxito. Hemos podido saber que Vivaldi, «el sacerdote italiano, célebre en toda Europa», murió de un tumor en Viena, en casa de un tal Satler, vecino de la Kartner Thor. Fue enterrado el 28 de julio de 1741 con las ceremonias destinadas a los pobres: había fallecido, por lo tanto, el 26 o 27 del mismo mes. Fue acompañado al cementerio con el *Kleingeleuth* (el repique de la campanilla). De su tumba, como de la de Mozart, nada queda. Por singular coincidencia, mientras Vivaldi luchaba con la muerte, en la vecina catedral vienesa un niño de nueve años cantaba el oficio con voz argentina. Se llamaba Franz Joseph Haydn.

Después, gracias a los estudiosos, Vivaldi ha vuelto a la luz, naciendo por segunda vez. Tras casi dos siglos de espera, Vivaldi ha reemprendido su camino no ya europeo, sino universal. Al lado de su admirador Juan Sebastián Bach, el cura pelirrojo se ha convertido en uno de los máximos *best-sellers* de la música de nuestro tiempo y surgen, imponentes, los estudios sobre su obra, todavía no conocida totalmente. La instrumental es la más ejecutada, pero queda aún mucha por descubrir. La sacra ha comenzado su andadura, si bien con cierta dificultad. La obra teatral, aún no suficientemente explorada, empieza a ser estimada en el valor que en realidad tiene.

Por una parte, a través de su obra instrumental, Vivaldi preanuncia la sinfonía y la sonata de la música «clásica»; por otra, con su sutil lirismo anticipa el clima del todavía lejano Romanticismo. Su música contiene una emoción profunda, un sentido lírico a menudo arrebatado, una fuerza dramática y una intensa melancolía que invade a menudo el discurso musical. Vivaldi logra unir la intensa alegría de vivir a momentos de gran tensión espiritual. Su «interpretación» de la naturaleza es de un interés extremado y supera, en mucho, todo cuanto en este campo se había hecho antes que él. Es una interpretación que commueve al hombre en lo más profundo de su sentimiento.

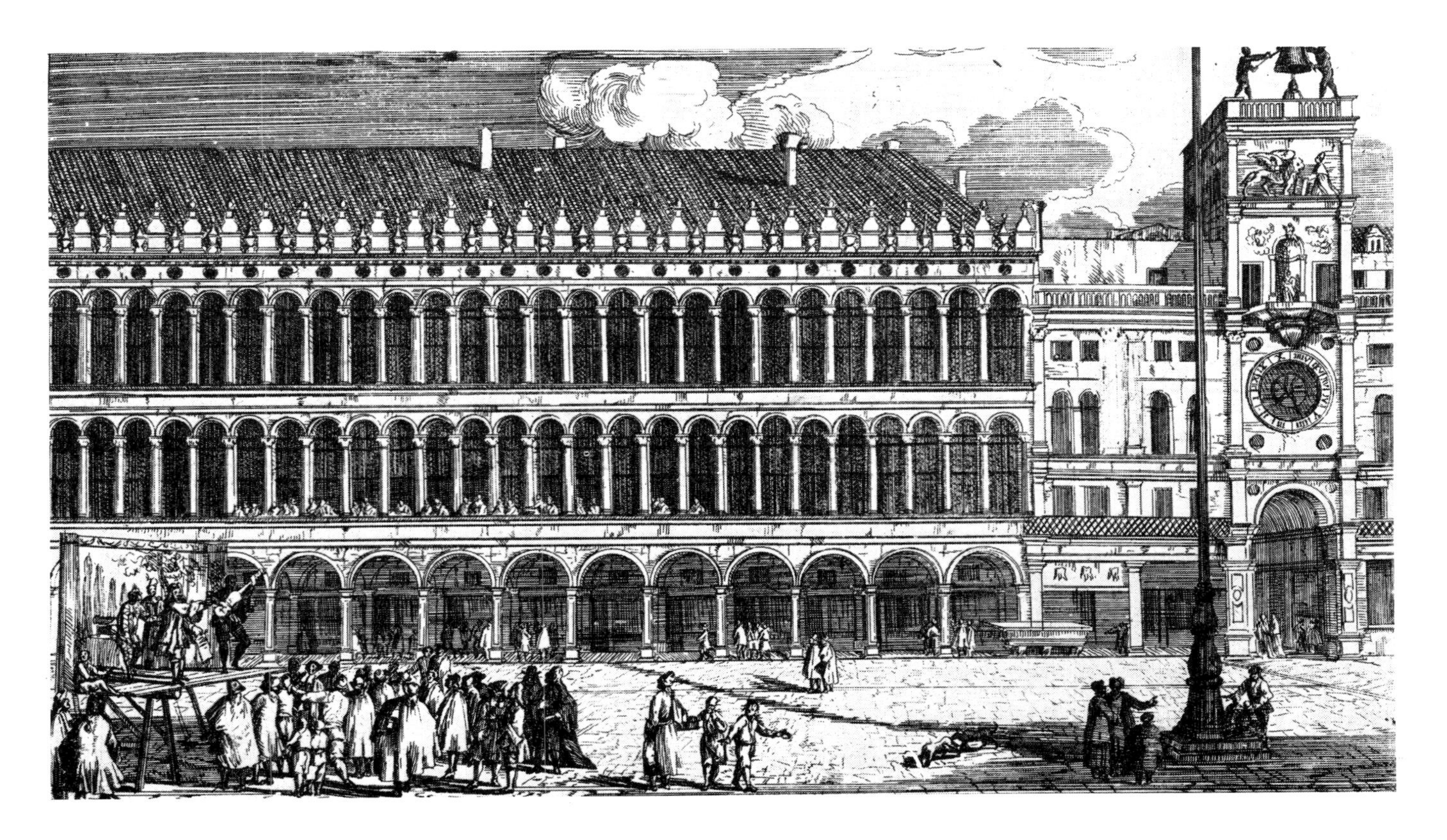

Las «Procuradurías viejas», en una lámina de Luca Carlevarjs.
La popularidad de todas las manifestaciones teatrales fue enorme en Venecia.

También se dio cuenta, como hombre socialmente perspicaz, del momento que Italia y Venecia estaban atravesando. Vivaldi comprendió que el oro y el damasco venecianos cubrían un cuerpo en descomposición; y él, al que Venecia e Italia olvidaron tan pronto, ha dejado la mayor herencia que un hombre puede legar: la del espíritu, la del arte. En Vivaldi, en su fondo, todos nos reconocemos. Nos hallamos en contacto con una espiritualidad indestructible que conserva intacta su lozanía y perfecta juventud. Nos hallamos como si estuviésemos delante de la inmortalidad, siempre nueva y vital, que penetra en nuestro interior a través de la audición.

Remo Giazotto ha dejado escritas estas memorables palabras: «Vivaldi desafía a su tiempo como un Don Juan o un Fausto. Incapaz de valorar el peso de un juicio humano, descuida las formalidades mundanas pero tiene la mirada fija en el futuro de la existencia humana. Vivaldi se esfuerza en seguir la vía marcada por Jesucristo pero, informalista por naturaleza y por la especial educación recibida, cree un deber mostrar los frutos de un conocimiento cristiano... Este es el Vivaldi que sabe también dirigirse hacia Dios con capítulos de una vida humanísima, con una capacidad meditativa que busca siempre, con mano maestra, el nervio del problema, y hace que la historia de la música sacra se enriquezca con páginas sin igual que son un concentrado de belleza, de audacia y de fe infinita.»

Poco podemos añadir a estas palabras, a no ser aquellas, bellísimas y definitivas, pronunciadas por Karl de Nys: «Su conocimiento de la infinita diversidad humana debió ser inmenso.»

Juan Sebastián Bach

El mundo de Bach

Juan Sebastián Bach (1685-1750) se erige en el centro de una época en la historia de la música que, justamente, ha sido llamada *«la edad de Bach»*. Su nombre, junto con el de su coterráneo Jorge Federico Haendel (1685-1759), domina, en un sentido global y literal, la primera mitad del siglo XVIII. A diferencia de Haendel —que gozó de fama y honores— Bach ha pasado casi en silencio y con un renombre limitado a sus lugares de residencia. Como un grandísimo centro de energía dotado de una enorme fuerza absorbente, reúne en sí mismo el mundo musical que le había precedido y aquel en el que vivía; su irradiación al exterior fue muy escasa. Fue posible, así, que Bach conociese a fondo la música de Vivaldi, en tanto el veneciano jamás tuvo noticias de la del alemán. Bach fue también una especie de bomba musical de relojería, un artificio que, cargado en la primera mitad del Setecientos, explota un siglo después. El estruendo y el fulgor de esta explosión duran todavía y no dan señales de disminuir su intensidad.

¿En qué mundo social y político se produce el nacimiento de Bach? Era el mundo que comienza con Luis XIV, el Rey Sol de Francia, y termina con Federico II el Grande, de Prusia. Un rey absoluto, amigo de la música, que había conducido el arte francés hasta una gran altura suministrándole las instituciones para desarrollarse completamente y para proveerse de un estilo, y un rey flautista, sabio administrador del Estado, hábil caudillo, mecenas y árbitro de una Europa sacudida y en ruinas por las guerras de sucesión: la española, cerrada con el tratado de Utrecht (1713) y la austríaca con el tratado de Aquisgrán (1748). Las transformaciones políticas fueron de gran importancia. Pero calamidades y ruinas se arrastraban desde decenios con la Guerra de los Treinta Años, que había herido particularmente la nación germánica; el imperio se había desmembrado en un mosaico de 350 Estados autónomos respecto al emperador, políticamente ligados a naciones diversas como Suecia, Dinamarca y Francia.

Cuando Bach nace, habían aumentado enormemente en Alemania las grandes posesiones nobiliarias. Expulsados los campesinos de gran parte de sus propiedades, se había formado un inmenso proletariado agrícola. La Alemania del tiempo de Bach era, por lo tanto, un conjunto de Estados con una clase campesina arruinada, dominada por un régimen agrario duro y opresivo. Sin embargo estaba claro que el desarrollo de los tiempos, y aun la dureza de la vida para gran parte de la población, no podían cerrar el espacio para los hechos nuevos que se estaban delineando en Europa. El fervor de las ideas era intenso. La tecnología y la ciencia avanzaban en todos los frentes. El ilustrado Federico II fundó en Berlín la Academia de las Ciencias en 1700. Europa, en sus inquietudes y desgracias, había vivido decenios de dolor y de sacrificio; pero ahora avanzaba, decididamente y a zancadas, por el mundo de la inteligencia y del arte. La civilización europea se halla por entero en movimiento; la musical no sólo se desarrollaba, sino que, literalmente, explotaba.

La música de la primera mitad del Setecientos se basa sobre algunas fechas y nombres fundamentales que cambiaron la faz de la historia. En 1723 Bach se convierte en *Thomaskantor* (maestro de canto de la escuela de Santo Tomás) en Leipzig y Haendel recibe el nombramiento de «master of orchestra» (director de orquesta) en Londres. Jean Philippe Rameau (1683-1764) publica en 1722 el *Tratado de la armonía reducida a sus principios naturales* y Bach dicta la suprema ley de la tonalidad desde *El clave bien temperado.* Georg Philipp Telemann (1681-1767) rige la música de cinco iglesias y el Collegium Musicum de Hamburgo. Domenico Scarlatti (1685-1757) deja Roma y se traslada a

En la página anterior: **retrato juvenil de Bach.** En la página contigua: **Federico el Grande** (en el centro), **en una comida con el filósofo francés Voltaire (el segundo a la izquierda del soberano). La Europa de Bach estaba viviendo grandes transformaciones sociales y culturales, y la corte de Federico fue uno de los centros de tales actividades.**

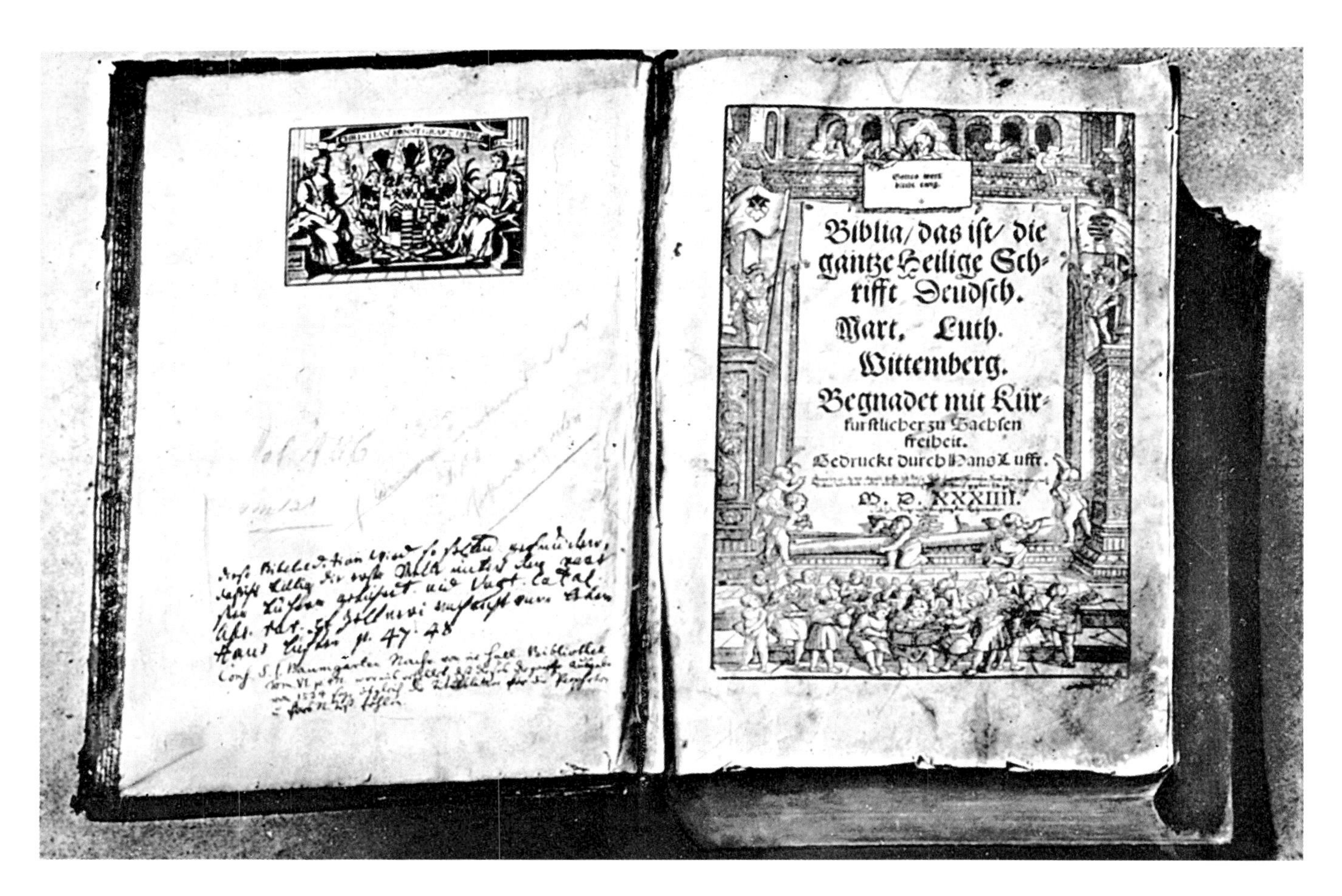

Lisboa. Antonio Vivaldi (1678-1741) publica *Il cimento dell'armonia e dell'invenzione,* que contiene *Las Cuatro Estaciones.* Benedetto Marcello (1686-1739) hace imprimir su *Teatro a la moda.* François Couperin (1668-1733) publica los *Conciertos* y las *Apoteosis.* En 1725 muere Alessandro Scarlatti. Esto no es un magro elenco de fechas y de nombres. Es una revolución. Son fechas y nombres que hacen la historia de la música, no sólo del Setecientos, sino también de los tiempos futuros. Todavía hoy se percibe el eco de estos acontecimientos. Y todo ello acaece entre los primeros veinticinco años del siglo.

En este clima, en este preciso momento histórico nace y se desarrolla Bach. Y es importante que un momento determinante de esta evolución haya sido confiado, en gran parte de Europa, a las escuelas. En Alemania —para no apartarnos de Bach— casi todas las escuelas de latín (esenciales para pasar a la Universidad) proveían un puesto de *Kantor* que, entre otras funciones, tenía a su cargo la «educación musical». En muchísimas ciudades el servicio musical era un servicio público con cargo al presupuesto municipal y de la corte. El poder absolutista, el gran número de Estados autónomos, cortes, capillas, eclesiásticas o no, contribuían a aumentar la demanda de músicos: instrumentistas, profesores, compositores. En Dresde, para citar un ejemplo, entre finales del Seiscientos y 1734, la

Arriba: **frontispicio de la primera traducción de la Biblia llevada a cabo por Lutero.**
A la derecha: **el monumento a Juan Sebastián Bach, próximo a la iglesia de Santo Tomás, de Leipzig, ciudad en la que actuó durante muchos años y en donde escribió algunas de sus más grandes obras maestras.**

JOHANN
SEBASTIAN
BACH

Iglesia de Wittenberg, en cuyas puertas Lutero fijó sus «Noventa y cinco tesis».

lista de empleados de la capilla pasó de 26 a 46 instrumentistas. Era una verdadera competición en «hacer música».

El futuro autor de *La Pasión según San Mateo* no podía dejar de sentir la influencia de este fermento intelectual, científico y artístico. Bach fue, en primer lugar, un hombre de cultura, no sólo musical, sino también religiosa, filosófica y humanística. Durante toda su vida no hizo más que estudiar con un método que bien podríamos llamar científico. Todo cuanto pasaba ante sus ojos era agudamente observado y estudiado. Dotado de una capacidad de trabajo y de una lucidez formidables, filtraba todo el saber musical de su tiempo y del tiempo precedente, con vista a una síntesis extraordinaria. Fue un investigador y un experimentador, un artesano, un *fabricante de música* en el sentido más elevado que la palabra *ars* tenía a finales de la Edad Media: convergencia, punto de encuentro entre poesía y ciencia. Es la suya una síntesis suprema que jamás se verá superada. Puede también que por ello nosotros, gente de hoy, nos sintamos fascinados por la música de Bach, sea cual fuere la forma en que se exprese o el género al que pertenezca: nos sentimos satisfechos por la carga de emoción poética que en ella se contiene y, al mismo tiempo, advertimos el rigor, la ciencia, la técnica de Juan Sebastián Bach.

Antes de hablar de la vida y de la obra de Bach conviene detenerse brevemente sobre el clima religioso en el que operaba. Terminados los estudios, Bach entró en la vida pública al alborear el siglo, cuando, en la vida espiritual y religiosa, se daban transformaciones de base que asaltaban toda forma de pensamiento. Luterano por nacimiento y por educación, Bach era un ortodoxo, fiel a un esquema severo de fe y de práctica. Próximo aún a la doctrina tradicional protestante, había aparecido el *Pietismo,* corriente religiosa nacida en el Seiscientos que tendía a revalorizar la interioridad de la fe y el rigor moral, contra el ritualismo externo. No es posible admitir que una personalidad excepcional por su aperturismo mental y por su predisposición espiritual como la de Bach dejara de acusar la huella de estas conmociones intelectuales y, a la vez, religiosas.

Ciertamente, Bach permaneció siempre fiel a la ortodoxia luterana. Pero no debemos menospreciar la influencia que ejercía el *Pietismo* en la época de Bach ni, por lo tanto, la que pudo haber tenido, especialmente en un nivel interior, sobre el músico en formación, sobre el hombre, especialmente sobre el hombre religioso. También Bach debió sentirse atraído por un movimiento que ponía en un mismo plano el racionalismo de la doctrina luterana, el fervor personal de la fe y la acción cris-

En la página contigua: **característico concierto de cámara en la época de Bach. Detalle de una pintura del siglo XVIII, de autor anónimo.**

El «Altar de Isenheim», de Mathias Grünewald. En el centro del tríptico, la «Crucifixión»; a la izquierda, «San Antonio Abad»; a la derecha, «San Sebastián»; al pie, «Sepelio de Cristo».

tiana. Por lo demás, basta consultar el elenco de los libros que Bach poseía para comprobar que, junto a numerosos volúmenes genuinamente luteranos, figuraban no pocos escritos bajo la inspiración de una profunda piedad. Rigor luterano por una parte e intensa devoción por la otra: este es el sentido profundo de una vida interior y religiosa que debía informar y conformar la totalidad de la obra musical de Bach, hombre religioso antes que hombre de música.

En este rigor y en esta piedad se educó desde su nacimiento, el 21 de marzo de 1685 en la pequeña ciudad de Eisenach, en Turingia, en cuya antigua universidad había estudiado Lutero. Juan Sebastián Bach era el cuarto y último hijo de Juan Ambrosio, consejero municipal, y de Elisabeth Lämmerhirt. Desde la primera mitad del siglo XVI los Bach eran músicos, con el lejano e «histórico» Hans Bach, pasando por sus hijos Veit «el molinero de la cítara», Hans «el músico ambulante», Caspar «el pífano municipal». Durante más y más decenios, los Bach siempre fueron músicos o compositores. A finales del siglo XVIII la locución *die Bach* (los Bach) significaba hablar automáticamente de gente entendida en música. El padre de Bach era violinista de profesión, al igual que un hermano suyo, Johann Christoph.

El primer instrumento para Bach fue el violín, que aprende de su padre. El tío le enseña el clavicémbalo y el órgano. Entre 1692 y 1695 frecuenta el Gymnasium de Eisenach, igualmente sede de un ducado independiente. Con el padre aprende también la viola. Dotado de una hermosa voz, entra pronto en la *Kurrende,* un coro de niños que ganaban algunas monedas cantando himnos sacros a una voz. Pasa rápidamente al Chorus Symphoniacus, que ejecuta motetes y cantatas. Su límpida voz de soprano descuella por encima de las demás, y Bach se convierte en solista. En 1694 muere su madre. El padre contrae nuevas nupcias, pero al comienzo del año siguiente muere también. Bach, con su

INRI
ILLVM OPORTET
CRESCERE
MINVI
40
46

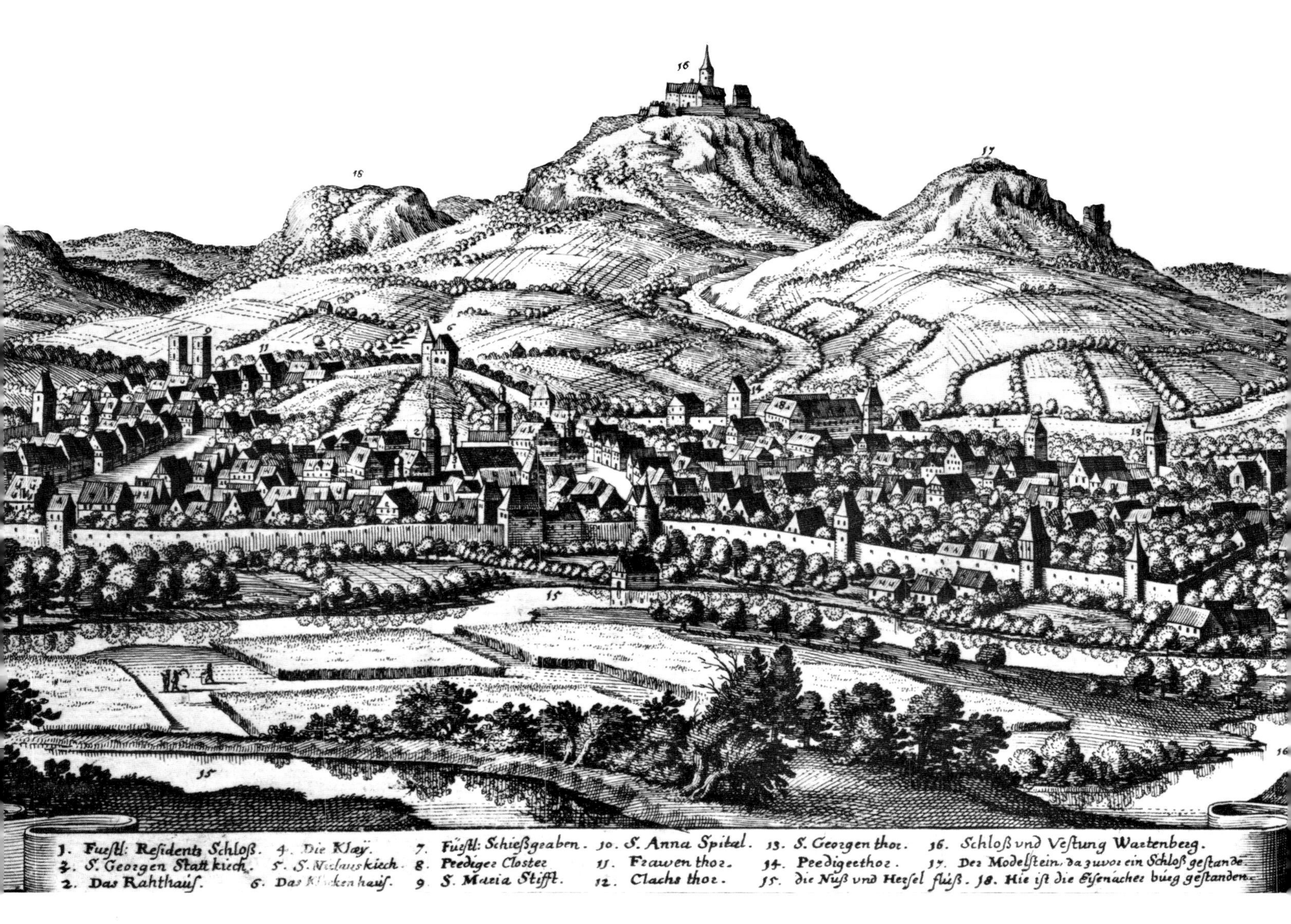

Eisenach en la época de Bach. En dicho pueblo se estableció, tras la Guerra de los Treinta Años y hacia la mitad del Seiscientos, un antepasado de Bach, Veit de nombre, molinero y guitarrista.

hermano Johann Jakob dos años mayor que él, se traslada a Ohrdruf, un pueblecito vecino de Eisenach, acogiéndose a la hospitalidad de su hermano mayor J. Christoph, compositor y organista. Los estudios, tanto humanísticos como musicales, se intensifican. Bach se distingue en ellos y, en 1697 es, por sus méritos el primero de la clase. Pasa al liceo y es admitido en el Chorus Musicus, participando en conciertos dados en la ciudad y fuera de ella. Comienza a ganar dinero como solista y se lo da a su hermano a cambio de su manutención. Se interesa cada vez más por el órgano y por la técnica de modernización y restauración de dicho instrumento.

En 1700 se traslada a Lüneburg junto con su amigo Georg Erdmann, haciendo un viaje de más de 200 kilómetros, en su mayor parte a pie. Al llegar a Lüneburg se inscribe en el liceo y entra a formar parte del coro. Profundiza en sus estudios, ampliándolos con la física, las matemáticas, la lógica y la literatura. En el liceo encuentra una excelente biblioteca musical con volúmenes, que van desde los compositores flamencos, de Orlando di Lasso, hasta los compositores italianos y alemanes del Seiscientos y, naturalmente, hasta los contemporáneos. Frecuenta la Ritterakademie, en la que entra en contacto con el arte y la cultura franceses. Se hace amigo de Thomas de la Selle, un alumno de J. B. Lully (1632-1687), músico en la corte de Celle. Aquí Bach toca como violinista en la orquesta. Lleva a cabo algunos viajes, siempre con finalidades musicales, como cuando se traslada a Hamburgo para escuchar al organista J. Adam Reinken.

En 1702, terminados los estudios a los diecisiete años, solicita ser admitido como organista en Sangerhausen. Realiza un óptimo examen, pero resulta aceptado otro aspirante. Al año siguiente le encontramos en Weimar como instrumentista en la orquesta de la corte y secretario del organista. En agosto pasa a ser organista titular e instructor del coro en Arnstadt. Comienzan los primeros enfrentamientos y sinsabores con sus superiores, a los que se une algún incómodo y curioso episodio: un músico que tocaba el fagot y al que Bach consideraba poco dotado le ataca a bastonazos por la calle. Bach se defiende con la espada. De todo ello surge un problema que se une a unas quejas sobre la cuestión del coro. Se le concede una licencia de cuatro semanas y Bach se traslada a Lübeck para escuchar al gran organista y compositor alemán Dietrich Buxtehude (1637-1707). Suele viajar casi siempre a pie, como era su costumbre, a su regreso pasa de Hamburgo a Lüneburg de forma que llega a Arnstadt no cuatro semanas después, sino cuatro meses. Es excesivo. Acusado también de haber hecho cantar y de haber acompañado al órgano a una muchacha «forastera» (su prima y futura esposa María Bárbara Bach), comprueba que el ambiente no le es muy favorable y se traslada a Mühlhausen, donde es designado organista en junio de 1707. Aquel mismo año contrae matrimonio.

Su repertorio de composiciones es ya bastante extenso: cantatas, piezas para órgano y clavicémbalo. Entre ellas figura una sonata en cuyo último movimiento viene escrito *«Thema all'Imitatio Gallina Cucca»* ('Tema que imita la gallina clueca') en un italo-latín más bien pintoresco, un «capriccio» (que se hará famoso) en honor de su hermano J. Christoph, «sobre la partida de su dilectísimo hermano», esto es, de Johann Jakob, que se había enrolado como oboe de la guardia nacional en el ejército de Carlos XII de Suecia. Por entonces compone *Actus tragicus* para la muerte de un tío suyo. Insatisfecho una vez más de las condiciones de trabajo, deja Mühlhausen y se dirige a Weimar, donde asume los cargos de organista del duque y de *Kammermusicus* ('músico de cámara'). En el mismo año de 1708 nace su primogénita, Catalina Dorotea. En Weimar contrae amistad con J. G. Walter (1684-1748), al que se siente unido por comunidad de ideas. Con él y en la biblioteca nutrida de volúmenes impresos y manuscritos, emprende el estudio de los músicos italianos: Frescobaldi, Corelli, Legrenzi, Albinoni, Benedetto y Alessandro Marcello y, sobre todo, Vivaldi, el compositor predilecto de la corte de Weimar. El bibliotecario es S. Franck, que suministrará a Bach el texto de numerosas cantatas y el de su primera cantata profana, aquella de la *«caza»*, escrita en 1716 con motivo del cumpleaños del duque Cristián de Sajonia Weissenfels.

Proponen a Bach el puesto de organista de Halle (la ciudad de Haendel), pero la oferta no resulta conveniente en lo económico y continúa en Weimar, con un conveniente aumento de estipendio. Nacen Wilhelm Friedemann y Karl Philipp Emmanuel (en 1714) y son apadrinados por el gran Telemann. Es el año en que Bach transcribe las *Fiori musicali*, la obra máxima de Frescobaldi. Sus ocupaciones cubren una extensa gama de actividades.

Debajo: **el padre de Bach, Ambrosius, compositor y buen instrumentista, que enseñó a su hijo a tocar el violín y la viola.**

Arriba: **una vista de Eisenach, pueblo natal de Bach.**
En la página contigua: **jardín interior de la casa natal de Bach, en Eisenach, donde el jovencísimo compositor llevó a cabo sus primeros estudios musicales.**

Colabora en la restauración de numerosos órganos haciendo un previo examen de los mismos, lo que le reporta una gran fama en esta actividad. En 1717 se traslada a Dresde para sostener un desafío musical con el francés Louis Marchand (1669-1732), anécdota que no ha quedado bien documentada. Bach no consigue aun convertirse en maestro de capilla en Weimar. Se siente moralmente ofendido y decide marcharse, arrastrando la cólera del duque, el cual, para someterle, despacha una orden de encarcelamiento por un mes. Pero Bach, que era testarudo no cede y se traslada a Köthen con toda su familia. El período de Weimar, durante el cual escribió grandes obras, permanecerá como un hecho fundamental en el proceso de su maduración artística.

Encuentra en Köthen un ambiente completamente distinto: el clima religioso predominante es el «*reformado*» calvinista y la música sacra está casi excluida de la vida de la corte. La orquesta de que dispone Bach no es muy numerosa (comprende 18 instrumentistas) pero sí eficiente técnicamente. Se interrumpe pues la producción de música sacra y abundan las cantatas profanas, la música de cámara y la instrumental. De la enorme cantidad de obras maestras emergen las cuatro *Suites* orquestales, los seis *Conciertos de Brandeburgo* (escritos en 1721 para el margrave Cristián Luis de Brandeburgo-Ansbach, al que había encontrado el año anterior en Karlsbad formando parte del séquito del prín-

cipe Leopoldo), las sonatas para violín y las suites para violoncelo.

El matrimonio del príncipe con una mujer poco amante de la música, provocó un enfriamiento en las relaciones con Bach, que decide marcharse. Sabía que en Leipzig (nos hallamos en el año 1722) había quedado vacante el puesto de cantor en la *Thomasschule* ('Escuela de Santo Tomás'). El cargo era inferior al desempeñado en Köthen, pero se lo habían ofrecido a Telemann, que había renunciado. Además, las condiciones económicas eran buenas y Bach tenía numerosos hijos cuyos estudios tenía que sufragar. Dos años antes (1720) había fallecido su mujer; al año siguiente se casó con Ana Magdalena Wülken, cantante en la capilla musical de Zeits y, después, de Köthen. El 7 de febrero de 1722 Bach se examina en Leipzig, presentando dos cantatas (las número 22 y 23) y *La Pasión según San Juan;* el primero de julio toma oficialmente posesión de su cargo: es una fecha verdaderamente histórica para la música.

No era leve la tarea, sino todo lo contrario. El servicio religioso comprendía dos iglesias e, interinamente, la de la Universidad. Tenía que educar al coro, cumplir con la enseñanza en la escuela y atender al servicio de las 59 fiestas litúrgicas del calendario luterano. Para Bach fue una decisión nada fácil. Pasaba de una corte ilustrada y abierta, laica en el fondo, a un ambiente encerrado, tradicionalista y beato. Podía significar su muerte como artista. Fue, en cambio, su exaltación. Marginado de la cultura de su tiempo, tuvo que volver la mirada hacia lo más profundo de su ser y dio al mundo sus más grandes obras maestras: las pasiones, los oratorios, las cantatas, las misas y los motetes.

La orquesta y el coro de Leipzig eran bastante

Dormitorio de la casa de Bach, en Eisenach, con la cuna de Juan Sebastián.

reducidos. Durante muchos años Bach dirigió conciertos en el café Zimmermann y en los jardines públicos. De esta actividad nace, en 1743, la institución del Gross Konzert que, en el Ochocientos, se convertirá en el legendario Gewandhaus Konzerte. Siguiendo su habitual costumbre, Bach realiza numerosos viajes. Hizo el último a Berlín en 1747 a petición de Federico el Grande, en cuya corte se hallaba el hijo de Bach, Karl Philipp Emmanuel. Bach fue acogido con todos los honores. Examinó los famosos *«fortepianos»* Silbermann (ya muy perfeccionados). El rey le propuso un tema para que lo desarrollara. Es el *thema regium* que Bach empleó, apenas vuelto al hogar, para componer su inmortal *Ofrenda musical* que envió al rey, como un homenaje, aquel mismo año.

En 1749, Bach, que siempre había gozado de una salud de hierro, cayó enfermo. Ulteriormente, se le debilitó la vista. Un oculista inglés, Johan Taylor, le hizo una visita y decidió operarle. Bach quedó ciego, pero siguió dictando desde el lecho sus últimos corales. El 18 de julio pareció recuperarse, pero aquel mismo día caía en coma profundo. Tras diez días de agonía murió el 28 de julio, a las veinte cuarenta y cinco.

Juan Sebastián Bach fue sepultado junto a la iglesia de San Juan, destruida durante la Segunda Guerra Mundial; en 1949 los restos de Bach fueron trasladados a la iglesia de Santo Tomás, la misma que vio la ejecución de sus cantatas y de sus pasiones durante la residencia del compositor en la ciudad de Leipzig.

La vida de Bach estuvo dedicada a la familia y a la música, sin ninguna otra cosa que pudiese resultar excepcionalmente interesante para el biógrafo. Ahora la llamaríamos, con una palabra abusiva, una vida «burguesa», una vida «de todos los días», densa en trabajo. En efecto, su vida está hecha con su obra y es ésta la que forma el capítulo más interesante de aquélla. Navegar a través del océano de las composiciones de Bach es llevar a cabo uno de los más extraordinarios «viajes» artísticos y espirituales imaginables, sólo parangonable a los que pueden hacerse penetrando en las obras de Dante o de Goethe, dos genios con los que Bach puede muy bien codearse. Su obra, del mismo modo que su vida, está dividida en capítulos fundamentales. Véamoslos, género por género, teniendo bien presente que durante toda su vida Bach desarrolló su labor sobre varios frentes de la composición, a veces más en un sentido que en otro, pero siempre con una vastísima visión del arte. Empecemos con una palabra unida inevitablemente al mundo musical e interior de Bach: el coral.

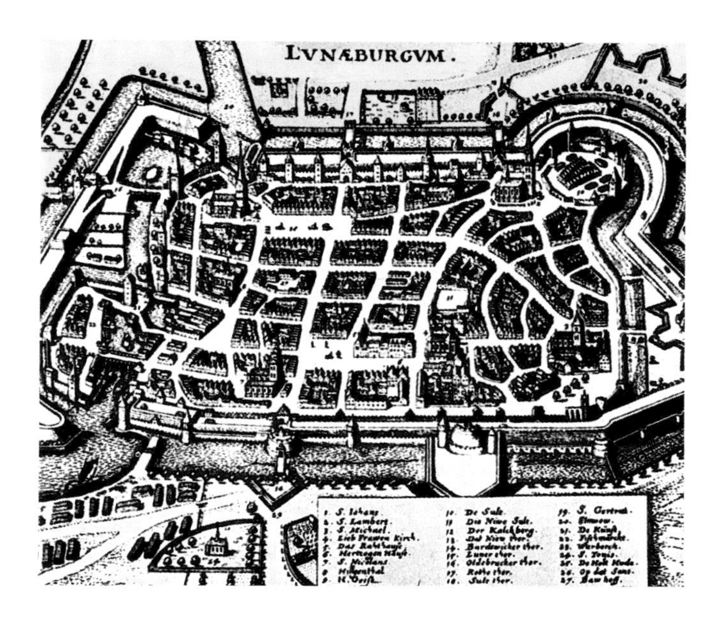

Arriba: **un plano de Lüneburg, en cuyo liceo se inscribió Bach en 1700 y de cuyo coro local formó parte.**

El coral y la cantata

La forma básica de la liturgia luterana es un canto sacro sobre texto en lengua alemana llamado *Kirchenlied* ('canto de iglesia'), que hallaba sus orígenes en el siglo XVI. Esta música (cuyas melodías son con frecuencia antiguas) y este espíritu constituyen el alma de gran parte de la música vocal e instrumental de Bach. Casi siempre se limita a tomar las melodías para usarlas como base de sus composiciones, desde la más simple a la más compleja. Raramente las inventa. Por ejemplo, tiene más de 180 composiciones para órgano basadas sobre antiguos corales: un verdadero monumento en cuanto a la fantasía que un compositor puede llegar a desarrollar partiendo de una base tan sencilla y tradicional.

Hallamos después muchísimas composiciones

Interior de la iglesia de Santa María, en Lübeck, ciudad a la que llegó Bach para poder escuchar al gran organista y compositor alemán Buxtehude.

En la página contigua: árbol genealógico de la familia Bach: es una larga historia de músicos que no se cierra con Juan Sebastián, sino que proseguiría con sus hijos: Karl Philipp Emmanuel y Johann Christian.

vocales, a menudo también elaboradas, realizadas por Bach partiendo de melodías de coral: casi cuatrocientas obras que enriquecen la sorprendente producción bachiana. Alrededor del canto simple y antiguo Bach borda, con las demás voces del coro y de los solistas, un tejido sonoro de gran variedad. Con una gran potencia técnica, logra siempre apoderarse del clima espiritual que el coral evoca en su texto.

Los sencillos temas, muchas veces de antigua procedencia, se visten con un ropaje suntuoso o se expresan con elevadísima poesía. El coral In *dulci jubilo* está basado en un texto y una música del siglo XIV. Tres veces lo reelabora Bach para admirables obras organísticas. También *Jesu, meine Freude* ('Jesús, mi alegría') se convierte en motivo de grandes meditaciones vocales y organísticas.

El coral es, pues, el material para todos los tipos de composición. Pero el soberano indiscutible, el género que sustenta la fama de Bach y que, modernamente, se está descubriendo en toda su grandeza, es la cantata sacra y profana. Y el coral cierra casi todas estas composiciones, como advirtiendo que la substancia religiosa de este encuentro musical se hallaba dispuesta en los antiguos e inmortales cánticos, verdadera base de la fe protestante que Bach profesaba.

Incluso ahora no resulta fácil dar el número de las cantatas de Bach que se han conservado. Los estudiosos dudan sobre la autenticidad de algunas y se conservan alrededor de unas doscientas. De cualquier modo es extraordinario el número de las efectivamente escritas por Bach y ordenadas por él en las cinco anualidades completas de Leipzig: 59 por cinco, dan un total, pues de 295. No obstante, se ha perdido un centenar. Es una producción formidable.

Digamos, de paso, que la palabra «cantata» fue usada por Bach muy raramente y sólo en ocasiones precisas: cuando se trataba de composiciones profanas o en poquísimos casos de música sacra. Prefería llamarlas «motete», «concierto espiritual», «diálogo» o más bien «música de iglesia». El término «cantata» definía una composición vocal con acompañamiento, de claro origen italiano. Italiano era el origen de la cantata religiosa, llamada también motete 'concertato', diálogo espiritual, etc. Sin embargo la cantata, nacida en Italia, se desarrolló frondosamente en Alemania, convirtiéndose en parte esencial de la liturgia luterana. Con Bach, indudablemente, este género de composición alcanza la cumbre.

Se ha dicho ya que el coral era el rey de la cantata, que determinaba su tejido sonoro, su estructura, su alma. En la práctica, durante la «cantata» se podía escuchar una serie de arias y coros alternados con recitativos, siempre sobre textos espirituales.

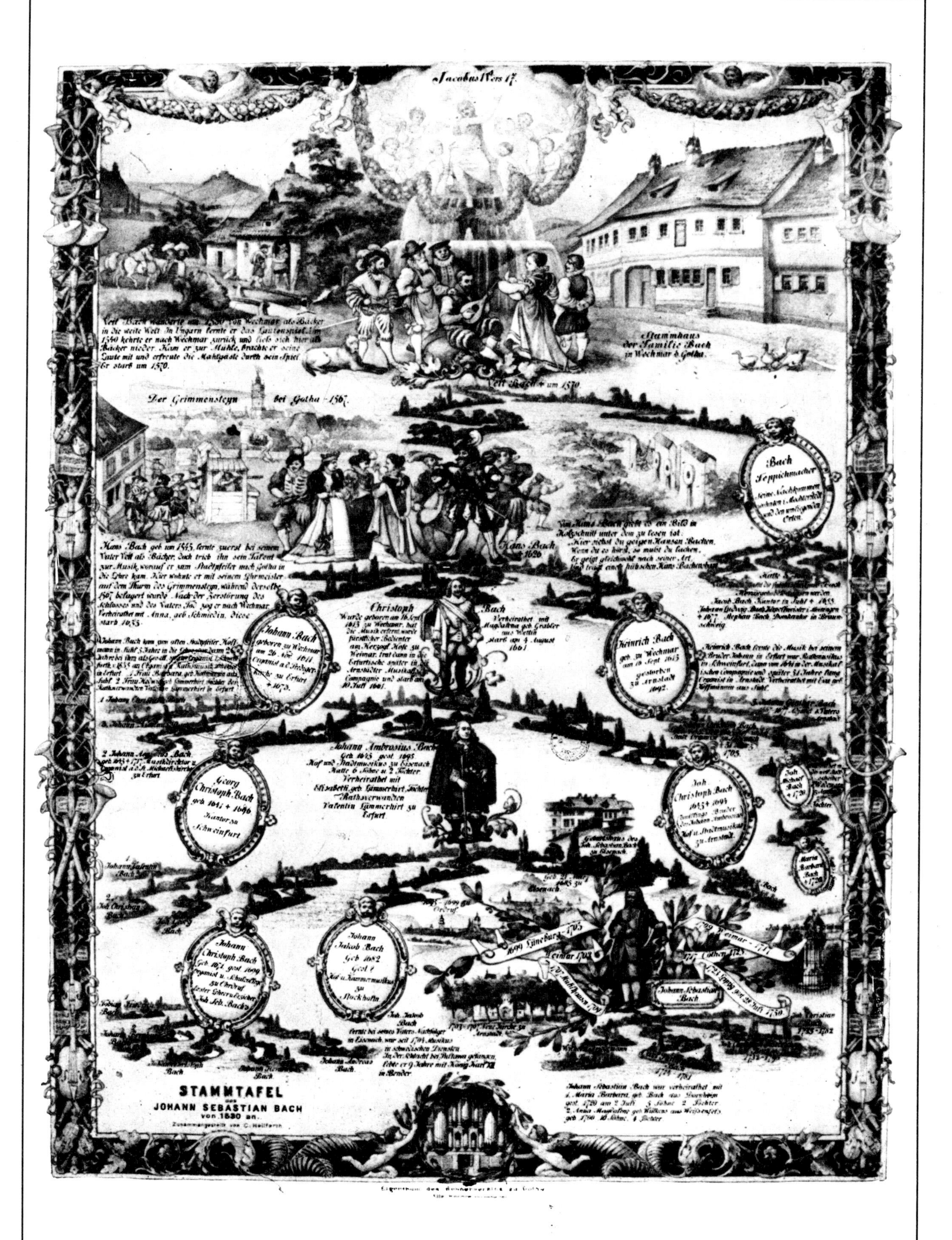

Stammhaus
der Familie Bach
in Wechmar b. Gotha
Der Grimmensteyn bei Gotha 1567.
Christoph Bach
Johann Ambrosius Bach
Johann Sebastian Bach
1699 Lüneburg 1703
1708 Weimar 1717
STAMMTAFEL
des
JOHANN SEBASTIAN BACH

La cantata luterana de Bach se ejecutaba en la iglesia antes de el sermón si estaba constituida por una sola parte y antes y después si estaba constituida por dos. Participaban en ella solistas, coro y orquesta. Los solistas eran, al menos, tres o cuatro. Sin embargo, hay cantatas con uno o dos solistas e incluso algunas sin coro. El coro tiene una importancia especial: en la cantata representa la masa de los fieles y canta en su nombre.

El patrimonio legado por Bach en este campo es excepcional. En su tiempo, no obstante, se trataba de música «de consumo» que, una vez interpretada, pasaba a los archivos. En ningún documento de la época ha sido posible hallar datos que atestigüen alguna toma de conciencia ante tamaña riqueza. En un siglo en el que eran numerosas las impresiones de obras musicales, de la enorme masa de cantatas de Bach sólo dos conocieron la imprenta: la núm. 71 *(Dios es mi rey)*, escrita con motivo de la renovación del consejo municipal de Mühlhausen en 1708, y otra de la misma serie de la que sólo se ha conservado el texto impreso y una parte de la música.

Abajo: **el Zwinger de Dresde, típico ejemplo de la arquitectura barroca alemana.**

En la práctica ¿cómo se desarrollaban las funciones religiosas en Leipzig, ciudad en la que fueron compuestas la mayor parte de las cantatas? Bach lo ha dejado escrito para el Adviento, pero el esquema para el resto del año no se modificaba. He aquí el orden: 1) preludio; 2) motete; 3) preludio

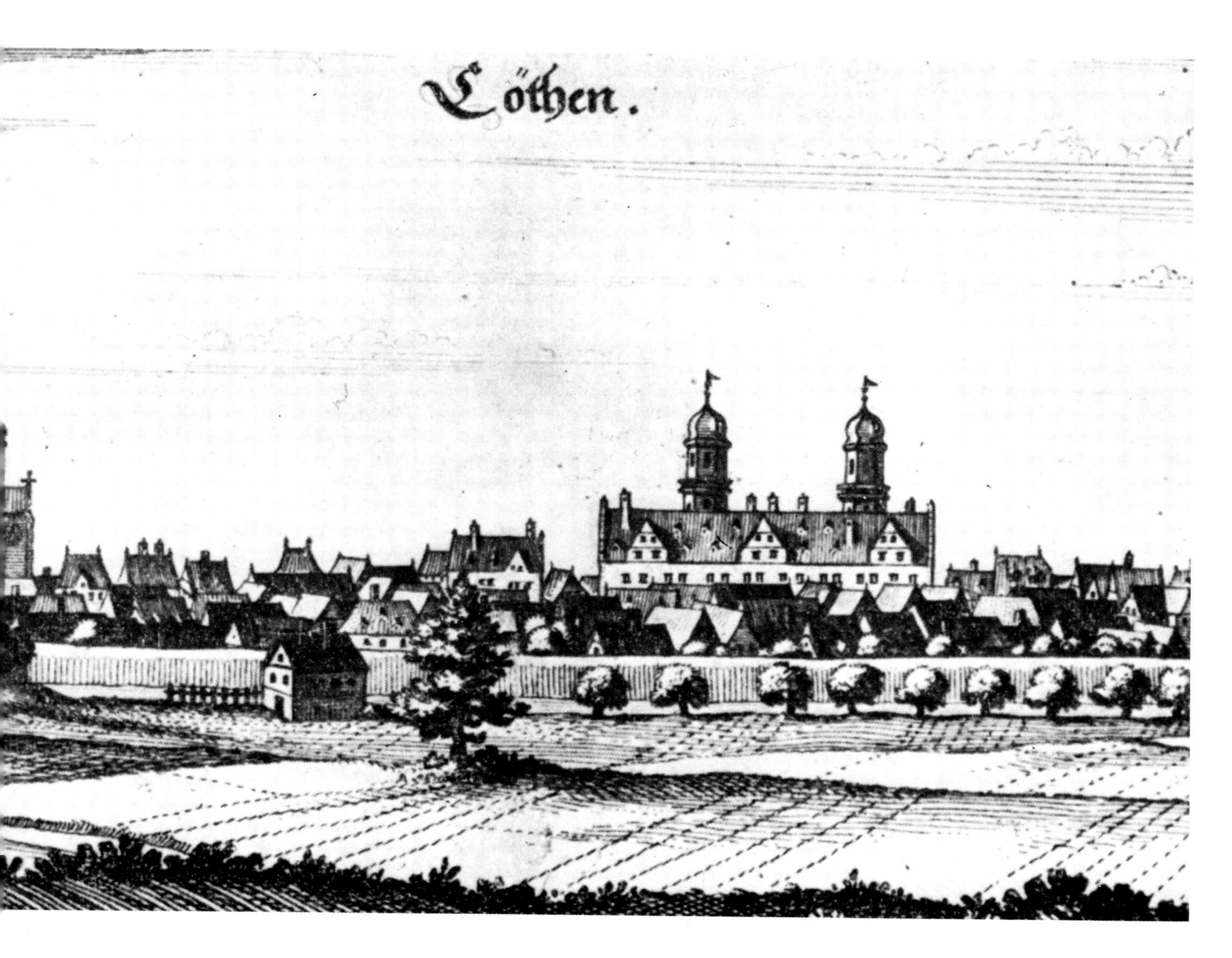

sobre el Kyrie; 4) entonación del gloria ante el altar; 5) lectura de la Epístola; 6) letanía cantada; 7) preludio sobre el coral; 8) lectura del Evangelio; 9) preludio sobre la música principal; 10) canto del Credo. 11) sermón; 12) después del sermón, se entonan algunos versículos del cántico; 13) palabras de la Institución de la Cena; 14) preludio sobre música principal. Y Bach concluye:

«Después de esto, alternativamente se preludia o se cantan corales, hasta que termina la comunión y así por el estilo.»

La cantata es el complemento musical del sermón protestante: la Biblia es siempre el centro de la composición. El coro y los recitativos (que a veces asumen formas grandiosas en el comentario de la apasionada «palabra») cargan el acento sobre el texto. El aria para uno o más solistas es una meditación; más aun, una invocación. El coral para varias voces resume el significado de toda la cantata y recoge de aquélla los más elevados valores. Bach compuso algunas cantatas en forma de diálogo, como era costumbre en la iglesia protestante y, na-

Arriba: **una vista de Kothen, ciudad en la que Bach escribiría solamente música instrumental y cantatas profanas.**

En la página de la izquierda: **Biblia sobre la cual Bach prestó juramento antes de firmar el contrato por el que asumía su puesto en la escuela de la iglesia de Santo Tomás, en Leipzig. Colgado de la pared, se ve un retrato del «virtuoso de la trompa» y amigo de Bach, Gottfried Reiche, para quien el compositor escribió algunos conciertos.**
A la derecha: **detalle del contrato firmado.**

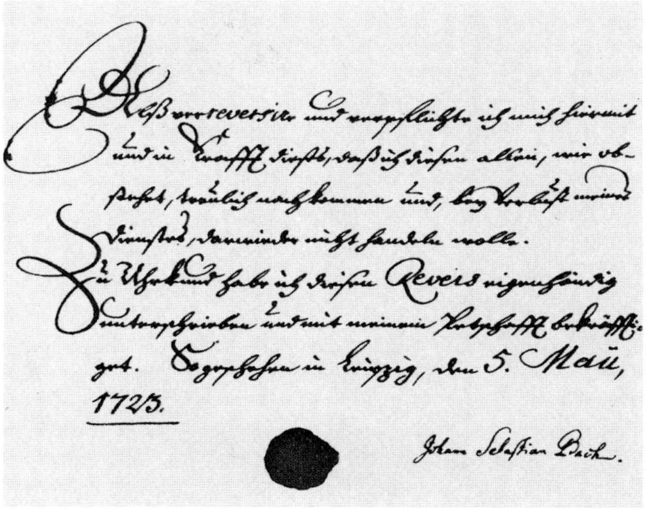

turalmente, en la católica. Las formas no cambian aunque los interlocutores sean dos como, por ejemplo, Temor y Esperanza, Jesús y el Alma.

Entre las cantatas más célebres figura la núm. 147, *Herz und Mund und Tat und Leben* ('Corazón y boca, acción y vida'), escrita para la fiesta de la Visitación de María a Isabel, encinta de Juan, el futuro Bautista. Es la cantata que concluye con unos de los más célebres corales de Bach, el sugestivo y emocionante *Jesu bleibet meine Freude* ('Jesús sigue siendo mi alegría'). Esta cantata está dominada por el coro inicial, pero toda la estructura se halla bajo el signo de la visión matemática de la divina proporción que tenía Bach. Junto con los coros y los corales figuran cuatro arias: dos para voces femeninas y dos para voces masculinas. Por una parte, la delicadeza y la gracia; por la otra, la seguridad y la fuerza.

Los recitativos se ven enriquecidos por acompañamientos siempre distintos, ya con un solo instrumento, el órgano, ya con la intervención de instrumentos como el oboe de amor, el violín o los oboes «da caccia». Bach escogió para esta cantata una orquesta refinada y singular (dos oboes, un oboe de amor, dos oboes «da caccia», una fagot, una trompeta, dos violines, viola, violón, contrabajo y continuo —confiado al órgano— que nos muestra la búsqueda tímbrica que realizaba frecuentemente, incluso con los medios modestos (especialmente en Leipzig) que la situación y las circunstancias le imponían.

En no pocos casos emplea también la percusión, el timbal sobre todo, y a menudo exige del órgano que desarrolle un cometido más importante. Además, emplea instrumentos como la flauta de pico (o flauta dulce), la viola 'da gamba', «carnetti» violoncelo y otros. Para los intérpretes actuales las cantatas, en su realización, ofrecen notables dificultades de ejecución debido a los especiales instrumentos que Bach elegía.

Bach no se encerró en un esquema fijo de cantata sino que, de año en año, perfeccionó las diversas formas que la componían. Tampoco cristalizó únicamente en el género sacro, sino que se ocupó también de temas «profanos» o cómicos sin más. Aunque algunos estudiosos consideran estas obras como «secundarias» en relación con las otras, las cantatas profanas de Bach son interesantísimas por cuanto ilustran la vida social de la época y ponen de manifiesto la gran vena irónica y satírica del compositor.

Había comenzado en Köthen con la *Cantata de la caza,* de argumento mitológico, para el cumpleaños del duque de Sajonia. Si Bach hubiese considerado esta música suya como totalmente secundaria, no la utilizaría de nuevo, en parte y con frecuencia, para cantatas religiosas (operación totalmente lícita en el siglo XVIII e incluso antes). A Bach le bastó, por ejemplo, substituir por Dios al príncipe Leopoldo y hacer surgir con ello la *Cantata núm. 173* para una fiesta de Pentecostés. De cualquier modo, Bach podía convertir un tema profano en religioso pero nunca hizo lo contrario.

Resulta espléndida la *Kaffe-Kantate* ('Cantata del Café'), cantata jocosa en la que satiriza las mujeres aficionadas a tomar café. Con toda seguridad se representó en el café Zimmermann, de Leipzig. El primer café público de esta ciudad fue abierto en 1694 y tres años después el Consejo municipal

Leipzig en la época de Bach. Aquí el compositor escribió gran cantidad de música sacra, entre ella numerosísimas cantatas.

tuvo que prohibir «el no autorizado consumo de té y de café». A pesar de ello, en 1725 había ya en la ciudad no menos de siete cafés. La cantata nos habla del encuentro entre un padre tosco y una hija refinada que quiere tomar café. La obra podría ser considerada también como una especie de iniciativa pionera a la hora de hacer publicidad mediante la música, toda vez que el «estreno» se efectuó en un café ciudadano como el Zimmermann que, en aquel tiempo, no permitía la asistencia de mujeres a sus locales.

Si los textos usados por Bach para las cantatas profanas solían ser alemanes compuso, no obstante, dos obras sobre palabras italianas: *Amore traditore* ('Amor traidor') para bajo y clavicémbalo y *Non sa che sia dolore* ('No sabe lo que es el dolor') para soprano e instrumentos. Se trata casi siempre de obras escritas para ocasiones concretas. A menudo Bach recurría a la técnica de la «parodia», es decir, utilizaba un fragmento musical empleado en ocasiones precedentes, sobreponiéndolo a un texto distinto, sacro esta vez (como hemos dicho al hablar de la *Cantata de la caza).* «Primero la música y después el texto», como reza el título de una hermosa obrita de Antonio Salieri. En el período barroco la parodia era una acción natural. Bach no se limitaba a coger la parte musical tal como estaba para efectuar una pura y simple acomodación a las nuevas palabras sino que intervenía con cambios a veces radicales. Incluso puede suceder que la parodia proponga un texto superior al original. La falta de tiempo inducía a Bach las más de las veces a emplear técnicas de *parodia.* En cualquier caso, el resultado era siempre sorprendente.

Oratorios y pasiones

Una innovación en la estructura de las cantatas condujo posteriormente al nacimiento de otras extraordinarias composiciones bachianas, como el *oratorio.* Esta forma es el resultado de una nueva reflexión sobre la «cantata». En tres años escribió:

Oratorio de Navidad (1734)
Oratorio de la Ascensión (1735)
Oratorio de Pascua (1736).

El *Oratorio de Navidad* ha conquistado, no sin dificultades, su justa y debida fama entre compositores y público. Por el hecho de que Bach hubiese empleado partes de distintas obras unidas a otras originales para realizar este oratorio, los especialistas lo consideraron durante muchos años como una obra secundaria; hasta los años treinta no logró afirmarse como obra completa y no como misceiá-

nea o conjunto de piezas de origen diverso. Seis números de la *Cantata núm. 213,* cuatro de la *núm. 214,* una aria de la *núm. 215,* un aria de una cantata para aniversario y un coral de *La Pasión según San Marcos* constituye el material que Bach emplea con maestría e intuiciones geniales. De todo ello surgió una obra extraordinaria. Las seis partes del oratorio están destinadas a los seis días de las fiestas navideñas: los tres días de Navidad, la fiesta de la Circuncisión, el primer domingo del año y la fiesta de la Epifanía.

El texto procede, considerablemente, de San Lucas para las cuatro primeras partes y de San Mateo para las dos últimas. Bach añadió maravillosos recitativos, arias y corales que componen un conjunto fascinante. Figuran doce arias regularmente repartidas en las seis partes. En las partes primera, tercera y sexta se emplean las trompetas con admirables efectos de sonoridad. En cada parte la estructura de la orquesta difiere y presenta una gran variedad de instrumentos. Además de los de arco, Bach emplea flautas, oboes, oboe de amor, oboe «da caccia», fagot, trompas, trompas de caza, trompetas, órgano y timbales. Al comienzo de la segunda parte

(sigue en la página 216)

Curiosos instrumentos en la orquesta de Bach, tales como la viola pomposa, la trompa de caza y el oboe de amor

La orquesta de Bach era un conjunto que el compositor modificaba a menudo, incluyendo instrumentos diversos según las necesidades expresivas. Vale la pena hacer un recorrido entre los instrumentos más raros (en nuestros tiempos) usados por Bach, añadidos a aquellos que, familiares a todos nosotros, han permanecido en la orquesta moderna.

Veamos primero los instrumentos de cuerda no habituales en nuestros días y situados fuera del uso corriente. Comenzaremos por la "viola da gamba", así llamada porque se tocaba manteniéndola apoyada entre las piernas (pierna, en italiano, es 'gamba'). Es similar al violoncelo, sólo que tiene seis cuerdas en vez de cuatro. Era un instrumento muy querido por Bach, al que ha dedicado espléndidas sonatas (tiene también una bellísima intervención en el sexto Concierto de Brandeburgo). *Proviene de la "viola da braccio" ('bracio' es brazo) —usada también en el citado concierto— que, en los siglos* XVI *y* XVII, *correspondía a nuestro violín. A finales del Seiscientos la viola 'da braccio' se usaba como se usa ahora la viola normal (el instrumento que tiene unas dimensiones algo mayores que las del violín). En nuestro tiempo la "viola da gamba" vuelve a ocupar su puesto de honor gracias a las ejecuciones siempre más frecuentes y —en cuanto es posible— más fieles de la música antigua.*

Otro instrumento de la época que, de vez en cuando, se escucha en los conciertos de Bach es la "viola de amor", que proviene de la misma familia que la "viola da gamba". Está provista de seis o siete cuerdas sonoras y de otras tantas de resonancia. Bach la empleará en algunas cantatas y también en la Pasión según San Juan: *la "viola de amor" tiene un sonido dulce y melodioso.*

En una cantata y en el primer Concierto de Brandeburgo *Bach usó también el "violín piccolo" ('piccolo' equivale a pequeño), de dimensiones más pequeñas que el habitual. Ahora este instrumento está fuera de uso.*

Otro instrumento por el que Bach sintió una gran inclinación fue el "violoncelo piccolo", que no es más

A la izquierda: **un flautista. Bach escribió bellísimas páginas para este instrumento.**
En la página contigua: **órgano construido por Bach, que se encuentra en Arnstadt.**

En la página contigua: **instrumentos de la época de Bach. En la pared frontal, un serpentón, fagots, caramillos y varios oboes; debajo, cromornos; en la pared de la derecha, violines, violas y violoncelos; en primer plano, un claviórgano.**

---

que la "viola pomposa" provista de cinco cuerdas. Los rapidísimos progresos efectuados en la técnica violoncelística condujeron a la inevitable desaparición de este instrumento, empleado por Bach en muchas cantatas (ascendido, sin más, al rango de solista en la Cantata núm. 41). *Bach escribió una suite para la "viola pomposa".*

En la Cantata núm. 157 *Bach usó la "violetta" ("violetta inglesa"), antiguo instrumento similar a la viola de amor, con 14 cuerdas, empleándola como alternativa del oboe de caza.*

En el campo de los instrumentos de cuerda de sonido profundo, Bach usó el "violín", el "violón grosso" y el "bajo". El "violón" era, en realidad, el contrabajo de la "viola da gamba", predecesor del actual e imponente contrabajo. Tenía un fondo llano y seis cuerdas. El "violón grosso" y el "bajo" indicaban un instrumento análogo al precedente.

El sector de los instrumentos de viento empleados por Bach es muy diverso e interesante. Con frecuencia la trompeta de Bach es un instrumento mucho más agudo que los actuales y el lo llamó, a veces, "clarín": es el instrumento descollante del segundo Concierto de Brandeburgo, *de las suites y de otras muchas composiciones. Cuando Bach escribe "trombe da tirarsi" y también "corni da tirarsi" (que, literalmente, significaría "trompetas de tirarse" y "trompas de tirarse") se refiere a instrumentos análogos a los trombones, de registro más agudo, pero similares en lo que se refiere al ejecutante, ya que "tirando" de la vara alarga o acorta la emisión produciendo, en consecuencia, los relativos sonidos, agudos o graves.*

En las partituras bachianas aparecen también "cornetas" y "cornetines". Son instrumentos que antiguamente se fabricaban de madera y también de marfil, rectos o curvos, redondos o a veces octogonales, provistos de seis agujeros sobre la parte anterior y uno en la parte posterior. Se tocaban con una boquilla similar a la de la trompeta. Eran numerosos los miembros de la familia de las "cornetas", desde los de sonido bajo a otros más agudos.

Otro instrumento bachiano es la "trompa de caza", de forma familiar a todo el mundo, presente en todas las orquestas y distinguible en las pinturas o grabados con escenas de caza. Ahora la trompa tiene pistones para emitir las notas, en tanto que la "de caza" emitía los sonidos naturales. Bach lo empleará en el Oratorio de Navidad, *en cantatas y en el primer* Concierto de Brandeburgo.

En algunas cantatas, en la Pasión según San Mateo, *en el* Oratorio de Pascua, *Bach empleó la "flauta dulce" (flauta de pico), la flauta recta de sonido dulce y sugestivo, hoy olvidada en la orquesta moderna en la que la flauta travesera impone su ley, brillante y virtuosística. Sin embargo, hay en estos momentos un claro retorno a la flauta dulce, que se difunde de nuevo como protagonista de mucha música barroca.*

Hay dos instrumentos que fueron usadísimos por Bach: el oboe de caza y el oboe de amor. El oboe que se viene usando actualmente y que figura entre los más fascinantes instrumentos, forma parte de los llamados "de madera" a causa del material con que están construidos.

Hace mucho tiempo la familia de los oboes era bastante numerosa y sus instrumentos abarcaban desde los sonidos más graves a los más agudos. Un oboe (el "de caza") daba un sonido más grave que los emitidos por los instrumentos modernos y estaba muy difundido en el siglo XVIII. *En la actualidad ha sido sustituido, no con mucha frecuencia, por un instrumento bastante similar denominado "corno inglés", de forma parecida al oboe, un poco más largo y que acaba con un pabellón redondeado. El oboe de caza fue llamado por Bach también con el nombre de* taille, *vocablo francés que en la música vocal e instrumental se refiere a una parte intermedia. Este instrumento (usado en una cantata alternando con la "violetta") lo ha empleado Bach en decenas de cantatas, en todas la Pasiones y en el* Oratorio de Navidad. *Más usado aún es el "oboe de amor", que corresponde al oboe empleado hoy pero que producía sonidos más profundos: está presente en la mayor parte de las composiciones de Bach, para orquesta.*

Para cerrar este sintético panorama hablaremos brevemente del laúd, para el que Bach ha escrito mucha música. Lo adoptó también para la orquesta: entre otras obras, en la Oda fúnebre *compuesta a la muerte de la reina de Polonia y princesa de Sajonia. Entre los instrumentos habituales dispuso dos laúdes, uniéndo-*

los a las flautas, oboes de amor, violas, violines y violas da gamba, con lo que obtuvo resultados extraordinarios.

El laúd es un fascinante instrumento de punteo, cuya forma característica se ha hecho célebre por los miles de cuadros debidos a grandes pintores que, a veces, lo confían a los ángeles o a los amorcillos. Se toca igual que la guitarra y tiene un mástil no continuo, sino doblado. Es de dimensiones varias, al igual que el número de sus cuerdas, que pueden ser cinco o seis cuerdas dobles. Es un instrumento que vive ahora en pleno éxito, volviendo a una fama merecida.

El último instrumento "extraño" son las "campanelle" (literalmente, campanillas), usado por Bach en la Cantata núm. 53 *("Resuena pues, hora tan deseada") para contralto solo. El instrumento está formado por pequeñas campanas o láminas de acero, que se percuten con baquetas de madera; se trata, pues, de una especie de carillón de sonido tintineante y brillante.*

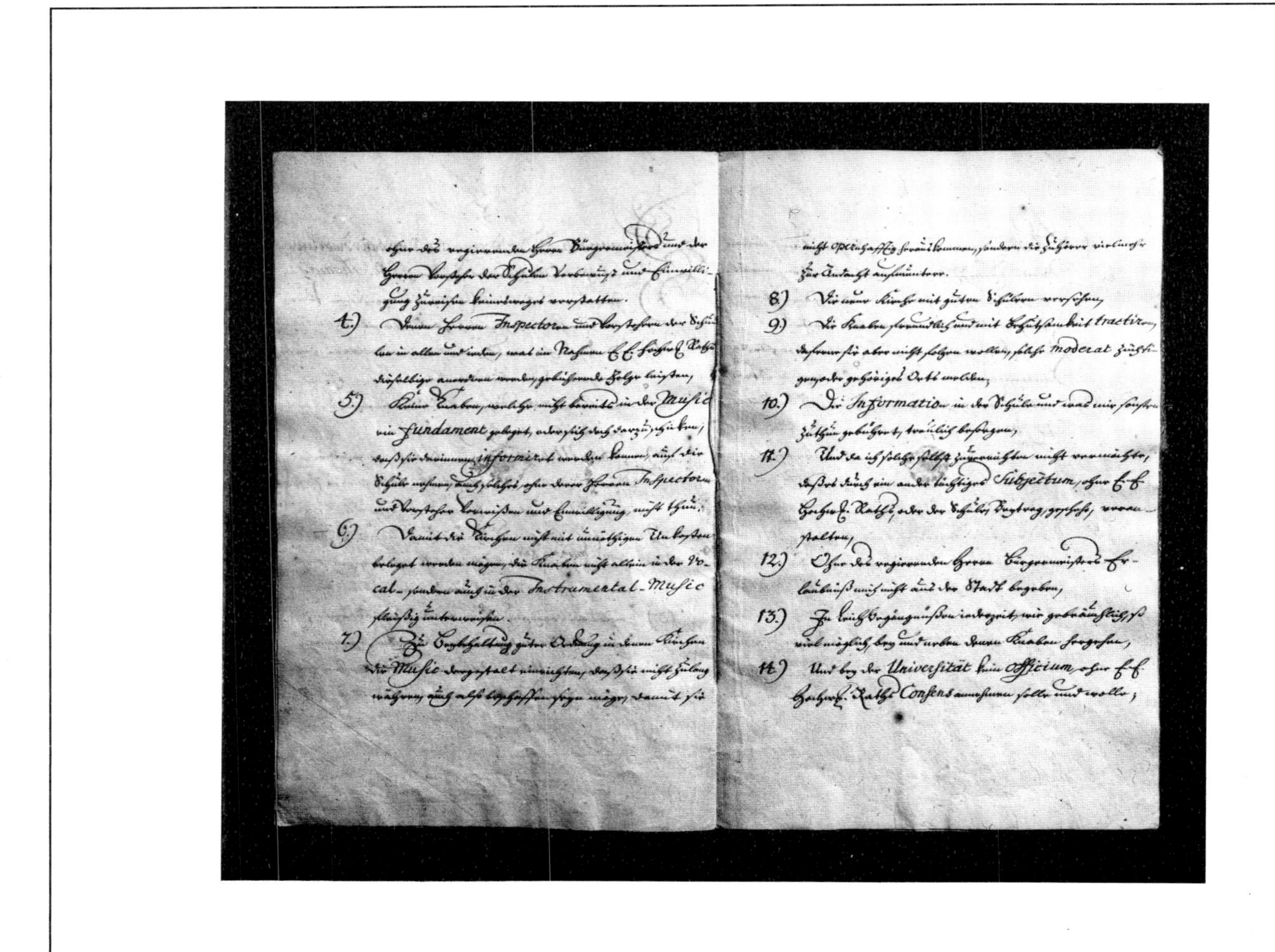

Arriba: **un autógrafo de Bach.**
En la página contigua: **cantores en una iglesia luterana. No debemos olvidar la gran influencia que el canto luterano ejerció sobre Bach; esta forma, desarrollada y patrocinada por Lutero, fue una de las bases de la música.**

hallamos una bella y sugestiva «sinfonía» de carácter pastoril: los instrumentos pequeños de viento (flautas, oboes de amor y «da caccia») le dan un colorido sumamente apacible. (Curiosamente, la célebre nana *Duerme, mi dulce niño,* una verdadera joya, no está en la escena del establo, sino en la referente a los pastores.)

El *Oratorio de Navidad* fue interpretado en las dos iglesias de Leipzig, Santo Tomás y San Nicolás, con el título original de Bach, *Oratorium Tempore Nativitatis Christi.* No se trata, pues, de sumar seis cantatas diversas sino, por precisa voluntad del autor, de una obra unitaria.

El *Oratorio de la Ascensión* (1735) tiene una estructura distinta y fue ideado como una serie de meditaciones en forma de recitativos, arias y corales basadas en textos evangélicos. Algunos estudiosos no lo consideran un verdadero oratorio, sino una cantata y la designan como la *núm. 11, Lobet Gott in seinen Reichen* ('Alabad a Dios en su reino'). Pero se trata de un verdadero oratorio para cuatro solistas, coro y una orquesta rica en instrumentos:

A la izquierda: **exterior de la iglesia de Santo Tomás, en Leipzig, con la «Thomasschule» o Escuela de Santo Tomás, según una lámina de 1723.**

dos flautas, dos oboes, tres trompetas, timbal, dos violines, viola y bajo continuo.

El tercer oratorio, *de Pascua* (1736) es, con el de Navidad, el más interpretado. Parodia una cantata profana precedente (la 249a) escrita en 1725 con motivo del cumpleaños del duque Cristián de Sajonia-Weissenfels (del que Bach había sido nombrado maestro de capilla *honoris causa)* y mantiene la estructura orquestal de aquélla. En el *Oratorio de Pascua* figura la mística nana *Sanfte soll mein Todeskummer* ('Que sean dulces las fatigas de la muerte'), con los violines en sordina ofreciendo una música que es, toda ella, como el ondulante dibujo de una serena canción de cuna. Sus corales son maravillosos y el oratorio todo merece la fama alcanzada por el *Oratorio de Navidad.*

Enlazadas con los oratorios hallamos las *Pasiones.* Son en realidad verdaderos dramas, representaciones sacras en el más concreto significado del término. Bach escribió tres (entre 1724 y 1729: *La Pasión según San Juan* (1724), *La Pasión según San Marcos* (que se ha perdido; se trataba de la parcial parodia de la *Oda fúnebre* escrita en 1727 con motivo de la muerte de Cristiana Eberardina, reina de Polonia y princesa de Sajonia), y *La Pasión según San Mateo* (1729). Sin embargo en la época de Bach se hablaba sin más de cinco *Pasiones.* La *Pasión según San Lucas,* considerada la cuarta, es una obra espúrea. Y en cuanto a la «quinta», los hijos, al redactar la necrología, cayeron en un error: consignaron como obra auténtica una *Pasión* tradicional que el padre se había limitado a copiar.

La selección del texto de la Pasión (los auténticos del Evangelio y los «modernos») es un hecho antiguo. Ya en los tiempos de San Agustín este momento de la vida de Jesús asumía un particular relieve. En la época de Bach, en las iglesias y en las ciudades más importantes de Alemania, se daba al ritual del Viernes Santo una solemnidad peculiar, comentando la Pasión de manera «figurada», con música escrita para la circunstancia y no tomada del patrimonio músical religioso tradicional.

Cuando Bach acude a desempeñar el cargo de cantor en Leipzig tenía casi terminada *La Pasión según San Juan,* en la que había comenzado a trabajar a finales de 1722, en Köthen. No tenía aún un «libretista» propio, de ahí que Bach elaborase él mismo el texto, sobre la falsilla del de B. H. Brockes empleado por Haendel para su *Pasión.* El resultado es una composición altamente sugestiva, incluso en el aspecto textual. Era una «pasión-oratorial» que añadía al texto evangélico arias y 'ariosi', motetes y corales. El Evangelio viene narrado por un evangelista (un tenor), pero no faltan los diálogos (entre voces solistas, o con participación del coro). Las arias y los 'ariosi' (tipos de recitativos apasionadamente cantados) son meditaciones y reflexiones sobre el momento histórico del relato y sus significados. Los motetes, imponentes coros, están situados, en general, como apertura o cierre de cada una de las partes. Los corales dan un particular relieve litúrgico al texto, como si la muchedumbre, en aquel momento, participase en la pasión cantada. Muchos estudiosos suponen que *La Pasión según San Juan* se interpreto en 1724.

Grabado alegórico de Lucas Cranach: Lutero y Huss dan la comunión a los príncipes alemanes protestantes de la casa de Sajonia.

No fue un fácil alumbramiento ni tuvo un cómodo desarrollo pues las versiones que conocemos son, al menos, cuatro. Como hemos visto con Haendel, muchos compositores ya habían puesto música al texto de Brockes (entre ellos, Telemann y Mattheson), pero Bach alcanzó, con su poderío, la palma del vencedor. Con la *Pasión según San Juan* no hacía sino reafirmar la superioridad de un genio que no admitía discusión.

La Pasión según San Juan es menos compleja que la de *San Mateo.* Los solistas son siempre cuatro, pero el coro es simple y la orquesta un poco menos rica de timbres (carece de trompetas y añade dos violas de amor). Dividida en dos partes, en la primera se narra la traición, el prendimiento y las negaciones. En la segunda vemos a Jesús ante Pilatos, la flagelación, la condena, la crucifixión, la muerte de Jesús y el descendimiento al sepulcro. Como siempre, la pasión se ejecutaba, en sus dos partes, con el sermón en medio. La voz de Jesús es de bajo, probablemente un homenaje al antiquísimo uso de emplear, para las palabras de Cristo, un tono de «voz baja», un cantar *inferius,* como se decía en latín. *La Pasión según San Juan* comprende once corales, además de dos grandes coros, dos 'ariosi' y ocho arias.

Un tanto distinta es la estructura de *La Pasión según San Mateo,* de forma más grandiosa. Como hemos dicho, se añade la presencia de las trompetas, no hay violas de amor y el coro es doble. Bach la compuso entre el otoño de 1728 y la Cuaresma de 1729 y se escuchó el Jueves Santo de este mismo año en Santo Tomás. Existen, al menos, dos versiones de esta *Pasión.* Bach había encontrado su libretista: Christian Friedrich Henrici, conocido con el nombre de Picander (1700-1764). Picander conocía discretamente la música y había cursado leyes; vivía en Leipzig, donde murió, como em-

Manuscrito de una aria de una cantata de Bach.

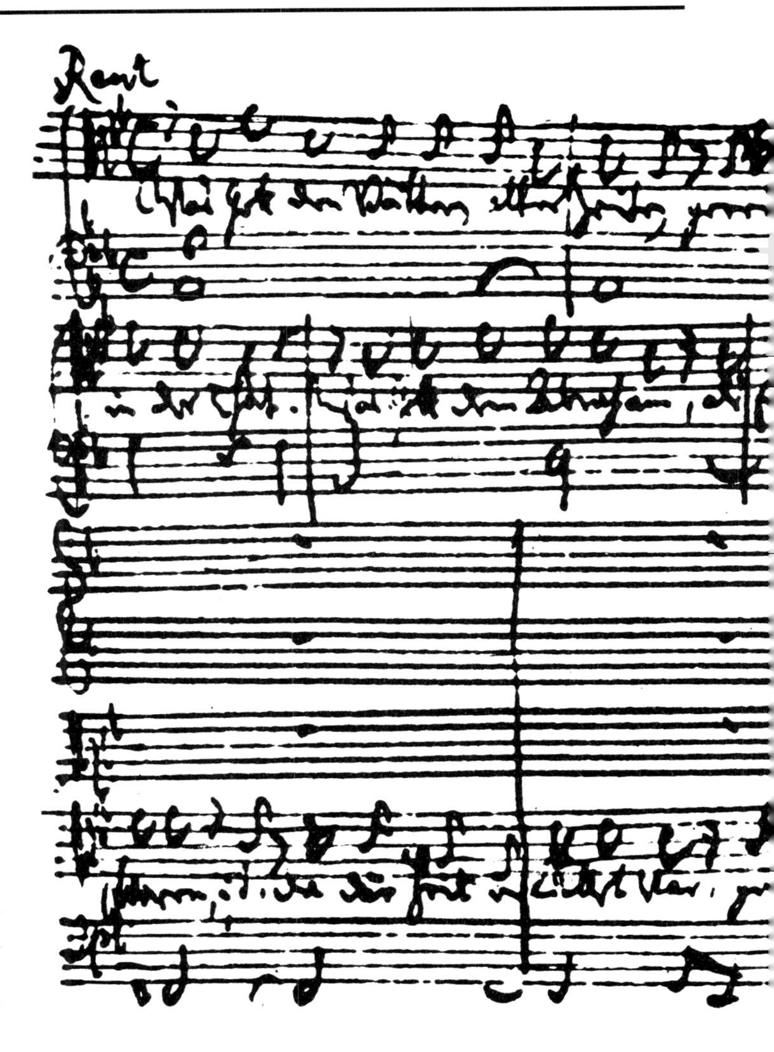

pleado de correos y recaudador de impuestos. Muchos textos de las cantatas, sagradas y profanas, son suyos, como también el de *La Pasión según San Mateo* salvo, obviamente, los evangélicos y tres trozos (dos de Salomón Franck y uno de B. H. Brockes).

Entre las citas evangélicas van intercalados 28 trozos de Picander y 14 corales. La parte confiada al recitativo es fundamental y da, verdaderamente, sentido dramático a la obra. Fundamental resulta la aportación al relato global confiada al evangelista, que Bach ha cuidado de forma particularísima. Sobre este personaje «histórico» se ha vertido toda la ciencia y habilidad de Bach: una gran variedad de invenciones, un mundo de imágenes riquísimo y lleno de fantasía, una gama imponente de capacidad descriptiva y de indicaciones simbólicas. Del mundo musical, compositivo y dramático del evangelista proceden las demás intervenciones de los solistas (excluido Jesús). Nunca el coral había alcanzado su «momento mágico» como en esta magna composición; es, verdaderamente, la «voz del pueblo», la voz de todos. Con el coral el relato dramático se distiende. En *La Pasión según San Mateo* aparece por seis veces un personaje, la hija de Sión, que trenza un diálogo con los creyentes. Todo concurre para ofrecernos un cuadro sumamente vivo incluso del mundo que palpita, invoca, llora y grita alrededor del Cristo de la Pasión. Grandes coros y grandes corales. El coro interviene también como «pueblo», como muchedumbre de judíos: recita, grita en los estilos musicales más diversos, que son siempre los más adecuados y genialmente acertados.

¿Cuál es la diferencia entre las dos gigantescas pasiones? La de *San Juan* es, sin duda, más íntima. En ella Bach parece acudir a lo fundamental: descuida, en cierto modo, el detalle y pone en evidencia manifiesta la necesidad de la meditación y la relación con Cristo, antes que el aspecto dramático en sentido estricto. Al final de la de *San Juan,* que después del coro *Ruth wohl!* ('Descansa en paz'), un coral transforma la muerte de Jesús en garantía del Paraíso para el creyente. El final de la de *San Mateo* subraya en cambio el drama de la madre y se dirige al Salvador en el sepulcro *(Ruhe sanft,* 'Descansa en paz') entre las lágrimas de quien lo contempla con el cuerpo sanguinolento y atormentado por el suplicio.

Musicalmente hablando, las dos *Pasiones* son dos cumbres insuperables.

Empleando los estilos más variados, y las diversas combinaciones instrumentales (con sensacionales «hallazgos» tímbricos), Bach alcanza una unidad estilística absoluta. Alberto Basso ha escrito, justamente:

> «De esta mezcla de estilos y diversidad de formas, intención y estructura; de esta no uniformidad surge, racional y sentimentalmente coordinada, la unidad de la obra, ya que Bach conquista el dominio de la materia desde la pluralidad de actitudes y procedimientos».

La imagen del Bach religioso no quedaría completa si dejásemos de considerar el *Magnificat* y las misas. Si inicialmente, para lo sagrado escogía tex-

Rarísima viola «da gamba», taraceada con madreperla.

tos en lengua alemana, ahora, para el *Magnificat* y para las misas, sigue el texto latino. Bach ha compuesto un *Magnificat,* cinco misas, cinco *Sanctus,* un *Christe eleison* y un *Kyrie eleison.* De estas composiciones las más notables son el *Magnificat* y la *Misa en si menor,* dos obras maestras en su género respectivo.

Hablando de Bach, pronto se acostumbra uno a la locución «obra maestra», con el riesgo de que pierda un tanto de su significado absoluto.

El *Magnificat* se ejecutaba en Leipzig durante las Vísperas, casi siempre en alemán. En la Navidad de 1723 Bach compuso el *Magnificat* con cuatro trozos navideños. Posteriormente vuelve a las piezas y las reviste con un ropaje armónico distinto, llevando el conjunto a su forma actual para la que el texto en latín ofreció a Bach una manera distinta de organizar la composición. En el *Magnificat* no hay recitativos y las arias y coros son más breves que de costumbre. No se «daba sermón», bastaba el sintético y sugestivo texto para sostener el todo, compuesto de siete motetes. Está escrito para cuatro solistas, un coro a cinco voces y orquesta.

En su forma «navideña» el *Magnificat* se ejecutó en la Navidad de 1723. En su forma actual, en Pascua o en Pentecostés algunos años después. El hijo Karl Philipp Emmanuel lo hizo ejecutar en Hamburgo en 1729. Fue una de las raras repeticiones de obras bachianas. (La gran *Pasión según San Mateo* se dio tres veces en vida de Bach: en los años 1736, 1739 y 1745.)

La *Misa en si menor* (la más célebre de las suyas y quizás, junto con la *Missa solemnis* de Beethoven, la más célebre entre todas las misas musicales) no fue compuesta en un todo único, sino que está formada por cuatro partes: la *Missa (Kyrie* y *Gloria)*, el *Symbolum Nicenum* (esto es, el *Credo)*, el *Sanctus* (sin *Hosanna* ni *Benedictus)* y, finalmente, un grupo de composiciones: *Hosanna, Benedictus, Agnus Dei* y *Dona nobis pacem*. La música fue compuesta durante un período que va de 1724 a 1740, poco más o menos. El *Kyrie* y el *Gloria* tenían como destinatario al Elector católico de Sajonia, Federico Augusto, convertido en rey de Polonia con el nombre de Augusto III. La estructura, según la manera bachiana, es extremadamente heterogénea, pero conduce a resultados sorprendentes. De veintiséis fragmentos, diecisiete son corales. Se pasa, de un clima arcaico y renacentista, a otro severo del más puro estilo luterano, para alcanzar la magnificencia sonora del pleno barroco. El *Credo*, particularmente, está planificado con rigurosa simetría matemática: dos coros, un solo, tres coros, un solo, dos coros. También los estilos de composición responden a la misma intención, casi perfectamente geométrica.

¿Un Bach católico, pues? Esta misa podría plantear el problema. ¿Era Bach hombre de mentalidad

En la página contigua: **«Las tres Cruces», de Rembrandt. La Crucifixión fue un motivo frecuente en la música de Bach.**
Abajo: **interior de la iglesia de San Nicolás, en Leipzig.**

abierta a todas las confesiones? Era, sí, de una cultura que todo lo abarcaba, pero no al extremo de cambiar sus bien enraizadas convicciones religiosas. Por lo demás, la *Misa en si menor* sería la única «prueba» de su «catolicismo». Ante una obra semejante, cualquier discusión de este género resulta estéril: se eleva la voz de un genio musical.

La producción religiosa de Bach se completa con algunos motetes, forma musical que, con Bach, se orienta hacia nuevas estructuras que impostan el tema religioso en lo más vivo del lenguaje musical de la época. Bach ha escrito también numerosos *lieder,* canciones espirituales cultivadas probablemente en el ambiente familiar, según uso y costumbre de su tiempo.

La música instrumental de Bach

Al llegar aquí, para tener una idea completa de la poliédrica visión total que Bach tenía de la música y de sus formas, conviene hablar de los ins-

Arriba: **interior y portal de la iglesia de Santo Tomás, en Leipzig**

En la página contigua: **ejecución de un oratorio en el siglo XVIII. Tal como ocurre hoy —pero contrariamente a cuanto acaecía en el Ochocientos— también en los tiempos de Bach los oratorios se ejecutaban prescindiendo de disfraces y de escenario.**

trumentos para los que escribió, de la orquesta, de la música de cámara. Bach, como es sabido, fue, ante todo y sobre todo, un organista. También en este campo, como veremos en el del clavicémbalo, Bach sorprende al oyente. En la práctica, sea cual fuere la obra considerada, (organística o clavicembalística) sobresale la altísima espiritualidad que la penetra, la carga humana, el gusto, la elegancia, la gracia y poderío. No obstante sabemos que muchas de sus obras para órgano y para clave nacieron como meras finalidades didácticas: «ejercicios» para los hijos, para su mujer Ana Magdalena, para los alumnos.

El panorama de la música para órgano es inmenso y muestra el gran amor de toda una vida para este fascinante instrumento, del que Bach tenía un conocimiento total, técnica y constructivamente hablando. Muchas veces había sido llamado para la restauración y el examen pericial en centros y ciudades vecinas, si bien no fue un verdadero organista (por el cargo) hasta finales de 1717. Ha dejado una producción colosal (no poca de la cual se ha perdido) que llevó al órgano hasta la cumbre de sus posibilidades, sondeando todas las posibles respuestas musicales o instrumentales.

Organo y Bach forman un todo que no puede ser dividido. Como un reflejo condicionado, cuando en una iglesia se oye el sonido del órgano el pensamiento, inmediatamente, acude a Bach, porque Bach *es* el órgano, absolutamente. Bach lo sabía todo del órgano: su estructura y también su historia. Ni un solo estilo organístico escapaba a su conocimiento. Por ello resulta arduo identificar una característica única en Bach: asume en sí mismo todo cuanto se había escrito y se estaba escribiendo para este instrumento. Como Santo Tomás en teología, Bach ha realizado una *Summa,* una síntesis total del arte organístico, utilizando todos los estilos y todas las escuelas, dominándolos y sometiéndolos a su genio. Se puede hacer una re-

lación nominal y completa de *los grandes,* ya que todos pasan entre las manos y por el cerebro de Bach.

Su técnica compositiva y ejecutiva tiene algo de prodigioso. Debió ser un intérprete máximo. Salvo en una pequeña parte, es imposible poner fecha a sus composiciones organísticas. La más célebre de sus obras, la *Tocata y fuga en re menor,* hace pensar en un Bach de muy elevada madurez, tal es la fuerza de esta fluida y virtuosística página cuando, probablemente, se trata de una de las primeras obras de Bach, de los tiempos en que residía en Arnstadt o en Mühlhausen. Resulta increíble pensar que esta excepcional página sea «juvenil» y que tenga, como hermanas gigantescas, otras como el «Passacaglia» y numerosos preludios y fugas.

La mole de las composiciones libres para órgano es enorme. Más ordenada resulta la relativa a los corales, a partir del *Orgelbüchlein* ('Pequeño libre de órgano'), de los dieciocho corales de Leipzig, para acabar con la gran colección religiosa de los corales. Colección impresionante, porque muestra cómo Bach, el Santo Tomás musical del luteranismo, había querido realizar, por medio del órgano, un compendio de la doctrina luterana. Tras un grandioso preludio, nos ha legado aquí una serie de grandes y pequeños corales dispuestos según el orden de la misa luterana: los grandes corresponden al catecismo teológico; los pequeños, al destinado al pueblo. Está confiada la conclusión a un monumento del arte organístico, una triple fuga que tiene la misma tonalidad del preludio inicial. La gigantesca colección data de 1739 y Bach la dedica «a los diletantes y particularmente a los entendidos para la elevación del espíritu». Es el punto de llegada de un hombre que, durante toda su vida, exploró todos los campos posibles dentro de la música.

Aunque la divisoria entre órgano y clave no es muy precisa (en aquel tiempo, seguía usándose el clavicémbalo de pedales), las obras para clave, sin embargo, merecen de por sí un grandioso capítulo, también en este caso de inmenso alcance. Cuando Bach confió a la imprenta el *Klavier-Uebung* ('Ejercicio para teclado') la finalidad, era didáctica, pero el resultado es el habitual. Junto a las obras cíclicas (el grupo de las seis *Partitas,* las *Suites francesas* y las *Suites inglesas,* el *Clave bien temperado*) figura una serie de composiciones aisladas como el *Concierto en el estilo italiano,* la *Obertura al gusto francés,* los *Caprichos* y las *Variaciones Goldberg.*

Estas últimas fueron escritas para su alumno Johann Gottlieb Goldberg (1727-1756), clavecinista del conde Keyserling, embajador de Rusia en la corte de Dresde. El conde era un eficaz protector de Bach y había pedido que le escribiera fragmentos musicales aptos para distraerle durante sus inquietas noches de insomnio. Así nacieron las *Variaciones Goldberg* (era el propio Goldberg el encar-

En la página contigua: **Bach al órgano, en una litografía de W. Tab. Además de ser uno de los máximos compositores de todos los tiempos, Bach fue un extraordinario organista.**

Abajo: **autógrafo de una obra para clavecín a pedales, de Bach.**

gado de interpretarlas, durante la noche, para el conde).

El tema elegido es una zarabanda que figura en el *Pequeño libro de Ana Magdalena*. En la última variación Bach introduce dos melodías de canciones populares: *Coles y nabos me tenían harto* y *Hace tanto tiempo que no estoy contigo.* El conde no se cansaba nunca de oírlas interpretar y mandó a Bach un cáliz de oro que contenía cien luises de oro puro.

Las *Variaciones Goldberg,* por lo tanto, dieron a Bach mejores frutos que cualquier otra obra.

El órgano fue, tal vez, el instrumento preferido de Bach.
En la página de la izquierda **se representa uno de los suyos.**

Entre las composiciones libres (como las citadas *Variaciones*), de gran interés, conviene destacar la bellísima *Fantasía en do menor,* que hace honor a su título. Para cualquiera que haya llevado a cabo estudios de piano, aunque sean mínimos, títulos como *Clavecín bien temperado, Suites francesas, Suites inglesas* e *Invenciones* son términos familiares. Como ocurre con el latín, el estudio de estos pentagramas se le habrá hecho no pocas veces un tanto amargo, pero queda la convicción de que se trata de obras maestras, especialmente el *Clavecín bien temperado* en dos libros, escrito en 1722 y en 1724 y formado por 24 preludios y 24 fugas en la tonalidad mayor y menor. Es una de esas creaciones que hacen historia. Bach quería ofrecer una prueba técnica y artística («para el uso de la juventud estudiosa y musical y también para recreo de aquellos que ya estaban versados en la música») del uso del sistema temperado.

Con este sistema, la escala *(do, re, mi, etc.)* venía subdividida en doce partes, denominadas semitonos, de igual valor. A cada una de las partes corresponde, pues, una escala, en su modo mayor o menor, por lo que hay un do mayor y también un do menor y así sucesivamente hasta veinticuatro posibilidades. El resultado para quienes practican este ejercicio es valiosísimo por la técnica musical tan perfecta que hay en sus pentagramas.

También en esta obra Bach agrupa los más variados estilos, sobre todo en los preludios, y muy frecuentemente en las fugas, como un arquitecto osado que logra, al fin, realizar una casa magnífica por su armonía y perfección formales.

Junto a estos dos volúmenes no debemos olvidar aquellos de las *Suites francesas* e *inglesas* (no sabemos con certeza el porqué de estos títulos) y de las *Partitas.* Se trata siempre de una serie o conjunto

Derecha: **dos movimientos de la forma «suite», con las ilustraciones de las danzas que de ellos se derivan, la «corrente» o «courante» y la «chacona».**

de piezas a menudo precedidas de un fragmento especial (llamado por Bach de maneras diversas, especialmente en las *Partitas,* la obra más alemana de la serie: praeludium, praeambulum, sinfonía, tocata, fantasía, obertura). Las *Suites* están formadas por danzas, según las tradiciones italiana y francesa. Bach, a veces, inserta otro tipo de formas: caprichos, burlescas, 'scherzi'. Un programa de un gusto, una elegancia y una variedad geniales y soberbios.

En el clavicémbalo como en el órgano y, luego, en las composiciones de orquesta, se halla nuevamente presente Italia y, sobre todo, Vivaldi. Bach ya había transcrito para órgano tres conciertos vivaldianos de las *Opera terza* y *settima* y en numerosas composiciones había utilizado temas de Corelli y Legrenzi; transcribe para el clave seis conciertos de Vivaldi, uno de Alessandro Marcello (el del célebre largo para oboe), utilizando también temas de Albinoni. En encuentro, esclarecedor y entusiasta con Antonio Vivaldi, se prolongó con la transcripción orquestal de otro concierto vivaldiano.

Si el órgano y el clave dominaron la vida artística de Bach, no podemos olvidar otro sector de su producción, la música de cámara. En este campo Bach ha ofrecido nuevas y estupendas pruebas de su genio, a partir del violín, su instrumento preferido tras el órgano y el clave y en el que se había instruido primero, juntamente con la viola, en las reuniones musicales familiares, lugar natural de los conciertos.

Realmente, Bach tenía a su disposición, en la práctica, una orquesta formada por sus hijos, que sabían tocar, y por una hija y su esposa, dotadas de hermosas voces para el canto. En una carta de 1730, dirigida a su amigo Erdmann, Bach escribe: «Con mi familia puedo ya formar un conjunto para la ejecución de un concierto vocal e instrumental, ya que mi mujer tiene una bellísima voz de soprano y también mi hija mayor sabe ejecutar su parte bastante bien.» Mucha música de cámara suya posee el sabor de estos conciertos de familia. Le gustaba tocar en casa la viola porque, según él, «me siento como en el centro de la música».

Dedicó al violín obras supremas: tres sonatas y tres partitas para violín solo, seis sonatas para violín y clave. A lo que hay que añadir las composiciones para violoncelo solo, para flauta y para viola 'da gamba'.

Salón del castillo llamado «Sans Souci», en Potsdam, en el que Bach probó clavecines para Federico el Grande y en el que improvisó sobre temas dictados por el rey.

Con el violín, Bach llegó a superar todos los modelos precedentes, tanto por el contenido musical como por la riqueza de las formas. Aplicó al instrumento una asombrosa técnica polifónica con resultados extraordinarios. La palabra «polifonía» domina absolutamente el mundo de las cantatas, los oratorios, las pasiones, las misas y los motetes. El profano se siente un poco incómodo ante este término que sugiere la idea de algo abstruso, técnicamente difícil, alejado del arte. En realidad se trata de varias voces («polifonía» significa precisamente «muchos sonidos») que se mueven libremente cada una de ellas respecto a las demás, dentro de una armonía general. Tal ocurre, por ejemplo, en un coro o en una combinación de varios instrumentos. Sabemos cuantas voces diversas pueden obtenerse del sonido de un violín. Basta escuchar la célebre *Chacona,* de la *Partita en re menor,* para darse cuenta de la belleza del canto violinístico y, al mismo tiempo, de la complejidad a varias voces que Bach logra del instrumento. No pensamos en el violín de sonido italiano, en un mundo que en el futuro pertenecerá a Paganini. Bach sigue en el mundo alemán, continúa y agota el antiguo camino. Pero las obras para violín figuran en la cumbre de toda su producción camerística: una explotación audaz y perfecta del lenguaje musical y una profundización total de la técnica instrumental.

Las sonatas bachianas mantienen la estructura de la antigua «sonata de iglesia» en cuatro tiempos; las partitas son un conjunto de danzas, casi siempre sometidas al esquema *alemanda-courante-zarabanda-giga* con eventuales danzas intermedias (como ocurre en el caso de la *Chacona*). A Bach le gustaban inmensamente estas páginas y no pocas veces hizo transcripciones de algunos fragmentos para laúd, órgano y clave; las reelaboró, al menos, para dos cantatas. Se ha escrito con justicia que Bach ha sabido dar vida a una profundidad expresiva que en vano intentaríamos hallar en toda la historia de la literatura violinística.

Izquierda: **página autógrafa de una «Sonata para violín solo».**
En la página contigua, arriba: **una característica de la música barroca fue la capacidad de los músicos de tocar cualquier instrumento. Durante los conciertos era costumbre habitual intercambiarlos.**

Las posibilidades de los instrumentos de cuerda o de viento fueron experimentadas por Bach agudamente en sus composiciones para orquesta, que, en definitiva, consiste en conciertos y oberturas. (Estas últimas son colecciones de danzas, la mayor parte de las veces de origen italiano y francés y, por ello mismo, propias y verdaderas suites para orquesta.)

Cuatro son las suites u oberturas que compuso Bach: una en *do* para oboes, fagot, instrumentos de arco y continuo, dos en *re* que añaden al conjunto instrumental timbales y tres trompetas (pero sin fagot), y una en *si menor* para flauta, instrumentos de cuerda y continuo. La «Suite» más célebre es la tercera en *re mayor,* escrita probablemente en Leipzig entre 1727 y 1736, para dos oboes, tres trompetas, violines, viola, timbales y continuo. Formada por una obertura, un «air» ('aria'), dos gavotas, una bourrée y una giga, debe su fama sobre todo, al aria.

El joven, rico y genial Mendelssohn, en 1838, la dirige en Leipzig, en los conciertos del Gerwandhaus, mostrando también la cara del Bach «profano», tras el gran descubrimiento de *La Pasión según San Mateo.* En la obertura Bach se adhiere al «gusto» francés, practicado en la fascinante *badinerie* de la segunda «Suite» en si menor o en la *rejouissance* en la cuarta en re mayor. Es música cortesana de muy alto nivel.

La cara «italiana» (a la manera de Bach, obviamente) nos viene dada en el mundo de sus conciertos. Un mundo dominado por los justamente célebres seis *Conciertos de Brandeburgo* dedicados al margrave Cristián Ludovico de Brandeburgo, apasionado de la música, que pasaba su tiempo en Berlín o en sus campiñas, quien tenía una orquesta para su personal disfrute. El margrave pide a Bach música para su orquesta en 1721. Pero es bastante probable que estos conciertos hayan sido ejecutados en Köthen por otra orquesta. En el inventario de los libros de música del margrave (fallecido en 1734) no figuran los conciertos de Bach; se hallan, probablemente, bajo el epígrafe «conciertos de autores varios». El bellísimo manuscrito se salvó, milagrosamente, tras mil peripecias.

Los *Brandeburgueses* son una ulterior prueba del espíritu inquieto del maestro, un enésimo testimonio del poder que tenía para alcanzar, en la diversidad de las formas, los estilos y los medios instrumentales, resultados maravillosos en el plano del arte.

Veamos ahora qué elementos instrumentales adoptará Bach, concierto por concierto. Para el primero (en *fa*): dos trompas de caza, tres oboes, fagot, violín 'piccolo', instrumentos de cuerda y continuo. Para el segundo (en *fa*): trompeta, flauta, oboe, violín, instrumentos de cuerda y continuo. Para el tercero (en *sol*): tres violines, tres

violas, tres violoncelos y continuo. Para el cuarto (en *sol*): violín, dos flautas, instrumentos de cuerda y continuo. Para el quinto (en *re*): flauta, violín, claveconcertato, instrumentos de cuerda y continuo. Para el sexto (en *si bemol*): dos violas 'da braccio', dos violas 'gamba', violoncelo y continuo.

La forma es la del concierto 'grosso', pero Bach establece la relación entre «tutti» y solista (o solistas) de las formas más diversas y variadas. Los conciertos más ricos, instrumentalmente, son el primero en el segundo. En el primero el grupo de los instrumentos de viento (trompas, oboes y fagot) tienen una apariencia coral y será el violín, en el tercer movimiento, el que asuma la parte de «solista».

En el segundo los instrumentos se convierten en «solistas» mediante varias combinaciones en las que domina la arrolladora «trompeta soprano». El carácter solístico del tercer concierto se hace pronto evidente. En el quinto el clave, por primera

Izquierda: **otro movimiento de la «suite», la «bourrée», con ejemplo de la música e ilustración de la danza.**

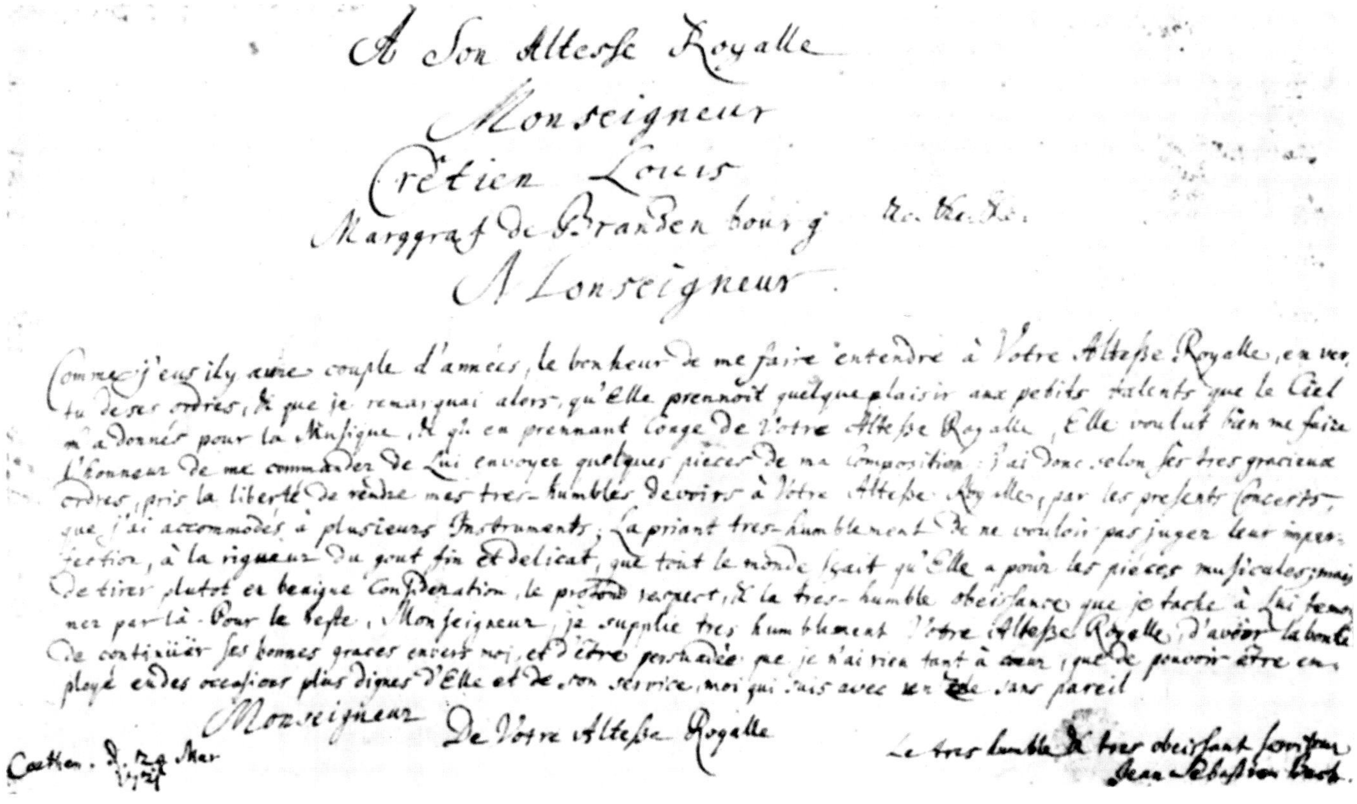

Dedicatoria de los «Conciertos de Brandeburgo».

vez en la historia de la música, desarrolla un larguísimo solo de gran belleza y complejidad técnica. Inútil hablar de unidad estilística. Bach experimenta y une formas y estilos: a la italiana, a la francesa, a la alemana. También convulsiona las formas del concierto tradicional y se pueden escuchar momentos que recuerdan una simple «sonata a tres». Además, el número de movimientos que componen cada uno de los conciertos es difernte, de vez en vez.

Bach ha escrito otros conciertos. Nos quedan diecisiete, pero en general se trata de transcripciones de conciertos propios o de otros autores. Es célebre la transcripción para cuatro claves y orquesta del concierto de Vivaldi, décimo de la *Opera terza.* Son originales dos conciertos para violín, uno para dos, otro para tres clavecines y uno para dos violines. Entre los transcritos figuran siete conciertos para clavicémbalo que, en su instrumento original, eran para violín, oboe o flauta.

En el concierto para dos violines solistas —un concierto original, no una transcripción— el contraste, la oposición, la relación entre «solo» y «tutti» es muy evidente. El concierto BWV 1043 figura entre los más célebres y más apreciados conciertos bachianos y ha sido transcrito por el propio Bach para dos claves y orquesta (BWV 1062). La versión para dos violines es, sin duda, la preferente; no obstante, vale la pena contrastar las dos versiones. (La sigla BWV acompañada de un número se refiere al *Bach-Werke-Verzeichnis* o 'Catálogo de las obras de Bach'.)

Quedan por considerar las grandes obras de alta técnica contrapuntística de Bach, situadas en los confines de la pura abstracción musical comparables a las especulaciones dantescas y que abren mundos de música absoluta, quizás no superables. Se trata de dos obras maestras, la *Ofrenda musical* y

El arte de la fuga: la primera data de 1747; la segunda, que quedó incompleta, fue iniciada en 1749. Como hemos dicho, la *Ofrenda musical* utiliza un tema propuesto por Federico el Grande a Juan Sebastián Bach y dedicada al rey de Prusia por el gran maestro.

Parece que en la vejez prevaleciera en Bach un cierto alejamiento de la práctica ejecutiva, es decir, que hubiese escrito música para sí mismo, sin pensar, automáticamente, en la vía de su destino habitual: la ejecución. Puede ocurrir que Bach proyectara obras de puro contrapunto, de puro juego polifónico (la fuga sería la forma más adecuada y completa). Pero como siempre acaece en Juan Sebastián el resultado supera en gran medida el propósito teórico del compositor.

La *Ofrenda musical* y, más aún, *El arte de la fuga* son obras de elevadísima erudición, hijas de un tiempo en que la música era, cada vez más, ciencia, matemática, relaciones numéricas. Gradualmente Bach, año tras año, tomaba conciencia de la materia musical que dominaba con extrema facilidad. Religiosa y psicológicamente había alcanzado una meta tal de disciplina interior, de control de su poderosa fantasía, que casi perdía de vista los medios mecánicos a través de los cuales la música adquiría corporeidad sonora. Faltan casi totalmente las habituales indicaciones del autor en cuanto a instrumentos: a Bach no le interesaba en absoluto la utilización práctica de su obra. En sus últimos años, se hallaba ya en el empíreo del puro espíritu y su música no podía sino reflejar esta situación psicológica e intelectual.

Es cierto que en la *Ofrenda* hallamos un trío y un canon perpetuo para flauta, violín y continuo. Pero son excepciones. Como en el caso de *El Arte de la fuga,* el destino de la música escrita es desconocido, al menos para nosotros. Se dice que, probablemente, es para instrumentos de teclado. En realidad, se trata de música «abierta» a cualquier combinación instrumental. De hecho, las ediciones modernas muestran hasta qué punto esta música nos fascina, sea cual fuere el instrumento o grupos de instrumentos usados en la transcripción.

Bach murió antes de alcanzar la fatigosa cumbre de su vida, *El Arte de la fuga.* Esta obra fue una meditación silenciosa a nivel puramente intelectual, como si Bach, en sus últimos años, viviese en otro universo, en una paz de pura contemplación. En la edición de la obra Karl Philipp Emmanuel, tras la incompleta fuga, incluye el coral *Me presento ante tu trono,* última página de Bach, dictada a su yerno Altnikol, alumno predilecto y organista en Naumburg. Es un coral desnudo, sin nota ornamental alguna. Bach quería presentarse ante Dios en un estado de absoluta pureza, tanto musical como humana.

En el año 1925 *El Arte de la fuga* emerge del gran «corpus» de la obra bachiana. Considerado trabajo de mera erudición escolástica viose pronto que, una vez más, Bach había logrado aquella unidad absoluta de la que tanto hemos venido hablando, entre su ciencia de compositor y los valores supremos de la expresión artística. Ahora, desde las olas del descubrimiento bachiano de

Margrave de Brandeburgo, al que Bach dedicó sus «Conciertos de Brandeburgo» en 1721.

Vista de Berlín en los tiempos de Bach.

primeros del Ochocientos, nuestro siglo está rindiendo homenaje a Bach como al más grande compositor de todos los tiempos. Existen, ciertamente, los nombres de Mozart, de Beethoven. Pero la «revolución silenciosa» fue obra del hombre de Eisenach; los estudios sobre la herencia que nos legara confirman que aún estamos muy lejos de conocer, total y perfectamente, a Juan Sebastián Bach.

Una música universal

La música de Bach, salvo para los grandes «adictos a las obras» como Mozart, Beethoven y otros, fue rápidamente olvidada por aquellos que constituían, por decirlo así, el mercado de consumo. Algunas obras fueron impresas en la segunda mitad del siglo XVIII, pero con escasa fortuna. Se salvaron ciertas páginas para órgano o para clave, pero sin alcanzar difusión entre el gran público. El siglo XIX inició gradualmente una acción en favor de la música de Bach, que culminó con la iniciativa de Mendelssohn. La decisión de imprimir todas sus obras data de 1850. Menudearon los estudios; y la «resurrección» de Bach y de sus obras se convierte en un hecho social que en el Novecientos, especialmente después de la segunda guerra mundial, alcanzó su momento culminante.

Juan Sebastián Bach se ha convertido en nuestros días (gran mérito corresponde también a la masiva intervención de la industria discográfica), finalmente, en un autor «de moda». A su alrededor y en torno a su obra los estudios se han hecho más densos con los nuevos medios de investigación musicológica, intentando situar a este genio en la historia de la música, explicar su «actualidad», estudiar aquellos aspectos «científicos» de su obra y cuyos últimos significados se esconden en el interior de su música.

La música bachiana, incluso desde el punto de vista de la grafía, está sometida a estudios rigurosos para intentar desvelar el significado que Bach a veces, por no decir siempre, ha escondido bajo sus formas musicales. Este sumo matemático de la música, en el «espíritu de geometría» característico del siglo XVIII, ha diseminado a lo largo del amplísimo arco de su producción infinitas «señales» de una presencia misteriosa. Ya hombres como el organista y filósofo Albert Schweitzer habían intuido el misterioso y fascinante subsuelo de la música bachiana. Nuevos estudiosos han profundizado estas intuiciones.

El simbolismo numérico está presente en gran parte de la producción bachiana. En una fuga de *El Arte de la fuga*, por ejemplo, el tema está formado por 14 notas; en el último coral *(Me presento ante tu trono)*, el tema es de 14 notas y la melodía entera es de 41 (el revés). Si considerásemos el alfabeto alemán de aquel tiempo y lo numerásemos, veríamos que 14 es el número resultante de la suma de los números correspondientes a las letras de la palabra «Bach», en tanto que 41 es la suma de los

números pares de las letras que componen por entero el nombre Johann Sebastian Bach. Se trata de sorprendentes resultados útiles a la hora de comprender la inmensa estatura de este coloso de la música.

Sin embargo cuando se orienta el ensayo hacia el contenido de la citada música, cuando se estudia Bach en relación, por ejemplo, con la palabra puesta en música, se descubre entonces la grandeza de su arte, totalmente personal, desarraigado del momento en que vivía (y, por ello, tan pronto olvidado) y proyectado totalmente hacia el futuro.

Albert Schweitzer ha escrito: «Bach era un poeta y, al mismo tiempo, un pintor». Parece difícil asociar la música de Bach con imágenes pictóricas o, cuando menos, descriptivas. La sensación que nos producen las *Estaciones* de Vivaldi no se percibe al escuchar la música de Bach, aunque se trate de la más leve de las similitudes. Tenemos siempre la sensación de una música severa incluso en la alegría o en los momentos de emoción poética. Sin embargo ni aun Bach se substrae a la «descripción», aunque esté muy lejos de aquel modo véneto y extravertido que tenía Vivaldi de hablarnos de la naturaleza y del hombre.

Bach tenía conocimiento de toda la música de su tiempo y de los tiempos precedentes. Era un estudioso más que diligente, curioso fuera de todo límite, semillero de toda búsqueda. Mucho antes que él, otros autores habían escrito música descriptiva, tendente a dar una imagen sonora de la naturaleza o de la «historia», sobre todo en Francia y Alemania. Los clavecinistas franceses eran maestros del «describir» a través del sonido argentino de su instrumento. Un músico alemán como Johann Kuhnau (1660-1722), que había sido can-

(sigue en la página 242)

Las formas musicales en la obra de Bach

Como ya hemos visto, la música de Bach se presenta a través de las más diversas formas musicales. Ya escribiendo para un solo instrumento o para varios, para orquesta, para voz, para coro, para instrumentos con voces y coro, puede decirse que Bach lo ha intentado todo, se ha enfrentado con todas las formas: formas antiguas que ha dejado intactas en su estructura, formas antiguas que ha renovado. Y en general, como el fabuloso rey Midas, ha transformado en oro todo cuanto ha tocado. Se necesitarían volúmenes para un completo análisis de todas las formas en que ha vertido su genial fantasía. Considerémosle, pues, de manera panorámica, partiendo de aquellas destinadas a un solo instrumento, para llegar a las más complejas.

Teníamos ya alguna idea del paisaje musical que se descubre partiendo de su instrumento preferido, el órgano, cuya música podríamos dividir en dos grandes grupos: los corales y las composiciones libres. En los primeros Bach comenta, a través de la infinita variedad de su fantasía, aquellos textos litúrgicos mantenidos por impulso de Lutero, textos que el Reformador había revestido de melodías muchas veces obtenidas de la tradición popular. Sobre estas melodías y en torno

Abajo: **el manuscrito de la primera «invenzione» a dos voces, de Bach.**

a ellas Bach construye su "coral" organístico que interpreta fielmente, con sólo el medio instrumental, el significado religioso del texto original. Bach no fue el primero en componer corales para órgano, pero sí, ciertamente, el que los llevó a la máxima altitud artística, jamás superada.

Bach le ha dado al órgano una gran cantidad de composiciones del más variado tipo, yendo de las formas más libres a las más rigurosas. Tenemos un gran número de preludios, forma libre (a veces una introducción al coral) que, la mayor parte de las veces, precede a una fuga. La fuga se contrapone a la libertad musical del preludio por su rigurosa estructura, sometida a reglas precisas, que desarrollan un tema dominante en un juego que tiene también aspectos matemáticos.

Con frecuencia el "preludio" se convierte, en no pocas composiciones, en una "fantasía" o en una "toccata". En el primer caso el fragmento se amplía en sus dimensiones y también en su libertad compositiva; en el segundo fragmento, que a menudo tiene características clavecinísticas extrae de este último instrumento puntos de virtuosismo. Al igual que la "fantasía", también la "toccata" tiene carácter de improvisación. Con Bach estas formas han sido llevadas al máximo esplendor instrumental. Célebre entre las formas libres para órgano es la "pasacalle", una composición que, partiendo de un tema de ritmo ternario con modulación moderada, presenta continuas y geniales variaciones de dicho tema. La Pasacalle en do menor *compuesta por Bach es una poderosa construcción sonora, justamente célebre.*

Como ya hemos observado, también ha escrito mucho para clavecín, a menudo con claras finalidades didácticas, sin jamás perder de vista, por ello, el resultado expresivo. Son conocidas por todos los jóvenes estudiosos del piano las "invenciones" a dos y a tres voces, composiciones en que las voces actúan de modo libre, la segunda semejante a la primera, la tercera a la segunda, en un juego de gran elegancia. Bach las llama también "sinfonías", por el homónimo griego que significa "conjunto de sonidos". Otras composiciones son las "partitas" y las "suites" para clavecín. Las primeras, muy semejantes a las segundas, están formadas por una serie de danzas en gran parte de origen francés e italiano, a veces precedidas de un preludio.

Bach ha escrito también para el clavecín "fantasías"; célebre ejemplo de ellas es la Fantasía cromática y fuga, *composición de excepcional belleza tanto por la libertad de estructura, como por el encanto del continuo mudar de la forma, unido al rigor deslumbrante de la fuga. Tiene una importancia fundamental el* Clave bien temperado *compuesto por dos series de 24 preludios y fugas, un preludio y una fuga para cada tonalidad. Bach, con esta obra, dio forma definitiva al "temperamento", sistema adoptado para acordar los instrumentos a un sonido fijo (piano, clavecín, órgano, etc.) y que consistía en dividir el espacio de las siete notas en doce partes de los "semitonos" exactamente iguales. El sistema no fue inventado por Bach, sino por A. Werkmeister en 1691. Bach lo consolidó con*

Arriba: **Lutero con una Biblia impresa en griego y en hebreo.**

Un clavecín y una viola pomposa (sobre la silla), instrumentos empleados por el propio Bach, hoy exhibidos con otros instrumentos en la sala de música de la casa del compositor.

una obra grandiosa que dejaba definido para siempre el sistema.

Bach ha escrito también sonatas y partitas para otros instrumentos: violín, violoncelo, laúd, viola da gamba y flauta, creando una abundante música de cámara. A estas composiciones cabe añadir los numerosos conciertos que Bach ha compuesto siguiendo y desarrollando las formas italianas del concierto grosso o del concierto con instrumento solista (o con varios instrumentos solistas). El primero coloca en el centro del diálogo instrumental el "concertino" formado por, al menos, dos violines y un violoncelo contrapuestos al resto de la orquesta constituida casi siempre por instrumentos de cuerda, de vez en vez con eventuales inclusiones de instrumentos de viento. El segundo contempla el papel preminente de un instrumento que se contrapone, él solo, al resto de la orquesta; puede ser el violín, la flauta, el clavecín, etc., o más instrumentos, siempre con características de "solistas". Un máximo ejemplo de "conciertos" (del tipo "grosso") son los Conciertos de Brandeburgo, *seis conciertos bachianos que ocupan, en este género, la cumbre del arte. Cada uno de estos conciertos tiene una formación orquestal diferente: en algunos se emplean no pocos instrumentos de viento; en otros, suenan solamente los de cuerda; en el quinto concierto desempeña un importante papel el clavecín.*

¿Cómo era la orquesta de Bach en la práctica? En un memorial mandado por Bach al Consejo de la ciudad de Leipzig, en 1730, trazó el conjunto de la orquesta que deseaba tener a su disposición (y que no obtuvo). Estaba formada así: dos o tres primeros violines, dos o tres violines segundos, cuatro violas, dos violoncelos, un violón (contrabajo), dos o tres oboes, uno o dos fagots, tres trompetas y un tímpano. Un conjunto de 18 a 22 instrumentistas, a los que debían sumarse dos flautas (para la iglesia), el órgano y el clavecín. Éste fue el proyecto de Bach. No obstante hoy se interpretan las suites (oberturas) para orquesta sola y los conciertos con conjuntos muy numerosos: pero con ello no se lleva a cabo la voluntad de Bach y en consecuencia se desequilibran las relaciones sonoras entre los instrumentos y los grupos de instrumentos.

Cuando Mendelssohn, a comienzos del siglo XIX, *hizo que Bach "resurgiera" ejecutaba los conciertos con solista mediante el acompañamiento de cuatro violines, dos violas, un violoncelo y un contrabajo. Es un ejemplo que haríamos bien en imitar y seguir. La orquesta bachiana está representada, en el cuadro de Haas conservado en Berlín* (Concierto de flauta de Federico el Grande), *de la siguiente forma: el rey flautista en primer término, siete personajes a su alrededor entre violinistas y violistas, un solo violoncelo, un contrabajo y un clavecín. Ésta era la norma, en los tiempos de Bach, si bien, en determinadas ocasiones solemnes, la orquesta también se reforzaba en proporciones exageradas.*

Pasemos ahora a las cantatas: el Evangelio traducido en música dramática. Habiéndose introducido en la liturgia protestante la costumbre de hacer cantar durante el rito un motete o un coral antes o después (también antes y después) que el sermón en alemán, tal parte musical asumió una gran importancia hasta convertirse en la "cantata sacra" constituida por partes corales, recitativos a menudo amplios y cantables, y arias para uno o más solistas. Se trataba de verdaderas acciones dramáticas.

Acción dramática era también el oratorio, una forma de origen italiano llegada a tierras de lengua germana hacia la mitad del siglo XVII. *De argumento bíblicohistórico, se regía por un auténtico y propio libreto, como una representación sagrada. Bach, en sus oratorios (de Navidad, de la Ascensión y de Pascua), está muy cerca todavía del mundo de las cantatas. Verdaderos grandes oratorios son, en cambio, las Pasiones (según San Mateo, según San Juan) en las que el relato de la condena, muerte y sepelio de Jesús asume formas gigantescas hasta convertirse en un gran drama, casi en una ópera dramática que el culto protestante favorecía en su desarrollo y que Bach condujo hasta alturas insuperables.*

Relacionado con estas grandes obras (cantatas, oratorios, pasiones) figura entero el patrimonio de los corales cantados, de las misas, del Magnificat, *de los cantos esprituales y, en el campo profano, el de las cantatas no sacras, análogas en su estructura a las sagradas, pero escritas para ocasiones particulares. Como puede verse, el panorama (aquí necesariamente resumido) es enorme e indica todavía una vez más la amplitud de los intereses musicales de Bach y la variedad de los medios que empleó para expresarlos.*

Retrato de Félix Mendelssohn -Bartholdy, genial compositor que, en marzo de 1829, dirigió una interpretación de la «Pasión según San Mateo», iniciando con ello el «renacer» bachiano del Ochocientos.

Ensayo de un concierto, según un fresco véneto del siglo XVIII.

tor en Leipzig antes que Bach, escribió sin más seis sonatas «bíblicas» para clave con la finalidad de describir algunos hechos y pasajes del Antiguo Testamento.

De cualquier modo resulta difícil pensar en Bach como compositor que «describe», si bien una audición atenta de las pasiones o del *Oratorio de Navidad* no dejará de revelar momentos musicales evidentemente ligados al relato o al clima ambiental circundante.

Las descripciones de Bach se hallan, muy a menudo, en lo profundo y casi siempre están ligadas a la palabra del texto. Bach es siempre un atentísimo lector de los textos a los que pone música. Sus colaboradores, Picander de una manera especial, le ofrecieron estimulantes textos para las cantatas, las pasiones y los oratorios. El elevado instinto dramático de Bach busca en el texto los motivos de contraste, de oposición, de cambio, de atmósfera, explotables a través de un adecuado y perfecto lenguaje musical. Jamás deja sin resolver, aunque a veces lo haga con suma audacia, situaciones de texto y de música.

A diferencia de Ricardo Wagner (1813-1883), que usaba temas característicos y repetidos *(leitmotiv* o 'motivos conductores') para individualizar los personajes o los momentos fundamentales de sus dramas, Bach busca y encuentra en los textos motivos para convertir en música ya los detalles, ya las palabras, sean cuales fueren las condiciones espirituales y dramáticas de sus obras religiosas.

Bach no es tan solo un poeta descriptivo: es un simbolista que emplea descripciones y símbolos. En el primer caso se enfrenta con el texto en términos concretos, si así vale decirlo. En el segundo, emplea términos abstractos; es decir, no se ata en absoluto a hechos vivos, casi palpables en símbolos. Cada vez que nos encontramos con algunas figuras musicales, con modos particulares de acompañar las melodías y de organizar una parte recitativa comprendemos claramente que Bach está indicando alguna cosa en la esfera de lo intangible, esto es, que pertenece al mundo de las ideas, de lo religioso.

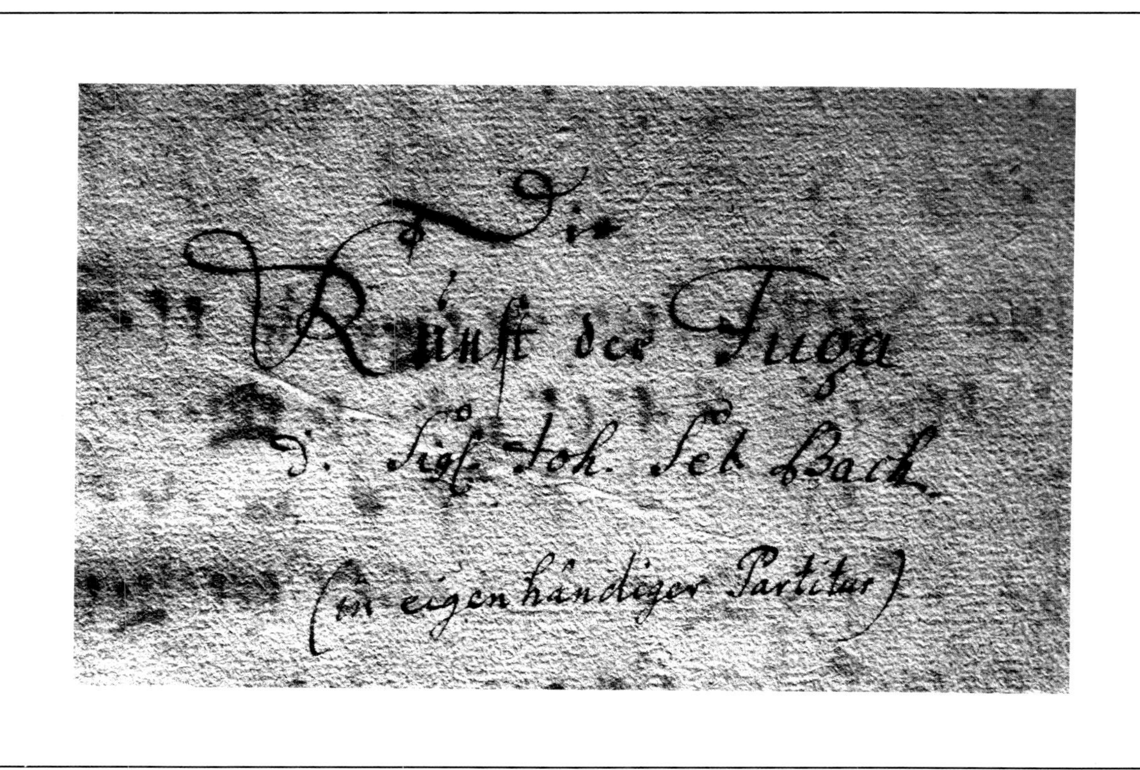
Die Kunst der Fuga
di Sigl. Joh. Seb. Bach
(in eigenhändiger Partitur)

En la página de la izquierda, arriba: **frontispicio autógrafo del «Arte de la fuga», obra que Bach escribió sin indicar el instrumento (o los instrumentos) para el cual iba destinada; por ello está abierta a cualquier combinación de instrumentos.**
Derecha: **el retrato del autor en su madurez.**

Veamos algunos ejemplos concretos. En la *Cantata núm. 88 (He aquí: quiero mandar a muchos pescadores),* escrita sobre un texto de Jeremías, profeta del Antiguo Testamento, los pescadores evocan en Bach la idea de las olas del lago Tiberíades. En la segunda parte se habla de una «multitud de cazadores». Si en la primera la música describe el movimiento de las olas, en la segunda el toque de las trompas evoca a los cazadores. Bach, pues, asocia ideas pictóricas a su manera de hacer música y lo realiza en una unidad sorprendente, respecto a los contenidos espirituales del texto.

Alguna vez, Bach se plantea grandes problemas de ejecución, característica, en consecuencia, de su manera de proceder como compositor. Por ejemplo, en la *Cantata núm. 109* en la que se habla de la fe vacilante (la cantata comienza así: «Yo creo, oh Señor, ayúdame en mi duda»), todos los temas son fragmentados, como destinados a describir un hombre que tropieza, indeciso e inseguro. No es fácil ejecutar ni tampoco escuchar una cantata de semejante estructura. Puede parecer que el esfuerzo que Bach lleva a cabo para «describir» y para «interpretar» los momentos físicos y los significados del texto vaya, tal vez, en detrimento de la obra musical. Se trata de impresiones muy personales. Puede decirse tan solo que a veces la música es verdaderamente difícil, bien desde el lado interpretativo, bien desde el punto de vista del propio oyente.

En la página de la izquierda, abajo: **una página original del «Arte de la fuga». Hacia el fin de su vida, Bach parece componer para sí mismo o por motivos puramente espirituales y artísticos, no ya para la ejecución práctica de la música.**

Estimulado por el texto Bach, en cuanto puede, emplea una muy personal técnica descriptiva. En un coral sobre el pecado original, por ejemplo, describe la caída de Adán con un ritmo bastante duro, con notas que caen de lo alto a lo bajo, en un diseño repetido. En un coral de la Resurrección el bajo, en cambio, se dispara siempre con notas hacia lo alto.

Los ángeles constituyen uno de los temas más queridos de Bach. Cuando en los corales de las cantatas se habla de ellos, Bach recurre a una alegre forma descriptiva, formada por una serie de escalas rápidas, ascendentes y descendentes, en alegre desorden. También cuando está ocupado en el Gloria, Bach piensa en los ángeles (son los que en Belén cantaban en el cielo *Gloria in excelsis),* por lo que siempre nace un alegre movimiento de notas que borda con gracia incomparable. En algunos corales, donde se habla de ángeles que desaparecen entre nubes, Bach emplea escalas ascendentes que se desvanecen en lo alto.

Otro motivo habitual en la música de Bach fue la Ley divina.
Arriba: **«Moisés recibiendo las Tablas de la Ley», de Cosimo Rosselli.** En la página contigua: **un coro de voces blancas en la iglesia de Santo Tomás de Leipzig.**

En un coral Bach alcanza verdaderos virtuosismos descriptivos. El motivo del agua purificadora viene expuesto en cuatro temas, dos tranquilos y casi líquidos y dos, en cambio, inquietos como olas que se persiguen. Técnicamente, si se observa con atención, el segundo tema es idéntico al primero y el cuarto al tercero, con la diferencia de que uno es exactamente el contrario que el otro: donde el uno sube; el otro desciende y viceversa. Es una composición de extraordinario interés. En otras ocasiones (como en el gran coral del Bautismo) será la rápida carrera de las notas que se deslizan como un río veloz (el Jordán) que, finalmente, lava las culpas de los hombres.

A veces Bach recurre a imitaciones que parecen ingenuas. En el coral que habla de los Mandamientos, el bajo repite la melodía diez veces. Siempre sobre el tema de las Tablas de la Ley. Bach, en otra gran composición, se lanza por el camino de una descripción abstracta. Deja al mundo sin Mandamientos, sin la Ley divina, con una libre fantasía en la que las ideas musicales se entrecruzan, sin un claro plan ordenado, casi pintando el desorden moral del mundo y del hombre. Después, de un solo trazo, todo se recompone en un cuadro perfectamente ordenado: la atmósfera cambia totalmente y la severidad de los preceptos se advierte netamente en la bien construida arquitectura del coral.

Como puede verse, Bach pasa de las formas, simples tal vez, de describir, a los modos más altos,

más arduos de interpretar. Al igual que el Dante, clarísimo en muchos puntos de su *Commedia* y expresamente hermético en tantos otros, sobre todo en el *Paraíso.*

También la fatiga y la dificultad del hombre son descritas de manera característica. Bach usa melodías, acompañamientos, por así decirlo, «angustiosos» con lineas musicales sincopadas, con momentos de reposo como para respirar. Son ejemplos de lo dicho: un coral que habla del hombre que, cansado de la vida, anhela el Cielo; y otro en el que se habla de Jesús, moribundo en la cruz. El dolor tiene también su propio tema bien definido Desde los tiempos de Claudio Monteverdi (1567-1643) la «caída de los sentimientos», la depresión espiritual (también la física) venía indicada musicalmente con melodías que descendían de nota en nota. En el Barroco este uso se convirtió en fórmula, especialmente cuando tenían que indicarse los sufrimientos de Cristo en la Pasión. También en Bach cabe distinguir esta fórmula, usada magistralmente. El bajo del *Crucifixus* en la *Misa en si menor* sigue esta línea. Pero Bach sobrepasa los términos de la «descripción» para seguir el significado del dolor de forma que, cuando es dramáticamente agudo, en vez de descender asciende musicalmente, siempre con movimiento gradual y cromático; así ocurre en los corales grandes y pequeños, en *La Pasión según San Mateo* (en el coral *Hombre, llora tu gran pecado).*

Pero aparece el gozo, se dispara la alegría y al mismo tiempo acuden los ritmos, rápidos y medidos como un diseño de toques de trompetas (una nota larga y dos breves, repetido). Es un motivo que se repite en mil ocasiones. Los mismos instrumentos solistas (el violín, por ejemplo) se lanzan en carreras veloces hacia lo alto basándose en este esquema, casi un *ta-ta-taa* que pulsase el exultante movimiento interno del corazón. Son momentos de verdadera e irrefrenable alegría que Bach comenta con una serie de notas que, parecen enloquecidas. Bach salta de una nota a otra: ya no se trata de series continuas y próximas de notas, sino de saltos de alegría derivados figuradamente, de la frase musical. En la cantata *Veo, ahora que voy a bodas,* en el aria *Regresa, Jesús, alegría sin par* de la *Cantata núm. 103,* en la cantata *Alabado sea mi Señor Dios,* Bach se expresa de manera elevada y confía a la música toda la substancia ideal de este sentido de gozo desmedido. Y cuando la alegría se convierte en estática contemplación del Señor (como en muchas cantatas, en el *Laudamus Te,* en la *Misa en si menor)* Bach, sobre temas apacibles y serenos, dibuja arabesco de notas, como bordados abstractos frecuentemente confiados al violín o al oboe. Resulta ejemplar la manera con que Bach «borda» la melodía de la «alegría» cristiana en el coral *Jesus bleibet meine Freude* ('Jesús sigue siendo mi alegría') de la *Cantata núm. 147.*

El triunfo de la música descriptiva, de los simbolismos musicales es, en las cantatas, un manantial de bellezas y de imágenes inimitables. Nos hallamos en presencia de un lenguaje único que anticipa un mundo musical que aún está por venir, que hace sentir las vibraciones evidentes y proféticas del todavía lejano Romanticismo. Por ejemplo, en la cantata para el cumpleaños de Augusto III *(Corred, rápidas olas)* el tema del primer coro es casi idéntico al utilizado por Schubert en su espléndida *Barcarola.* En la *Cantata núm. 81* (en la que se habla de la tempestad apaciguada por Jesús) la música describe muy eficazmente las olas con ímpetu creciente, hasta que se aplacan por las palabras de Cristo.

Necesita poco Juan Sebastián Bach para sentirse estimulado a «describir»; una palabra es suficiente. En un recitativo se habla de «navegación» y Bach, súbitamente, escribe en el bajo un acompañamiento ondulante, todo él igual. En otra cantata halla la palabra *Wellen* (olas) y de pronto el bajo las describe. En la *Cantata núm. 10* el texto habla de la promesa hecha por Dios de hacer que la descendencia de Abraham fuese tan numerosa como la arena del mar. Basta esta última palabra para orientar el acompañamiento hacia su consabido modo de indicar el agua.

Todo, para Bach, es motivo y sugerencia de nuevas invenciones. El tema «fúnebre» con sus toques de campanas es resuelto en 'pizzicati' de la cuerda con acentos rítmicos muy evidentes. En una cantata sobre el tema del Apocalipsis se dice «Ved, me aproximo a la puerta y llamo». El «llamo» halla respuesta inmediata en la orquesta con acordes secos y bruscos que sugieren con propiedad el golpear en la gran puerta del infinito. Para describir a Satanás, Bach evoca siempre el arrastrarse de la serpiente, motivo dominante del Génesis: crea melodías que se arrastran, sinuosas, nada elegantes, resbaladizas. Cuando se refiere a la serpiente demoníaca y, al mismo tiempo, al golpe de talón con que se le aplasta la cabeza, inmediatamente, mientras la melodía se «arrastra», el bajo salta en ritmos secos, repetidos que reproducen perfectamente el movimiento físico del aplastamiento.

En la *Cantata núm. 126,* para describir a la mujer orgullosa del Apocalipsis que cae, Bach, literalmente, hace que la orquesta se precipite hacia el bajo. Lo mismo hace en la novena cantata *(Habíamos caído demasiado bajo)* para describir la caída del hombre sin la ayuda de Dios. Genial es la manera

La huida a Egipto (representada a la derecha **por un fresco del Giotto) fue uno de los muchos motivos que Bach extrajo de la Biblia para sus cantatas y pasiones, al igual que los sufrimientos de Cristo** (abajo **según el grabado de un maestro alemán).**

con la que Bach comenta los famosos versículos del Evangelio «El que se ensalce será humillado y el que se humille será ensalzado». Son dos frases distintas. La primera se inicia con un motivo ascendente que se interrumpe y desciende lastimosamente. La segunda comienza con un descenso que, gradualmente, se transforma en luminosa ascensión musical.

Bach ofrece caracterizaciones evidentes para los conceptos de «caminar» y de «correr». Los pasos inseguros, los pasos inciertos, la prisa, el correr desordenado, el apresuramiento, tienen su propia «definición» musical. Los «temas de los pasos» se encuentran de nuevo, profundamente cambiados, en los «temas del cansancio»: los acentos de los tiempos fuertes se transfieren a los débiles, se hacen jadeantes, avanzan con fatiga. Igual sucede con los temas de «acostarse» y «levantarse» y con aquella grandiosa canción de cuna del morir, como cuando Bach canta el «Cerraos, cansados párpados» de la *Cantata núm. 82 (Tengo bastante)* y «Benditas las almas que Dios ha elegido para su morada» (de la cantata *Oh fuego eterno).*

El paso solemne, el andar majestuoso vienen siempre subrayados por Bach con fuertes ritmos de marcha. Podemos observar una máxima conexión con el texto en la cantata *Eternidad, palabra tonante,* en la que el concepto de «eternidad» viene subrayado por un modo majestuoso de avanzar, interrumpido por densos acordes de angustia confiados a los oboes, en tanto que la «palabra tonante» está subrayada de forma sombría y agitada con el fin de describir el terror del hombre: aquí Bach emplea notas rapidísimas percutidas (como, por otra parte, hace Vivaldi). Con acordes rápidamente repetidos comenta la frase «Temed, malhechores» de la cantata *Velad, rezad.* Se estremece obscuramente el bajo cuando se habla del Juicio Universal. Bach subraya en la cantata *La tarde de este mismo sábado* el encuentro de los despavoridos discípulos con un trémolo del bajo sobre una nota larga y sombría del órgano unido al fagot.

Habíamos dicho que el motivo del dolor tiene un lejano origen musical cristalizado en una melodía cromática descendente. Bach, sin alejarse de este esquema secular, sabe transformarlo de modo genial. En la cantata *Mis gemidos, mis lamentaciones* uno de los temas parece literalmente desgarrarse en sollozos y gemidos. Igual ocurre con el «tema de los suspiros» (como ha señalado Albert Schweitzer), que tantas veces se halla en Bach. Hallamos un admirable ejemplo en la cantata *Mirad y ved,* en el primer coro, cuando las violas suspiran larga y dolorosamente. Existe también un motivo muy interesante en el interior del tema del dolor: es el formado por una serie de notas dobles iguales en movimiento ascendente. Son muchísimas las cantatas con temas de este tipo (para la cantata *Debemos superar muchas penalidades,* Bach, sin más, utilizó el tema del andante de un concierto suyo para clave). En el último coro de *La Pasión según San Mateo* alcanza otro punto culminante.

En la página de la derecha: «Los cuatro jinetes del Apocalipsis», de Alberto Durero. El tema del Apocalipsis inspiró a Bach en la composición de su música sacra.

La minuciosa labor de Bach al componer y analizar musicalmente el texto es continua. En el *Oratorio de Navidad,* cuando los Reyes Magos se hallan delante de Herodes y le dicen que no debería asustarse, sino alegrarse por el nacimiento del Niño, los motivos del miedo y de la alegría aparecen entremezclados. Cuando Bach se enfrenta a frases como «Jesús, que con tu muerte has liberado mi alma», expresa el dolor por la muerte con la habitual fórmula descendente y dolorosa y la «liberación» (y en consecuencia la alegría) con figuras ascendentes bien destacadas.

Bach resuelve siempre los conflictos, el enfrentamiento entre situaciones, los contrastes, las oposiciones mediante un perfecto equilibrio y una absoluta conexión con sus métodos compositivos. En la cantata *Feliz aquel que confía en Dios* Bach se sirve de dos temas opuestos sobre las palabras «Me alcanza la desventura, pero al mismo tiempo aparece la mano que me libera»: por una parte una frase timbrada y pesante («me alcanza») y, por la otra, una frase vivaz y feliz. Incluso en algunos momentos aparecen tres temas simultáneamente. En la *Cantata núm. 73 (Señor, haz de mí lo que quieras)* aparece una frase que expresa los suspiros, otra que da el sentido del aniquilamiento y una tercera que nos permite escuchar el fúnebre doblar de campanas.

Bach posee un lenguaje propio que parece hacer llegar al oyente las imágenes musicales de la com-

posición en sentido general. Es un ropaje único que en cada ópera da una impresión de carácter global. Si al llegar aquí se avanza en el análisis, se descubren en el interior de este tipo de expresiones los modos particulares del lenguaje. Exactamente lo que ocurre cuando examinamos una frase escrita, más o menos compleja. Tiene un significado general preciso, pero después el análisis gramatical y lógico nos muestra, uno por uno, los elementos de su composición. El lenguaje de Bach también es así: tiene su gramática y su sintaxis. Nada se deja al azar. Pero lo verdaderamente milagroso es que en esta precisión, en este asombroso conocimiento técnico, en esta labor científica, penetra siempre el espíritu fecundo de la inspiración.

Nos hallamos en presencia de un genio tal que nada en él puede dejar de maravillarnos. ¡Son tantos los motivos de reflexión y de meditación sobre este gigante del arte, sobre este poeta absoluto! Volvamos, por ejemplo, a *La Pasión según San Mateo,* verdadera representación dramática, pero también una verdadera representación que «describe» los hechos, los sentimientos, las cosas en forma directa. Cuando, en la segunda parte, la Hija de Sión, perdida (personaje emblemático que representa la humanidad a la búsqueda de su salvación), busca a Jesús en el Huerto de los Olivos, la música hace que escuchemos los motivos de los pasos errantes e inseguros y, al mismo tiempo, el tema cromático, tantas veces encontrado, del dolor. Cuando, después, se canta «Paciencia, paciencia, las malas lenguas me provocan», aparece un tema ondulante, continuo y sosegado, y al poco, súbitamente, nos llega al sinuoso arrastrarse de la serpiente (la provocación es siempre demoníaca). En el aria «Si mis lágrimas nada logran obtener, escuchad mi corazón», que se inserta en la dramática escena de la flagelación, el tema es literalmente «flagelante», pero inmediatamente la música se hace imperiosa, como la de alguien que desea ser escuchado. En el aria de la expiación en el Gólgota se habla de la próxima resurrección, de la redención —ahora posible— del hombre, de Jesús que ha tendido su mano para que el hombre acuda a él. Se escucha el redoble de las campanas en tanto que un tema, como un amplio gesto hacia lo alto, se eleva del bajo y sube, cada dos compases, para repetirse más veces; un tema que con los trinos indica el gozo del gesto de Jesús y en el ascenso repetido, la manera ideal de moverse los brazos del Redentor.

«Jesús en el Huerto de los Olivos», de Alberto Durero, representa uno de los motivos preferidos de Bach.

Se ha escrito que Bach ha hecho «respirar el alma del Romanticismo». Sería una de las grandes razones del enorme éxito que tuvo en el Ochocientos y una de las motivaciones del éxito actual, en un siglo que vive todavía en aquel clima y que, al mismo tiempo, acusa la poderosa presencia de un progreso tecnológico. El orden, la mesura, la forma perfecta, la altísima expresividad, la conciencia de hallarse ante un músico que componía «según el sentimiento de las palabras», la atracción de lo espiritual (altísima en nuestro tiempo, a pesar de las apariencias): todo ello puede ser motivo del enorme éxito de este compositor cuyos hijos consideraban una «vieja peluca» o, dicho más llanamente, un conservador.

Los estudiosos advierten que Bach ha realizado una síntesis perfecta entre el antiguo estilo polifónico y la armonía y la melodía acompañada. La relación entre armonía (la marcha de varias voces conjuntas, en oposición a melodía) y polifonía (el proceso de varias voces conjuntas, pero independientes una de otra) fue resuelta por Bach a la perfección.

En este sentido es moderno, de forma perenne, porque también en música ha interpretado los más escondidos movimientos del espíritu, de cualquier religión, de cualquier credo, dando una respuesta artística a nuestras angustiadas interrogaciones.

Místico de la música hasta alcanzar la meditación trascendente, quizás Bach forme parte, por ello y con todo derecho, de nuestro mundo. Explorador de todo el mundo musical, se nos aparece a los modernos como el pionero absoluto. Todo lo intentó, salvo el teatro en música. Pero hubiera sido también un gran hombre de teatro si las condiciones se lo hubieran permitido. Los testimonios que nos llegan a través de las cantatas profanas demuestran la fuerza musical cómica de que estaba dotado.

Las investigaciones y el estudio sobre Bach están muy lejos de haberse acabado. Por lo contrario, no acabarán. Bach es fuente perenne de meditación para los estudiosos, de gozo para los oyentes y ha renacido definitivamente en la conciencia del hombre actual. Ahora todos sabemos —enamorados de la música, sinceros apasionados, estudiosos, musicólogos— que Bach es una piedra fundamental no sólo de la historia de la música, sino también de la del arte y de la del mundo. Tal como ha escrito Vincenzo Terenzio: «Por la virtud de una estrecha conexión con la vida, por la virtud de una seriedad en el empeño que se convierte en acción moral, el arte convierte en armonía incluso el simple ejercicio técnico. En Bach se halla siempre la conmoción de sentir la vida y de traducirla en canto; a través del puro juego melódico, a través de la mera elegancia de la improvisación, incluso en los más sencillos diseños o en los tonos más modestos y planos, percibe el movimiento y el secreto temblor del espíritu que crea y se transfigura. Es la pura virtud musical que se colorea con trémula conmoción y se irradia en poesía.»

El continuo redescubrimiento de Bach

Después de la muerte de Bach su música cae en el más completo olvido. Cae en lo que a la gran masa se refiere, pero no a los ojos de los músicos más atentos al desarrollo histórico del lenguaje musical. En los tiempos actuales Bach se ha convertido en un compositor cuya música forma parte del consumo cotidiano, juntamente con aquel gran grupo de compositores que, desde el Barroco, llegan poco más o menos hasta Mahler, un «contemporáneo» inmerso todavía en el Ochocientos. Es opinión común que la música anterior a Bach (la que va del Renacimiento al primer Barroco) exige, al igual que la moderna o modernísima, una iniciación, ya que sólo es comprensible por los «adictos a las obras». Bach, en cambio, se dice que es comprensible para todo el mundo y que todo el mundo lo conoce.

Pero la verdad es que durante toda la segunda mitad del siglo XVIII y el primer cuarto del siglo XIX Bach fue sólo conocido por unos pocos músicos. La presencia activa de sus hijos, desde Friedmann a Karl Philipp Emmanuel o a Juan Cristián (aparte la acción del segundo que publicó las obras del padre) no hizo progresar el discurso bachiano en el sentido moderno de la palabra, haciéndonos conocer las obras. Al contrario, estos hijos geniales hicieron avanzar, a menudo con grandes resultados artísticos, «su» discurso musical, «sus» descubrimientos armónicos y estructurales. Así, para el gran público, Bach resulta ser un desconocido durante ochenta años.

El 1829 constituye una fecha histórica para la resurrección bachiana. En aquel año un superdotado compositor alemán, Félix Mendelssohn-Bartholdy (1809-1847), cuando contaba apenas veinte, debutó como director de orquesta exhumando con extrema audacia *La Pasión según San Mateo.* En marzo de aquel año Bach volvió a vivir su vida europea y mundial. Mendelssohn, niño prodigio, conocía la música de Bach desde su más tierna edad. Sobre él pesó también la influencia de Carl Friedrich Zelter (1758-1832), compositor, director de orquesta y escritor, amigo de Goethe (con quien mantuvo una intensa correspondencia), hombre de vastísima cultura que, siendo maestro y director de la Academia real de canto de Berlín, volvió a dar vida interpretativa a muchísimas obras instrumentales y vocales de Bach, desde las suites a los conciertos y a las cantatas.

Con Mendelssohn y con Zelter, Bach inicia su andadura entre el gran público. Este «renacimiento» comenzó veintisiete años antes, si se quiere ser preciso, con la publicación de la primera verdadera biografía importante de Bach, a cargo de Johann Nikolaus Forkel (1748-1818). Se trataba de un compositor menor, pero de un musicólogo de excepción, tanto, que hoy se le considera como el padre de la musicología, especialmente por su *Historia de la música,* de 1788. En pocos años —desde aquel premonitorio 1829— la fama de Bach salió del círculo de los iniciados para pasar a ser del dominio público. Mendelssohn primero y Schumann inmediatamente después afrontaron, siguiendo el ejemplo de Forkel, el problema de la edición crítica de las obras de Bach. En 1850 se fundó en Leipzig la *Bachgesellschaft* (Sociedad Bach), de la que formaron parte compositores como Schumann y Liszt, musicólogos y estudiosos como Otto Jahn (autor de una importante biografía de Mozart). La «sociedad» alemana fue fundada siguiendo el ejemplo de lo acaecido un año antes en Londres, donde se había fundado la Bach Society y, en 1843, la Haendel Society. Hacia finales de siglo la biografía escrita por Philipp Spitta, dio ulterior impulso al conocimiento del gran Bach, ahora salido definitivamente de la oscuridad.

En nuestro siglo, han operado en favor de Bach las mejoras de los instrumentos ya existentes, el ahondamiento del estudio —tanto técnico como constructivo— del órgano, el lento pero seguro resurgimiento del clavecín, el descubrimiento muy próximo a nosotros del clavicordio, el conocimiento siempre más diestro de los instrumentos antiguos, incluso de aquellos usados por Bach, la creciente firmeza de una musicología siempre más práctica y siempre más fiel a las obras originales, el advenimiento de las grabaciones discográficas, la presencia siempre en aumento de las orquestas de cámara, la creciente influencia de la radio y, además, la difusión a nivel de masas del disco microsurco y de la música grabada en cinta. Todo ello,

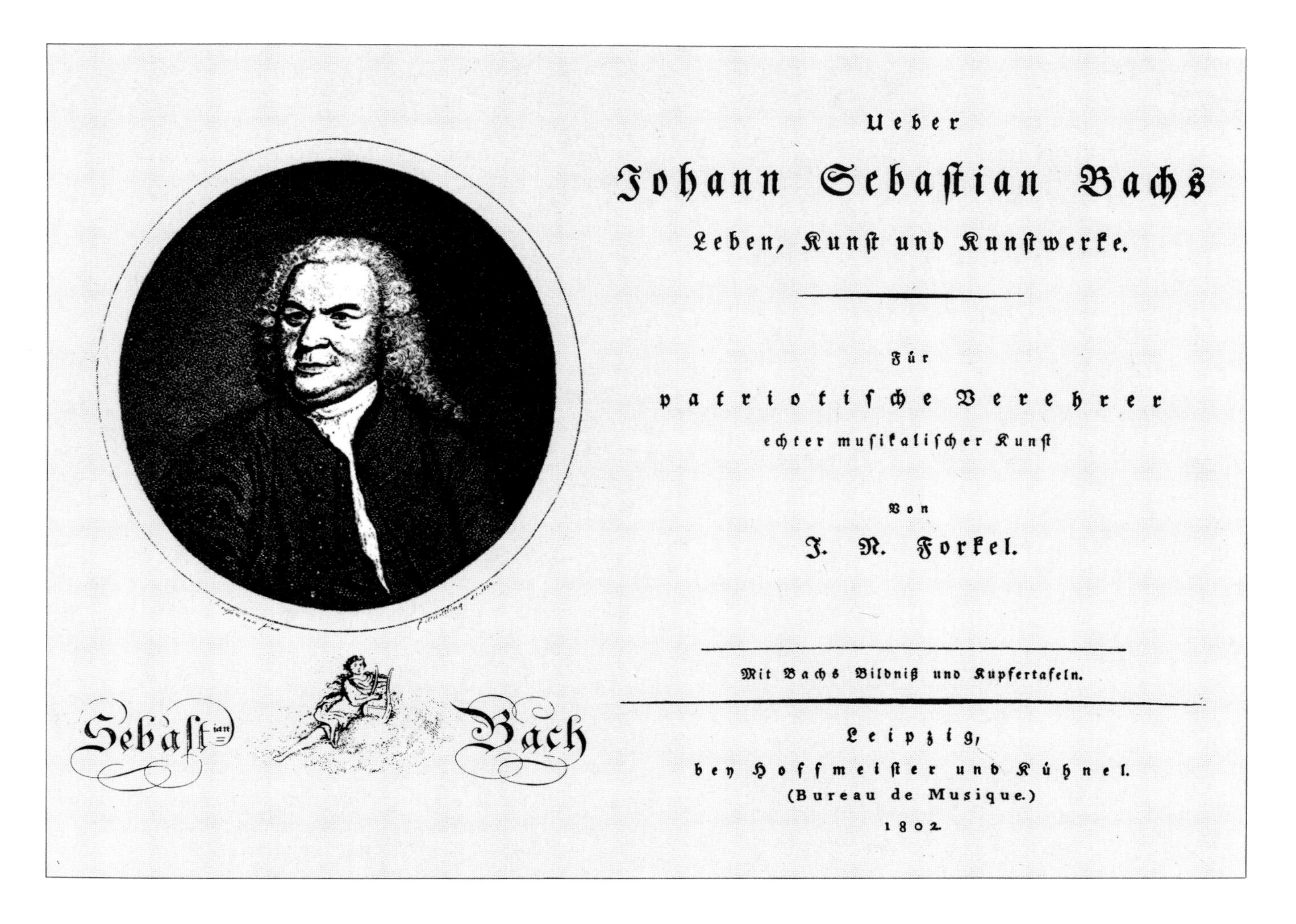

Ueber

Johann Sebastian Bachs

Leben, Kunst und Kunstwerke.

Für

patriotische Verehrer

echter musikalischer Kunst

Von

J. N. Forkel.

Mit Bachs Bildniß und Kupfertafeln.

Leipzig,

bey Hoffmeister und Kühnel.

(Bureau de Musique.)

1802.

Frontispicio de la «Biografía de Bach», de Johann Forkel, con un retrato del compositor. Contiene muchas informaciones suministradas por los hijos de Bach: Karl Philipp Emmanuel y Wilhelm Friedmann.

en el espacio de poco menos de un siglo y en un crecimiento de enormes proporciones, ha llevado la música de Bach a todos los rincones y la ha difundido invadiendo estratos de oyentes (de consumidores, en sentido literal) cada vez más vastos y profundos.

Pero en estos dos siglos largos ¿cómo habían reaccionado los compositores, culturalmente, ante el mundo de Bach? ¿Cómo había sido el «después de Bach»? ¿Quién había comprendido la grandeza suprema del compositor de Eisenach y había hecho con ella un monumento de la cultura de su tiempo? En la fase «prehistórica», por así llamarla, del conocimiento bachiano, dos fueron los polos culturales: en Berlín, alrededor del discípulo de Bach, Johann Philipp Kirnberger (1721-1783), músico de corte de la princesa Ana Amalia, hermana de Federico II el Grande; y en Viena, con el barón van Swieten (1733-1803), mecenas y diletante de la música, considerado justamente benemérito por haber patrocinado ejecuciones de obras de Haendel, Hasse y Bach. La contribución de van Swieten para la difusión del interés hacia la música barroca ha sido decisiva. A él le corresponde el mérito de que Bach (Swieten era también director de la biblioteca imperial de Viena) llegara a ser conocido por compositores como Haydn, Mozart y Beethoven.

Debe saberse que, en aquella época, las obras impresas de Bach se resumían a las ediciones de *El clave bien temperado* que comienza a aparecer a comienzos del siglo XIX. Sabemos con cuanto entusiasmo Beethoven apoyó la idea de una edición de las obras de Bach según la propuesta del ya citado Farkel. Comenzó la edición, pero se detuvo tras la estampación de poquísimos volúmenes.

Hace falta esperar hasta el año 1850 para ver el nacimiento de la Bachgesellschaft y la edición (en 50 años) de 59 tomos. Ahora, ya en nuestro siglo, la *Neue Bachgesellschaft* (Nueva Sociedad Bach) está al cuidado de la edición crítica, estudia, señala nuevos descubrimientos y organiza festivales bachianos. En 1946, en Schaffhausen (Suiza), se fundó la *Sociedad Internacional Bach.*

Pero volvamos a nuestros tres «grandes», Haydn, Mozart y Beethoven. Si para Haydn la influencia de Bach puede verse como una iluminación de su mundo contrapuntístico y polifónico, en Mozart, en cambio, el interés por Bach fue enorme.

En el año 1782 el salzburgués transcribe para violín, viola y violoncelo seis fugas a tres voces, cinco de Juan Sebastián (tres de *El clave bien temperado,* una de una sonata para órgano y una de *El arte de la fuga)* y una de su hijo Friedmann. Precedían a las seis fugas otros tantos preludios, cuatro suyos y dos de Bach. Aquel mismo año —un auténtico año bachiano para Mozart— transcribe otras cinco fugas para cuarteto de cuerdas (dos violines, viola y violoncelo). Las composiciones vienen señaladas KV 404a y KV 405 en el catálogo Kochel. Los seis preludios y las seis fugas fueron transcritos para el trío del barón van Swieten. Sacó los dos «adagios» bachianos del «Adagio e dolce» de una sonata para órgano en do menor y de un «largo» de otra sonata, también para órgano. También las cuatro fugas a cuatro voces fueron escritas para el conjunto del barón von Swieten.

Efectuó las transcripciones en Viena durante el mes de julio. Se trata de ejercicios, pero siempre de un genio. La ejecución moderna, especialmente para los preludios y fugas para tríos de cuerda, muestra un feliz sentido de las transposiciones y un gran equilibrio tímbrico.

Frontispicio de «Selección de diez preludios del «Clave bien temperado» de Bach, con añadido de violoncelo obligado», de Ignaz Moscheles. Inspiró las «Meditaciones», de Gounod.

Tampoco Beethoven supo vencer la tentación de transcribir a Bach. Estudioso profundo del contrapunto bachiano, Beethoven, entre 1801 y 1802, transcribe la *Fuga en si bemol menor* del primer volumen de *El clave bien temperado* de Bach. Beethoven, que había estudiado composición y contrapunto con Neefe, Haydn, Albrechtsberger y Salieri, se ejercitó a menudo en la transcripción de obras contrapuntísticas. Pero esta obra bachiana es verdaderamente interesante. Las cinco voces (dos violines, viola y dos violoncelos) han experimentado en la transcripción beethoveniana algunas modificaciones en su intento de adaptar a las cuerdas determinados efectos que eran característicos del clavecín, instrumento al que estaba destinada la obra de Bach. Beethoven ha transcrito, en parte, otra fuga para cuarteto: la *Fuga en si menor,* también de la primera parte de *El clave bien temperado.* Se trata de una labor de 1817, el mismo año en que Beethoven escribe un preludio (para dos violines, dos violas y violoncelo) y el comienzo de una fuga. El preludio («Adagio molto») es bellísimo. Está formado por 37 compases, va precedido de una breve introducción fugada, dejada incompleta. Se trata de cuatro compases cuyo tema se convertirá en el del «Scherzo» de la *Novena Sinfonía.* (Beethoven ha transcrito también una fuga de la obertura del oratorio *Salomón,* de Haendel, para cuarteto, transcripción de una casi total fidelidad, salvo leves modificaciones del original, que comprendía además dos oboes.)

La atracción que Bach ejercía sobre los compositores continuó inagotable durante todo el Ochocientos hasta llegar a nuestro siglo. Tampoco estuvo exenta la época romántica. Félix Mendelssohn-Bartholdy, pionero de Bach, transcribe para piano y violín la *Chacona* (de la *Partita para violín solo),* para una interpretación del gran violinista Ferdinand David. La interpretación (Mendelssohn ocupaba el piano) mereció el entusiástico asentimiento de Schumann, que escribió: «David tocó una *Chacona* de Bach, un fragmento sacado de sus partitas para violín solo, de la que alguien ha dicho a veces que es imposible imaginarla junto con otra voz, lo que ha sido refutado de la mejor manera posible por Mendelssohn-Bartholdy, acompañándola al piano tan admirablemente que el viejo e inolvidable Kantor parecía formar parte también del grupo.» Félix Mendelssohn transcribe también fragmentos bachianos para dos violines y órgano. Pero su acompañamiento a la célebre *Chacona* ha contribuido a la difusión de este admirable trozo, si bien en las más singulares y, algunas veces, extrañas transcripciones.

Pero partiendo de Liszt (1811-1886), hasta llegar a Reger (1873-1916), se puede recorrer un camino bachiano de innumerables facetas. Uno de los alumnos de Liszt, Joachim Raff (1822-1882), compositor ecléctico, transcribe la *Chacona,* precisamente, para orquesta de cuerda. Sin embargo es Liszt quien amplía el mundo pianístico, el organístico y el orquestal con su enorme labor de «transcriptor». Evidentes en la base de esta obra fundamental del compositor húngaro hallamos el deseo de dilatar la literatura pianística, organística y orquestal y, al mismo tiempo, también la intención, a menudo no silenciada, de dar a conocer obras que, de otra forma, hubiesen encontrado muchas limitaciones para su expansión. Liszt lo transcribe todo: lo propio y lo ajeno. Naturalmente, transcribe la obra de Bach.

Transcribe para piano seis preludios y fugas para órgano; para órgano escribe una *Introducción y fuga sobre el motete «Ich hatte viel Bekummernis»* y un *Andante sobre «Aus tiefer Not»* y transcribe el adagio de la *Cuarta sonata para violín.* Las transcripciones de Liszt (especialmente las de los preludios y fugas de órgano a piano) son muy fieles y denotan un profundo respeto hacia el autor. Aunque la interpretación de Liszt al piano nada añade (pero, obviamente, sí quita) al modelo inicial, sin embargo aparece evidente la pasión de quien quiere, sirviéndose de cualquier medio, divulgar la música bachiana. Es un verdadero apóstol y encontrará

Un retrato de Robert Schumann.

acto seguido su más genial émulo en Ferruccio Busoni, de quien hablaremos más adelante.

Robert Schumann (1810-1856), bachiano también rigurosamente respetuoso, en línea con Mendelssohn, escribe los «acompañamientos» para las seis *Suites para violoncelo* y para las seis *Sonatas para violín,* de Bach. Pero el más interesante homenaje de Schumann está constituido por las seis fugas sobre el nombre de Bach (que puede interpretarse como formado por cuatro letras correspondientes a la designación alemana de las notas, o sea: BACH equivale a si bemol, la, do, si) para órgano o piano. Como podemos ver, la sombra de Bach se hace incesantemente más luminosa y también a través de estas mediaciones (muy discutidas en nuestra época, pero en ningún caso infravaloradas) la música del gran Bach se difunde para convertirse, lenta pero seguramente, en un hecho de dominio popular.

Ferruccio Busoni en un retrato de Umberto Boccioni.

Johannes Brahms (1833-1897) abreva también en la gran fuente de la música bachiana. Tras sus estudios de autores diversos, dos de ellos compuestos sobre obras de Chopin y de Weber, escribe también un «Presto» de la *Sonata en sol menor para violín solo* de Bach, movimiento que más tarde reelaboraría en una segunda versión a la manera inversa. Efectuó también la transcripción de la ya citada *Chacona* para piano (para la mano izquierda). Brahms nos ha dejado, además, una cadenza para el *Concierto en re menor para clavecín* de Bach.

En 1837 había aparecido una edición de *El clave bien temperado* bajo los cuidados de Karl Czerny (1791-1857), alumno de Beethoven y, a su vez, maestro de Liszt. Como puede verse, la línea bachiana asciende por línea directa desde la iniciativa de van Swieten hasta Beethoven y de éste, pasando por Czerny, hasta Liszt. Cuando murió el gran compositor húngaro, Ferruccio Busoni (1866-1924) tenía veinte años y estaba considerado como un pianista digno heredero de Liszt. Aquel hijo de Empoli, en la Toscana (pero de clara mentalidad alemana) fue uno de los más grandes, quizás el mayor divulgador de la música bachiana, mediador a través de su arte como intérprete al piano, en el que poseía una altísima categoría. Ya en su pequeña colección *A la juventud,* destinada al ejercicio en estilo contrapuntístico, construyó un estudio de *El clave bien temperado* con el título de *Preludio, fuga y fuga figurada.* En memoria de su padre Fernando, excelente clarinetista, escribe una *Fantasía de J. S. Bach* y poco después, siempre para piano, un *Preludio coral y fuga sobre un fragmento de Bach.* Su labor bachiana prosiguió con dos estudios contrapuntísticos de Bach: la *Fantasía y fuga en la menor* y las *Variaciones canónicas y fuga* (sobre un tema de Federico el Grande).

Es característica de este amor profundo una composición con título en latín, pero perfectamente comprensible: *Sonatina brevis: In signo Joannis Sebastiani Magni.* Después escribe para dos pianos una improvisación sobre el coral de Bach *Wie wohl ist mir, o Freund der Seele* ('Qué bien estoy, amigo del alma'). Toda la música citada forma parte de su obra de compositor. Pero su labor de

Primera página autógrafa de la transcripción para orquesta, de Arnold Schoenberg, del «Preludio y fuga en mi bemol mayor» de Bach.

transcriptor ha sido verdaderamente excepcional. Entre 1890 y 1920 aparecieron en Leipzig al menos siete gruesos tomos de transcripciones de obras bachianas. Además Busoni ha transcrito libremente para piano y orquesta el conocidísimo *Concierto en do menor para clavecín.*

Las revisiones bachianas ocuparon gran parte de la vida de Busoni. Su *Vida con Bach* es casi un retorno a la juventud de la música, como él la llamaba, a un «joven clasicismo». Su relación con Bach jamás se ha revestido de un aspecto de conservación, de un retorno a lo antiguo porque el presente no ofrece perspectivas, sino siempre como un enriquecimiento del espíritu además de la técnica que arranca del pasado para ampliar los horizontes del futuro. Tanto es así que incluso hoy sus revisiones, elaboraciones y transcripciones mantienen toda su validez. Busoni constituye un clásico ejemplo de cómo la tradición y la fidelidad hacia ella no son elementos conservadores de bloqueo, de obtusa cerrazón hacia las cosas nuevas del mundo, sino elemento fundamental para seguir adelante. Y que haya sido el propio Bach (en Busoni, pero también en Liszt y en otros) quien haya patrocinado esta operación no hacia el pasado, sino hacia el futuro, es verdaderamente interesante. Por lo demás ¿no había sido él el primero (en orden de importancia) en hacer de «transcriptor»? ¿No había sido el propio Bach el que nos dio aquellas versiones para clavecín, para órgano, para orquesta de los conciertos italianos sobre todo, y especialmente de Antonio Vivaldi? Hay una especie de retorno histórico en este proceso: Bach se adelanta a su tiempo y, como ha escrito Alfredo Casella, «demuestra ya hasta qué punto la personalidad del transcriptor puede sobreponerse a la del compositor». Pero no se trata de una competición entre compositores; es, en efecto, un encuentro-careo entre dos personalidades, una de las cuales, el transcriptor, percibe que en el estudio de la música existe la posibilidad de expresarse uno mismo y, al mismo tiempo, de dar a conocer (para divulgarla, si se quiere) una obra poco conocida o dar de ella una versión más aceptable en el momento histórico en que se vive.

Por lo demás el propio Alfredo Casella (1883-1947), uno de los máximos compositores italianos del siglo XX, se ha enfrentado con el difícil cometido de revisar obras fundamentales de Bach y ha realizado inteligentes transcripciones de música bachiana: una sonata a tres, transcrita para violín, violoncelo y piano (en el original, para flauta, violín y clavecín y correspondiente a la *Ofrenda musical)*; la célebre *Chacona,* transcrita para orquesta y, en fin, la transcripción para piano del *Concierto en re menor para dos violines y cuerdas* de Vivaldi que, a su vez, Bach lo había transcrito al órgano. Con esta última obra ha contribuido a un ulterior ahondamiento de los «modos» de transcripción. El cotejo entre las tres composiciones (la de Vivaldi, original del *Estro armonico,* la transcripción de Bach para órgano y la de Casella para piano) es extremadamente interesante. Alfredo Casella ha llevado a cabo un ulterior homenaje a Bach componiendo dos «ricercari» sobre el nombre «Bach» (uno «fúnebre», otro «ostinato») dedicados al gran pianista Walter Gieseking.

Casella, desde su ángulo, ha contribuido de manera determinante al conocimiento de las transcripciones bachianas del polaco Carl Tausig (1841-1871), un pianista que se perfeccionó con Liszt, dotado de una técnica asombrosa y de grandes dotes interpretativas, admirado por Wagner y por Brahms. Son transcripciones que llevaron más allá las intervenciones de Liszt sobre Bach, si esto era posible, y anticiparon los admirables resultados obtenidos por Busoni.

Hemos citado ya el nombre de Max Reger (1873-1916), organista y compositor alemán que ya a los dieciséis años se sentaba ante el órgano de la iglesia católica de Weiden. Reger ha representado, en el momento en que el Romanticismo se hallaba en plena crisis, el ideal de un retorno al clasicismo musical y, al mismo tiempo, al renacimiento del Barroco. Su técnica rigurosamente bachiana y el ensanchamiento que ha hecho de las *Invenciones a dos voces* de Bach, transfiriéndolas del clavecín al órgano y añadiendo una tercera voz en una obra verdaderamente magistral de 1903, representan un momento fundamental de la técnica de la transcripción.

En medio de todas estas tareas (casi siempre bastante comprometidas tanto en el plano compositivo como en el ejecutivo, obras de elevados ingenios que profundizaron la propia indagación en la del genio de Eisenach) existe una, famosísima, que aparece en 1853: la *Meditación sobre el primer preludio para piano de J. S. Bach* de Charles Gounod (1818-1893), para piano, violín y órgano. Seis años más tarde el autor del *Fausto* le añade las palabras del Ave María y, como ha escrito Wolfgang Dömling, «el éxito, ya impresionante, asumiría entonces proporciones monstruosas». Esta pieza es una sentimental melodía —que ha sido tocada y se toca en la casi totalidad de las bodas, conocida de hecho en los más remotos rincones del mundo— apoyada en un preludio (el primero, en do, de *El clave bien temperado),* reducido a funciones de simple acompañamiento. La celebérrima composición se convirtió inmediatamente en el prototipo de un alud de obras similares en las que la música de Bach, por desgracia, sólo sirve prácticamente como fondo. Ahora es ya una composición intemporal que se ha inscrito de manera estable en las costumbres musicales mundiales.

Ensayo de una orquesta moderna. En la interpretación actual de la música barroca se ha intentado reducir la orquesta a la proporción que tenía en la época de Bach, esto es, transformarla en un verdadero conjunto de cámara y no en una orquesta sinfónica (20-25 componentes, en lugar de 100). De esta forma la ejecución es más fiel al espíritu de la música.

Aunque sea menor, hay otro nombre que no merece ser olvidado en este panorama postbachiano: el de Leopold Godowski (1870-1938), compositor y pianista polaco de gran éxito, autor de numerosísimas transcripciones. Dotado de un notable virtuosismo, Godowski ha transcrito, entre otras obras, las *Suites para violoncelo solo* de Bach. La transcripción es muy interesante por cuanto Godowski conservó literalmente y con absoluta fidelidad el texto bachiano rodeándole y sumergiéndole, por así decirlo, en figuraciones contrapuntísticas con tal de dar a las suites, que en absoluto estaban escritas para un instrumento de teclado, un claro carácter pianístico.

De muy distintas proporciones y con muy diferentes intenciones son las transcripciones efectuadas por los compositores de la Nueva Escuela de Viena guiados por Arnold Schoenberg (1874-1951), en particular por el propio Schoenberg y por Anton Webern (1883-1945). El primero se ha empeñado en una enorme labor de elaboraciones y de transcripciones, no sólo de obras propias, sino también de muchos maestros del pasado y del presente. La fuerza del Schoenberg transcriptor es verdaderamente excepcional. Si se piensa que su transcripción para orquesta del *Cuarteto op. 25* de Brahms (para piano, violín, viola y violoncelo) se ha denominado la «quinta sinfonía» de Brahms, bastará para indicarnos cuál es la calidad de Schoenberg. Naturalmente este compositor dodecafónico por excelencia, compositor de un rigor casi obsesivo, no podía dejar de aproximarse a Bach, del que ha transcrito para orquesta dos preludios-corales para órgano (una labor de 1922) y el *Preludio y fuga en mi bemol mayor* (1928). A su vez Anton Webern ha transcrito un *Ricercare a seis voces* (de la *Ofrenda musical)* para orquesta, en 1935.

Cabe preguntarse: ¿cómo se han aproximado a Bach estos modernísimos compositores? ¿Lo han «interpretado», le han permanecido fieles? En realidad, no podían calcar las técnicas de transcripción del siglo XIX que, en el caso de obras orquestales, consideraban temas y desarrollos confiados a los mismos grupos de instrumentos. En una continua alternación de temas y desarrollos, lo pasaron de un instrumento a otro, de un grupo a otro, cambiando timbre y color, con un resultado extraordinariamente lúcido y fascinante. A resultas de ello Bach, por así decirlo, se amplía y su música, sin perder nada de su carga de emociones, se enriquece con una nueva y viva experiencia sonora.

Dice Schoenberg que el fraseo se empleaba como un elemento fundamental, pero no en las dimensiones ochocentistas. En una carta de 1930 podemos leer: «un efecto "agradable" obtenido solamente por medio de la armonía de las voces artísticamente conducidas, no basta en absoluto. Precisábamos de la transparencia para poder ver a través. Todo ello es imposible sin fraseo. Pero el fraseo no debe ser utilizado de modo "emocional" como el siglo ha hecho con el "parthos".»

Sin embargo Schoenberg defiende sus transcripciones de la misma forma con que sus predecesores defendían las propias y afirmó: «El propio Bach ha orquestado y adaptado obras de otros compositores. ¿Cómo era el órgano de Bach? ¡Cuán poco sabemos! ¿Cómo sonaba? Sabemos menos aún... Conviene plantear la cuestión en los siguientes términos: ¿preferís una interpretación de Straube, Ramin o de cualquier otro organista a uno de mis arreglos?»

El otro «vienés», Alban Berg (1885-1935), no ha transcrito nada de Bach, pero ha dejado, junto a un magnífico escrito sobre Haendel y Bach, un gran mensaje de amor para el Kantor de Leipzig. Es el tema del coral de Bach *Es ist genug* en el «Adagio» de su obra maestra, el *Concierto para violín y orquesta* (1935), verdadero testamento musical de un compositor que, en el siglo XX, adelantado faro del progreso musical, miraba con inmutable amor hacia aquella luz que, desde lo más profundo del Setecientos, continúa iluminando el mundo de la música.

Diccionario de términos musicales

A cappella
Nombre dado a las composiciones para varias voces (polifónicas) ejecutadas sin acompañamiento instrumental. En sus orígenes se cantaban en las capillas («capelle», en italiano) durante la liturgia. Los compositores francoflamencos y, en Italia, Palestrina llevaron este género a muy altos niveles.

Acento
Intensificación dada a un sonido o a un conjunto de sonidos para que adquieran mayor relieve rítmico y expresivo.

Acompañamiento
Componente de un fragmento musical subordinado a la parte principal y que sirve para potenciarla, darle relieve y vitalidad rítmica expresiva, subrayar la línea melódica y proporcionarle un sostén armónico.

Acorde
Reunión simultánea de más de dos sonidos. La disciplina que estudia la naturaleza y las características de los acordes y sus respectivas relaciones se llama «armonía».

Aleluya
En hebreo significa «loado sea Dios». En el rito cristiano es una exclamación de gozo. Su última vocal da pie para una larga vocalización del solista. En la liturgia gregoriana se fijó el Aleluya en una forma caracterizada por un comienzo sobre la palabra, una gran vocalización sobre la vocal final, un versículo intercalado y la repetición de la vocalización.

Alemana o **Alemanda**
Danza de origen probablemente germano, de carácter procesional, en tiempo par, de modulación moderada. En la época de Bach y de Vivaldi pasó a formar parte de la suite, de la partita y de la sonata de cámara.

Altura
Grado de entonación de los sonidos en relación con el agudo y el grave. La altura depende del número, más o menos elevado, de vibraciones del sonido.

Antífona
Forma vocal litúrgica de la antigua iglesia cristiana que, en general, se ejecuta por coros alternos. La antífona fue usada especialmente en las partes más importantes de la misa.

Aria
Forma musical, generalmente vocal pero también instrumental. En general se trata de un fragmento para voz solista, que canta de ordinario su estrofa, con acompañamiento instrumental.

Arpegio
Modo de ejecutar un acorde tocando las notas en sucesión, a menudo en orden ascendente. Se adoptó el arpegio a partir del siglo XVII, especialmente en el acompañamiento clavecinista del recitativo. Se practicó también en la música barroca para clavecín.

Bajo
La parte más grave de una composición vocal o instrumental, que sostiene la armonía.

Bajo continuo
La parte más grave de una composición sobre la cual los instrumentos idóneos (órgano, clavecín, chitarrone, etc.) realizaban los acordes adecuados (la armonía) para sostener la melodía del fragmento. Esta técnica fue muy usada durante el período barroco.

Berceuse
Es la voz francesa equivalente a nana o canción de cuna. Tipo de canción popular de ritmo lento. Se ha desarrollado en composiciones instrumentales en las que el bajo repite un dibujo ondulante.

Bourrée
Antigua danza francesa, en compás binario, alegre y muy acentuada. Pasó a formar parte de la suite, de la partita y fue empleada también por Bach. Es similar a la gavota y al rigodón.

Caccia (**«Caza»**)
Composición basada en la técnica del canon: una voz inicia el canto y la otra la sigue, «dándole caza», con la misma melodía. De origen medieval, se convierte en uno de los géneros característicos del *Ars Nova* italiana del siglo XIV, con textos poéticos que describen variadas escenas al aire libre. En general, viene dividida en dos partes.

Cámara (música de)
Cualquier tipo de música (excluida la de órgano) destinada a un conjunto no numeroso de ejecutantes. Por ejemplo, la música para un solista, para dos instrumentos, para trío, cuarteto, quinteto,

etc. Se habla de música de cámara también cuando se trata de conjuntos instrumentales muy reducidos (doce o quince componentes).

Canon
Técnica que consiste en iniciar una melodía con una sola voz y de hacerla seguir, tras un cierto intervalo, por una segunda, luego una tercera, etc., según el canon sea a dos, tres, cuatro, etc., voces.

Cantus firmus
El «canto firme» es, originariamente, el canto litúrgico gregoriano. Pasado el siglo XIII indicaba la voz principal que tenía la melodía en las composiciones polifónicas, sirviendo de base a la forma y confiada, habitualmente, al tenor. En aquella época el *Cantus firmus* estaba formado, generalmente, por melodías gregorianas.

Cantus planus (Canto llano)
Con el desarrollo de la música polifónica sujeta a medida, el *Cantus planus* (o «canto llano») sirve para indicar el canto gregoriano en general: música grave, sencilla, monódica y rítmicamente libre, constituye la forma musical más adecuada para expresar con naturalidad la plegaria católica.

Capricho
Composición instrumental usada en el siglo XVII, de carácter caprichoso y con improvisaciones, similar al ricercare y a la fantasía. Después la voz *capricho* se refirió a composiciones con un programa descriptivo o a un fragmento de virtuosismo.

Chacona
Danza de origen español, difundida durante los siglos XVII-XVIII. De carácter vivo, se transformó, en Francia, en una danza cortesana, severa y austera. Además de la música instrumental, se introdujo también en el ballet y en la ópera. Tenemos un famosísimo ejemplo de chacona en la que corresponde a la *Partita núm. 2 para violín solo,* de Bach.

Chitarrone
Variedad de tiorba, de caja relativamente pequeña. Entre los instrumentos de la familia del laúd, representaba el contrabajo.

Clave
Señal gráfica (que, en general, figura al comienzo de un fragmento musical, aunque también puede ir en medio) que indica la altura de las notas escritas sobre el pentagrama. Por lo regular se usan las claves de *sol, fa y do* y su representación gráfica deriva de las letras G, F y C que indicaban estas notas en la notación alfabética usada, sobre todo, en los países anglosajones.

Communio
Antífona que se canta después de la comunión. Antes del año 1100 se cantaba junto con el Salmo núm. 33, *Oh creyentes cantad al Señor*. Hoy sólo se usa en la misa de réquiem.

Concertado
Dícese de aquel estilo o composición en que uno o más instrumentos o voces entremezclan o alternan su movimiento. Se opone a la música «a cappella» (para voces solas).

Concertante (estilo)
Estilo musical que presupone un diálogo variadamente articulado entre ejecutantes, las más de las veces instrumentales, que tocan separadamente o en grupo.

Contrapunto
«Punto contra punto», nota contra nota. Es el arte de superponer dos o más melodías. De manera rigurosa, se aplicó a la música docta hasta finales del siglo XVI; después, a formas instrumentales como el ricercare o la fuga, o a composiciones en las que los desarrollos de los temas y de las melodías asumían particular amplitud. Tal forma alcanza su máximo esplendor con Bach.

Corrente o **Courante**
Danza de origen italiano difundida durante los siglos XVI-XVII. De tiempo vivo, primero estaba constituida por dos movimientos; luego, por tres. Posteriormente, pasó a formar parte de la suite y de la partita, y Bach la usó para su música de clavecín.

Cromático
Procedimiento que emplea semitonos en un sistema, ya sea ascendente, ya descendente. Por ejemplo, en el piano se obtiene un pasaje cromático pulsando sucesivamente las teclas blancas y negras; las teclas negras representan los sonidos alterados tras una y otra nota. Tras un *do* o un *re*, por ejemplo, la tecla negra representa la alteración del *do* (en do sostenido) o la del *re* (en re bemol).

Diatónico
Género en el que se usa la escala o serie de notas divididas por un tono. Intervalo diatónico es aquel cuyos sonidos están comprendidos en una escala diatónica.

Dinámica
Característica del discurso musical que se refiere a la intensidad del sonido, independientemente de las acentuaciones rítmicas. La dinámica viene indicada con las señales de piano (p) o forte (f) en todas sus diferenciaciones en más o en menos, según la intensidad. Antes del siglo XVII no se daba ninguna indicación dinámica; incluso en las partituras de Vivaldi y de Bach son bastante raras.

Divertimento
Una de las tres partes en que obligatoriamente se divide la fuga. Sigue a la exposición temática y precede al «stretto».

Eco
Repetición de un motivo o de una frase musical, con sonoridad mucho menos intensa.

Fantasía
Composición musical instrumental, a menudo para un solo instrumento, y de forma muy libre; tiene también parte importante en ella la improvisación. Con la mayor libertad inventiva concedida al compositor de la forma, caben más posibilidades de destacar el virtuosismo del instrumento. Surgió en el siglo XVI como pieza improvisada a manera de preludio. Purcell y Frescobaldi fueron grandes exponentes de la fantasía. Más tarde Bach —sobre todo con la conocida *Fantasía cromática*— y Telemann utilizaron esta forma con brillantes resultados.

Frottola
Composición polifónica y estrófica, profana, de origen popular italiano, generalmente para cuatro voces. Floreció en el tardío Cuatrocientos y en el Quinientos. En este género se funden la técnica polifónica de la escuela franco-flamenca y la de la improvisación. Los textos poéticos, inicialmente serios, pasaron a ser jocosos y alegres. Petrarca fue también autor de frottolas. El estilo claro y fluido de la frottola abrió el camino para el madrigal.

Fuga
Forma musical contrapuntística bastante compleja. Se basa en la imitación de una frase o tema, como en el canon. Proviene de una forma del tipo de ricercare y se afianzó, en su forma moderna, a mediados del siglo XVII. Es divisible en tres partes: exposición temática, divertimento o desarrollo y «stretto» conclusivo. Puede ser a dos o más voces. Es la forma más compleja que se conoce en la polifonía occidental. El «rey» indiscutible de la fuga es Juan Sebastián Bach.

Gavota
Danza francesa de compás binario y tiempo moderado. Bach la usó a veces en sus suites y en sus partitas.

Giga
Danza de compás ternario y modulación viva, de origen probablemente irlandés. Constituye, en general, la parte final de las suites instrumentales de la música barroca.

Gradual
Canto litúrgico que constituye la segunda parte de la misa. Hasta el siglo IX venía entonado versículo por versículo, primero por el sacerdote y después por el coro de los fieles. Posteriormente la ejecución responsorial se abandonó y el Gradual convirtióse en un difícil canto solístico, muy florido.

Introito
Canto de apertura de la misa. Antiguamente se cantaba cuando el sacerdote se dirigía al altar. Posteriormente se redujo al versículo de un salmo, precedido de una antífona. Después del versículo se canta el *Gloria Patri* y se repite la antífona.

Madrigal
Se trata de la forma más antigua musical italiana de carácter vocal, profano y polifónico, del siglo VI fue también un canto acompañado, siempre contrapuesto al canto polifónico, que era para varias voces.

Melodía
Serie de sonidos, de variada duración y con un sentido musical completo. Con este vocablo se indica también una composición para voz sola, con acompañamiento instrumental.

Minué o **Minueto**
Danza francesa de compás ternario y de origen popular. Fue introducida en la corte de Luis XIV por el italiano Lully. Ha pasado a formar parte de la suite, de la partita (las de Bach, por ejemplo) y, finalmente, de la sinfonía, sobre todo con Haydn, Mozart y Beethoven, dando posteriormente origen al movimiento llamado «scherzo».

Monodia
Canto a una voz, sin acompañamiento, que estaba en uso a finales de la antigüedad. A partir de la cual nos han llegado testimonios escritos. Es una pieza breve, nacida en el siglo XIV, cuyo texto describe de modo lírico e idílico la vida pastoril o los pensamientos de amor. El madrigal se escribió primeramente para tres voces y luego para cuatro o cinco. Jacopo da Bologna, Willaert, de Rore, Palestrina, O di Lasso, A. Gabrieli, Marenzio, Gesualdo da Venosa y Monteverdi figuran entre los mayores autores de madrigales. Con los tres últimos citados la forma alcanza su máximo nivel.

Motete
Composición polifónica de argumento generalmente sagrado, para solistas o coro, «a cappella» o con acompañamiento instrumental. Fue el género mayor de la música polifónica de los siglos XIII y XIV. En el transcurso de los años cambió a menudo su carácter, por lo que resulta difícil definirlo con precisión. En lo que afecta a su estructura musical el motete abraza formas como los salmos, las lamentaciones, etc., no sólo las partes del Magnificat y de la misa. Con Guillaume de Machaut el motete cambió de estructura, utilizando la repetición de un esquema rítmico fijo. Dufay y Dunstable adoptaron esta nueva forma en el siglo XV. Después los grandes flamencos (Ockeghem, Obrecht, Desprez) desataron la estructura rígida. El motete conoció su máximo esplendor con Palestrina y Di Lasso (el *Magnum opus musicum* de este último contiene no menos de 516 motetes).

Motivo
Elemento musical muy simple considerado el tema de una composición, al que vuelve con frecuencia, idéntico a la primera exposición o modificado en parte.

Notación
Escritura musical que mediante signos convencionales establece el trozo de música, especificando entre otras cosas la duración y la altura de las notas. Su origen es antiquísimo y, en el transcurso de los siglos, se ha desarrollado de varias maneras. Cabe destacar que la escritura de la música es característica de Occidente, en tanto que en Oriente la música siempre se vio transmitida por tradición oral.

Obertura
Composición musical que se caracteriza por servir de introducción a fragmentos musicales de distinto género, ya sean vocales, instrumentales o teatrales. A lo largo de la historia de la música ha asumido varias formas, entrando también en la música puramente instrumental (para clavecín, para violín, etc.). Se subdivide en dos tipos: la obertura francesa (introducida en Francia por el italiano Lully) y la italiana. Una se iniciaba de manera grave y lenta, la segunda de forma alegre (ligada, en sus comienzos y de forma particular, a la ópera napolitana). Con Bach la obertura y la suite son a veces lo mismo (por ejemplo, en sus suites para orquesta).

Octava
Intervalo con una altura de ocho grados entre dos sonidos de la escala diatónica (cinco tonos y dos semitonos): el más agudo tiene una frecuencia doble que la del más grave. El acorde entre un do bajo y el do inmediatamente superior forma una octava.

Ofertorio
Canto ejecutado después del Credo y en el momento del ofrecimiento del pan y del vino. Aparece en torno al siglo IV como un canto salmódico que acompaña a los fieles cuando llevan al altar las ofertas de sus dádivas y se convierte en seguida en una antífona libre. Su melodía es rica y florida.

Oratorio
Composición vocal e instrumental de tema religioso, afín al melodrama, pero no destinada a la representación escénica.

Organum
Forma primitiva del canto polifónico que se desarrolló entre los siglos IX y XIII. Consiste en superponer de manera contrapuntística una o más voces a la melodía base tomada de los cantos gregorianos. Esta forma se ejecuta en dos tiempos.

Partita
Forma musical barroca, de ordinario para instrumentos de teclado. Inicialmente consistía en una serie de variaciones por secciones; más tarde, se convirtió en sinónimo de suite. Son famosas las seis *partitas* de Bach.

Partitura
Hoja en la que figuran los pentagramas que recogen las partes de todos los instrumentos y de todas las voces de un fragmento musical, dispuestas de arriba a abajo de forma que el director puede interpretarlas todas a un mismo tiempo. Los instrumentistas emplean a su vez hojas en las que sólo consta su propia parte, indicando con compases de pausa aquellos trozos de la obra en los que no intervienen.

Pasacalle
Composición basada sobre cierto número de variaciones sobre un bajo que se repite (de ahí que se la llame «basso ostinato», que equivale a bajo «obtinado»), de compás ternario y modulación moderada.

Pasapié o **Passe-pied**
Danza de compás ternario, viva, muy difundida en Francia. Figura tanto en el suite como en la partita del período barroco.

Pasión
Especie de oratorio, muy difundido en Alemania, que describe la Pasión de Cristo, generalmente tomando como referencia los textos evangélicos. Las pasiones más famosas son aquellas según San Mateo y según San Juan, de Juan Sebastián Bach.

Pastiche
Obra teatral formada por fragmentos musicales no originales, con frecuencia del mismo compositor (pero entresacados de diferentes obras) o también de diversos autores. Estuvo muy en boga durante los siglos XVII-XVIII.

Pastoral
Música instrumental o vocal inspirada en escenas pastoriles o en la naturaleza, que emplea a menudo instrumentos pastoriles (dulzaina, pífano, etc.). La pastoral, nacida en Italia, precede al melodrama.

Pizzicato
Modo de atacar la cuerda, en los instrumentos de arco, pellizcándola con el extremo de los dedos. («Pizzicare», en italiano, significa pellizcar). El primer ejemplo se encuentra en la ópera *Agrippina*, de Haëndel, que data de 1709.

Polifonía
Método compositivo que consiste en que varias voces o partes actúen simultáneamente, cada una de ellas con su propia línea melódica. El primer documento polifónico se remonta al siglo X. Con esta técnica, la mayor realización de la música occidental, los compositores han podido introducir una nueva dimensión, la armonía, base de nuestra música desde hace diez siglos.

Recitar cantando
Modo de cantar introducido por la Camerata florentina en el siglo XVII. Consiste en una libre declamación expresiva, lo más conexa posible con el texto poético. Surgió como contraposición a los artificios imperantes entonces del contrapunto, y representa una verdadera revolución musical.

Recitativo
Modo de cantar que intenta reproducir el lenguaje hablado. Su característica consiste en la naturaleza, la maleabilidad y la ductilidad del tono sobre un ritmo bastante libre, que sigue con gran fidelidad el texto escrito. Se ha usado en las más diversas formas musicales, desde la cantata a la música sacra, desde la ópera al oratorio. Puede ser «secco» (acompañado de un solo instrumento, clavecín u órgano) o acompañado (con intervención de la orquesta). El «recitativo arioso» tiene las características mixtas del recitativo y del aria, con la melodía alternando con el fraseo clásico del recitativo. Los recitativos de Bach (en las pasiones) constituyen sin duda los más grandes ejemplos de este modo.

Ricercare
Composición instrumental que emplea la imitación, la repetición por entradas sucesivas de las voces de un tema, como en el canon y después, en forma más compleja, en la fuga.

Salmo
Antiguo himno en loor de Dios, de origen hebraico, usado de forma continua en la liturgia católica. Venía cantado por los primeros cristianos junto con los cánticos espirituales y después se convirtió en el núcleo musical de la liturgia. Se difundió también en las iglesias luterana y anglicana. Inspiró a compositores como Desprez, Buxtehude, Schütz, Bach, Purcell, Binchois, Orlando di Lasso, Carissimi, Vivaldi, Palestrina y Alessandro Scarlatti.

Secuencia
Antigua composición vocal monódica. Tuvo sus orígenes en el siglo IX, afirmándose hasta la llegada del Concilio de Trento, que la aparta de las funciones sacras (salvo pocas excepciones). En el período carolingio fue la forma principal de la música litúrgica. Viene colocada en la misa entre la Epístola y el Evangelio, después del canto del Aleluya.

Siciliana
Danza de origen popular siciliano, de carácter pastoril. Se afirmó también en la música instrumental (además de la vocal) y se usó formando parte de la suite y de la partita. Vivaldi, a veces, empleará esta forma.

Stretto
Última parte de las tres que obligatoriamente constituyen la fuga, que se forma por medio de la entrada y de la respuesta del sujeto, a menor distancia de la que lo hicieron en la exposición.

Tablatura
El más antiguo método de escritura musical, de partitura. Se empleó para indicar las notas a los instrumentos de cuerda y de teclado. Recogía en pocos renglones todas las partes de las varias voces polifónicas, que antes tenían que escribirse separadamente.

Tema
Motivo musical que con frecuencia constituye la idea básica de la composición. Caracteriza las más variadas y diversas formas musicales, tanto vocales como instrumentales. Junto con el tema principal pueden aparecer a veces temas secundarios que contrastan con el primero.

Temperamento
Definición de los varios sistemas de entonación hallados para los instrumentos de sonido fijo, para establecer con precisión las relaciones entre los intervalos (distancia entre dos notas). La diferencia entre los instrumentos de sonido fijo (clavecín, clavicordio, órgano, clarinete, flauta, etc.) y los de sonido no fijo (instrumentos de cuerda, cuernos, etc.) ha impuesto un modo unitario de dar forma a los sonidos, que han sido divididos en doce, entre un do y el do sucesivo, formando, por lo tanto, una escala subdividida en doce semitonos todos iguales. El «temperamento», inventado por A. Werkmeister (1691), fue llevado a la perfección por Juan Sebastián Bach.

Timbre
Cualidad del sonido que el oído percibe cuando distingue un sonido igual en altura e intensidad, pero emitido por instrumentos diferentes.

Tocata
Proviene esta voz del verbo «tocar», en el sentido de hacer sonar un instrumento. En general se trata de una composición para órgano o clave, prevalentemente contrapuntística, con modulación libre y dejada en gran parte a la improvisación del intérprete. Igual término se emplea para indicar una pieza instrumental que sirve de introducción a otra composición mayor.

Transcripción
La palabra tiene dos significados. Por una parte le corresponde la función de expresar en notación moderna (en moderna grafía musical) música antigua que en su día se transcribió con notaciones ilegibles para la música de hoy. Pero también significa la adaptación de un fragmento u obra musical para uno o más instrumentos distintos de aquellos para los cuales se había concebido originariamente. Por ejemplo, Mendelssohn transcribió para viola y piano la *Chacona de la Partita núm. 2 para violín solo*, del insigne compositor Juan Sebastián Bach.

Tracto
Canto que sustituye al aleluya de la misa durante los ciclos penitenciales y en las misas de difuntos. Consta de algunos versículos de salmos, y se caracteriza por su gran sencillez. Antiguamente formaba parte de todas las misas antes de que se introdujera el uso del aleluya.

Trémolo
Efecto (vocal o instrumental) que se obtiene al repetir rápidamente uno o varios sonidos.

Unísono
Relación de igualdad entre sonidos de igual altura, aunque sean de timbre diferente. Se aplica también el término «unísono» a las voces masculinas y femeninas que cantan la misma nota.

Variaciones
Están en la base de la composición musical; fundamentales en el lenguaje musical, consisten en la transformación, en modo vario, de un tema de base. Es esta variación, en sus más diversas técnicas y modalidades, lo que da vida a la música en su formas.

Versículo
En acepción moderna es un breve interludio de órgano que sustituye a la ejecución de algunos fragmentos de canto gregoriano. En un sentido general, se presenta en estilo fugado, modelado técnicamente sobre el *Cantus firmus*. Es un género especialmente empleado entre los siglos XVI y XVIII. Entre los cultivadores del *versículo* se destacan los compositores italianos, Girolamo Cavazzoni y Girolamo Frescobaldi.

Vísperas
Acaso sea la más antigua de las horas canónicas y, sin duda, la más solemne. Se canta a la puesta del sol. Se inicia con el *Deus in adjutorium nostrum*; prosigue con cinco salmos, cada uno de los cuales va precedido y seguido de una antífona, un texto llamado *capítulo*, y un himno y un responsorio, formado generalmente con versículos de salmos. Termina con el *Magnificat*, seguido de una antífona. Como sucede en la misa, las *Vísperas* frecuentemente se presentan con rico revestimiento polifónico y concertante, compuesto con o sin dependencia del fundamento gregoriano original. Acaso la obra más significativa del género fue compuesta por C. Monteverdi: *Vísperas de la Virgen*.

Zarabanda
Danza de probable origen oriental. De compás ternario, desenfrenada y licenciosa, se transformó en danza lenta (en Alemania), entrando posteriormente en la partita y en la suite.

Índice onomástico

D

E

F

G

N

O

P

R

S

T

U

V

W

Z